16	3	2	13
5	10	11	8
9	6	7	12
4	15	14	1

Aristóteles

DE ANIMA

Livros I, II e III

Apresentação, tradução e notas de
Maria Cecília Gomes dos Reis

editora 34

EDITORA 34

Editora 34 Ltda.
Rua Hungria, 592 Jardim Europa CEP 01455-000
São Paulo - SP Brasil Tel/Fax (11) 3811-6777 www.editora34.com.br

Edição conforme o Acordo Ortográfico da Língua Portuguesa.

Título original:
Peri Psykhês

Capa, projeto gráfico e editoração eletrônica:
Bracher & Malta Produção Gráfica

Revisão:
Carlos A. Inada
Oliver Tolle
Fabrício Corsaletti

1ª Edição - 2006 (1 Reimpressão),
2ª Edição - 2012 (2ª Reimpressão - 2021)

CIP- Brasil. Catalogação-na-Fonte
(Sindicato Nacional dos Editores de Livros, RJ, Brasil)

Aristóteles, 384-322 a.C
A75d De Anima / Aristóteles; apresentação, tradução e notas de Maria Cecília Gomes dos Reis. — São Paulo: Editora 34, 2012 (2ª Edição).
360 p.

ISBN 978-85-7326-351-0

Tradução de: Peri Psykhês

1. Filosofia antiga. 2. Filosofia aristotélica.
I. Reis, Maria Cecília Gomes dos. II. Título.

CDD - 185

SUMÁRIO

Prefácio 9
Abreviações 13
Introdução 15
Sinopse do tradutor 40

De Anima

Livro I 45
Livro II 71
Livro III 103

Notas do tradutor

Sumário analítico 135
Notas ao livro I 145
Notas ao livro II 203
Notas ao livro III 273

Léxico 343
Bibliografia 346

À minha irmã, Maria Luiza

Prefácio

O objetivo desta publicação do tratado *De Anima* de Aristóteles é oferecer uma tradução que possa ser utilizada pelo estudante que não lê grego, sem nenhuma pretensão à erudição. Adotei o texto da Oxford Classical Texts, editado por W. D. Ross (1956), indiquei em nota de rodapé uma ou outra variante escolhida e limitei-me a acusar nas notas finais as principais passagens em que problemas no estabelecimento do texto têm impacto em questões gerais de interpretação.

Os comentadores consultados, que são a fonte das referências a outras passagens do *corpus* e estão na base das interpretações compiladas, foram quatro. O comentário de Tomás de Aquino, produzido no século XIII, foi seguido frequentemente para a divisão do texto em partes. O de R. D. Hicks (1907), por sua vez, foi inestimável para as minuciosas questões de interpretação. Não tendo trabalhado diretamente com os comentadores gregos e latinos do tratado, encontrei no trabalho de G. Rodier (1900) muitas citações dos antigos, que por vezes iluminaram as dificuldades. Por fim, os comentários de W. D. Ross (1961) ofereceram um padrão enxuto de apresentação dos problemas levantados por Aristóteles. As notas de D. W. Hamlyn (1968) à sua tradução do tratado, sem terem o caráter de um comentário, foram consultadas regularmente. Não tive, desse modo, nenhuma pretensão à originalidade, embora tenha me esforçado para levar ao leitor uma análise cuidadosa e acessível dos argumentos envolvidos.

Em relação à tradução, uma ou duas palavras talvez possam esclarecer ao leitor a linha geral do procedimento. Tentei conciliar o que me parecem ser imperativos técnicos e estéticos: respeitar a consistência do vocabulário, estabelecendo uma rede de conceitos conectados entre si e eficientes em suas diversas ocorrências, com atenção à coerência etimológica, mas tendo em vista a clareza e a fluência para o leitor não iniciado em língua grega.

Embora o estilo de Aristóteles seja sucinto e sem licenças literárias, o texto é muitas vezes elíptico, não raro um termo tem várias acepções. Contornei cada uma dessas dificuldades de maneira diferente. A ambiguidade dos termos empregados por Aristóteles, em muitos casos, tem relevância filosófica e não há como apagá-la sem onerar pesadamente sua metafísica — é o caso de *ousia*, que alguns traduzem por substância, outros por essência, colocando o tom ora no aspecto ontológico, ora no epistemológico, coexistentes na palavra grega. Outras palavras têm várias acepções filosoficamente relevantes, embora seja de todo impossível não recorrer a diversos termos na tradução — por exemplo, *logos*, que tem no tratado pelo menos três sentidos distintos: (1) "enunciado" ou "formulação", isto é, discurso que traduz o que é algo, embora de maneira mais vaga e abrangente do que uma definição; (2) "determinação", isto é, princípio objetivo que determina a razão de ser de algo, e (3) "razão", isto é, relação proporcional entre as partes.

Há, por outro lado, um tipo de ambiguidade que me parece fruto do excesso de literalidade na tradução. É o caso do termo *aisthêsis* e derivados — *to aisthêtikon*, *to aisthêton* etc. —, literalmente, *sensação*, *sensitivo*, *sensível*. Os inconvenientes da opção literal são bem percebidos pelo leitor comum, pois no português coloquial o termo *sensação* é frequentemente empregado no sentido de impressão física geral — por exemplo, sensação de mal-estar, sensação de medo — e ao que parece vem se especializando para designar o âmbito dos sentimentos e das emoções. Dispomos, contudo, da expressão *percepção sensível*, cujo sentido corresponde exatamente à principal acepção do termo *aisthêsis* no tratado de Aristóteles, a saber, a apreensão ou aquisição de conhecimentos por meio dos sentidos. Neste, e em outros casos, descartei a literalidade em favor da clareza.

O vocabulário essencial do tratado, de qualquer maneira, está estabelecido em um léxico no final do volume, que, por sua vez, indica as páginas desta edição onde podem ser encontradas observações mais pormenorizadas sobre os termos gregos, bem como justificativas para a tradução, quando cabíveis.

Adotei a convenção usual para indicar as passagens duvidosas no estabelecimento do texto, isto é, [...] para as supressões e <...> para as adições.

No início de cada parágrafo da tradução, o leitor encontrará o número da página, coluna e linha que são convencionalmente usados para referência ao texto original, estabelecido pela edição de Immanuel Bekker (1831).

Este livro é fruto direto de seminários de pós-doutorado que pude realizar no Departamento de Filosofia da FFLCH-USP, em 1997-1998. Essa foi uma ocasião particularmente feliz para o amadurecimento de algumas partes do trabalho e gostaria de agradecer principalmente ao professor Pablo Rubén Mariconda pelo inestimável apoio, e aos participantes do seminário, Alberto Muñoz, Fernando Rey Puente, Roberto Bolzani, Maurício de Carvalho Ramos, Marisa Carneiro Donatelli, Lucas Angioni, Regina A. Rebollo; ao professor Marco Zingano, que na mesma ocasião apresentou seu instigante trabalho sobre o tratado em um curso intensivo de pós-graduação, e especialmente ao professor Henrique Murachco, pela paciente revisão da primeira versão direta do grego e pelas valiosas sugestões, embora todas as falhas e problemas encontrados sejam de minha inteira e exclusiva responsabilidade.

O trabalho resulta de muitos anos dedicados à pesquisa, em uma área particularmente difícil. E, ainda que seja impossível agradecer a todos, desejaria mencionar especialmente J. A. A. Torrano, Sandra Regina Sproesser, José Arthur Giannotti, Francis Wolff, Luiz Henrique Lopes dos Santos, Franklin Leopoldo e

Silva, Rubens Rodrigues Torres Filho e também Robinson Guitarrari, Paula Lapolla, Marcos Pompeia, Elizabeth Guedes, Floriano Jonas Cesar, Thaïs Leonel Stinghen e Ninho Moraes. Entre 1993 e 1995, pude trabalhar como pesquisadora visitante no King's College de Londres e gostaria de agradecer ainda a Gabriela Carone, Tad Brennan, M. M. McCabe e Richard Sorabji, que leram versões preliminares de trabalhos incorporados às notas desta tradução. Durante todo esse tempo, Eduardo Giannetti facilitou de diversas maneiras o acesso à bibliografia, leu, comentou e fez várias sugestões de caráter editorial, e minha perseverança certamente foi estimulada por sua gentileza e amizade. Agradeço por fim à Fapesp e à Capes pelo apoio financeiro, e ao Ibmec São Paulo, que me concedeu afastamento para a redação final do trabalho.

Nada disso teria sido suficiente sem o privilégio da amorosa convivência com Luiz Fernando Ramos. Além de um interlocutor excepcionalmente lúcido e crítico, ele esteve pacientemente ao meu lado nesta empreitada repleta de altos e baixos e acreditou no sentido do meu trabalho até quando eu mesma estive a ponto de desistir. A ele, Clara e Lúcia a minha alegre gratidão.

Abreviações

Tratados de Aristóteles

Cat. — *Categorias*
DI — *De Interpretatione*
P. Anal. — *Primeiros Analíticos*
S. Anal. — *Segundos Analíticos*
Top. — *Tópicos*
Ref. Sof. — *Refutações Sofísticas*
Fis. — *Física*
DC — *De Caelo*
GC — *De Generatione et Corruptione*
Meteor. — *Meteorológica*
DA — *De Anima*
PN — *Parva Naturalia*
Sens. — *De Sensu*
Mem. — *De Memoria*
Somn. — *De Somno*
Insomn. — *De Insomniis*
Div. Somn. — *De Divinatione per Somnum*
Long. — *De Longitudine Vitae*
Juv. — *De Juventute*
Resp. — *De Respiratione*
HA — *Historia Animalium*
PA — *De Partibus Animalium*
MA — *De Motu Animalium*
GA — *De Generatione Animalium*

Probl. — *Problemata*
Met. — *Metafísica*
EN — *Ética a Nicômaco*
MM — *Magna Moralia*
EE — *Ética a Eudemo*
Pol. — *Política*
Ret. — *Retórica*
Po. — *Poética*

Comentadores do *De Anima* consultados

CH — *Hicks*
CHa — *Hamlyn*
CR — *Ross*
CRod — *Rodier*
CTA — *Tomás de Aquino*

Introdução

O leitor encontrará neste volume o tratado *Peri Psykhês* de Aristóteles — livros I, II e III —, em uma tradução direta do grego, acompanhada de notas, sumário analítico, léxico e bibliografia. O tratado chegou até nós através de cerca de cem manuscritos medievais, provavelmente cópias de duas fontes diversas. Nem todos os manuscritos trazem o texto integral,[1] mas a organização interna do tratado e sua coerência no *corpus* colocaram de lado qualquer dúvida consistente sobre sua autenticidade. E, embora as edições modernas deem mais atenção ao segundo e terceiro livros, penso existirem bons motivos para se realizar a publicação completa do tratado, em particular a relevância metodológica, e não apenas histórica, do panorama crítico apresentado por Aristóteles no primeiro livro.

A intenção deste trabalho é mostrar que o *De Anima* é um clássico na melhor acepção da palavra — capaz de manter viva a reflexão sobre um vasto leque de questões pertinentes, na medida em que amplia os recursos teóricos para a busca de soluções em diversos caminhos. Essa força aparece, já em seus dias, tanto na maneira de considerar os problemas e analisar os meios pelos quais podemos ter deles uma exata compreensão, como na habilidade de frustrar com críticas as soluções propostas.

Como bom discípulo de Platão, Aristóteles escreveu diálogos que devem ter tido boa aceitação e circulação. Mas desta obra (exotérica) restam poucos fragmentos, já que os mais de trinta tratados que chegaram até nós — o *corpus aristotelicum*

— constituem provavelmente o trabalho de caráter didático (esotérico) e de uso exclusivo do Liceu, ao menos até serem editados e publicados, entre 43 e 30 a.C., por seu décimo primeiro chefe, Andrônico de Rodes. Aristóteles foi um investigador incansável e vigorosamente analítico em filosofia natural — além de um extraordinário colecionador de dados — cuja fama repousa sobretudo na obra sobre biologia.[2] *De Anima* é um tratado central em todo esse esforço.

Apesar de pouco conhecido em nossos dias fora dos círculos filosóficos, este tratado era lido, durante o Renascimento, nos cursos de medicina, e foi um requisito básico nas universidades para a obtenção do título de bacharel em artes.[3] As motivações humanistas, que exigiam um retorno às fontes primárias corrompidas pela tradição medieval, provocaram um amplo programa de edições e novas traduções dos autores gregos.[4] O emprego da forma *De Anima* para designar o estudo que Aristóteles dedica ao princípio de vida do ser animado — *empsykhon*, um ser dotado de *psykhê* — em oposição ao inanimado [*DA* 412a11-3], está consagrado desde aquele período, por isso esta forma foi mantida sem reservas no título deste trabalho.

O termo psicologia, inclusive, foi cunhado, ao que tudo indica, pelo humanista alemão Joannes Thomas Freigius, em 1575, para referir-se justamente ao conjunto amplo de temas e problemas abordados no *De Anima* de Aristóteles e nos oito opúsculos suplementares, conhecidos como *Parva Naturalia*, sobre "os fenômenos comuns à *psykhê* e ao corpo" [*PN* 436a6-8].[5] O divórcio entre o estudo da vida e o estudo da alma, tal como passou a ser entendido na filosofia moderna, de fato, só se deu completamente no século XVII. Na perspectiva do *De Anima*, a investigação da alma contempla plantas e animais, bem como seres humanos, sem diferenciar-se claramente do que é hoje o campo da biologia — o problema da demarcação, em outros termos, é inclusive colocado por Aristóteles [*DA* 402b1-5]. O *De Anima* certamente continuou sendo uma influência seminal para os pensadores do século XVIII e posteriores.[6]

A centralidade no *corpus*

Além de estar na origem da psicologia como disciplina teórica, o tratado de Aristóteles tem, como se viu, laços ancestrais com a biologia. E, de fato, voltou à cena no debate contemporâneo sobre o problema mente-corpo, que estimulou uma significativa parte da pesquisa em filosofia antiga sobre o *De Anima*. Por isso a herança de Aristóteles tem sido pleiteada por mais de uma corrente filosófica.[7]

A psicologia de Aristóteles é a peça teórica que fundamenta e coordena toda sua investigação em zoologia.[8] As análises e os conceitos metafísicos que contém são fruto da exigência de se compreender racionalmente os princípios que regem a simultânea complexidade e unidade dos seres biológicos, tarefa que parece estar ainda por ser concluída.[9] Na medida em que se ocupa das mais elaboradas entidades naturais, a psicologia foi considerada também o ápice da filosofia natural de Aristóteles.[10] *De Anima* é, de fato, um exemplar magistral da articulação dos dois mais fortes aparatos conceituais de Aristóteles: aqueles desenvolvidos para a teoria do movimento na *Física* e para a teoria da substância sensível na *Metafísica*.[11]

No que concerne ao exame da alma como princípio dos desejos, pensamentos e ações do homem, *De Anima* é também relevante para a ética. No tratado, além de apresentar parâmetros gerais da complexa relação entre a razão e a vontade na conduta, Aristóteles levanta o problema da escolha intertemporal [*DA* 433b5-13]. Suplementa, enfim, com um vasto estudo das capacidades naturais, a doutrina da virtude como *hexis*, ou disposição adquirida, amplamente conhecida por um de seus mais estudados tratados, a *Ética a Nicômaco*.

De Anima subsidia, ainda, sua teoria geral do conhecimento, na medida em que considera a natureza e os princípios da intelecção. Traz, inclusive, um tema que se tornou uma verdadeira obsessão filosófica: um certo intelecto que produz os inteligíveis — mencionado uma única vez e de forma alusiva como um estado de luz [*DA* 430a15]. Esta talvez seja uma das passagens mais discutidas da história da filosofia antiga. Aristóteles emprega um símile igualmente célebre para explicar a possibilidade que o intelecto tem de receber toda e qualquer noção inteligível, da mais simples às mais complexas proposições: ele é como uma tabuleta de argila em que absolutamente nada ainda foi inscrito [*DA* 429b31-430a2].

No que diz respeito às emoções, o tratado, por fim, tem laços com a *Retórica*, cuja força reside no apelo aos sentimentos, e, nessa medida, até mesmo com a *Poética*. Uma edição completa do *De Anima* enfatiza tanto sua centralidade no *corpus* como permite uma apreciação correta de seu escopo e problemas de fundo.

A DEPENDÊNCIA DE COMENTADORES

Os tratados de Aristóteles, contudo, formam um conjunto intrincado de doutrinas, e é muito difícil explicar os detalhes fora de contexto; de forma que a interpretação de seus escritos requer uma trama de análises. A estatura de seu pensamento, reconhecida praticamente em todas as épocas, levou ainda a uma proliferação ativa de filosofias exógenas que se serviram — mais ou menos consciente e abertamente — de suas teses e noções. Com isso, seu próprio pensamento viu-se excessivamente ligado a uma mais ou menos nobre tradição de comentadores gregos, latinos, árabes, cristãos e escolásticos.[12] Entre os antigos e os medievais, prevaleceu muitas vezes a crença de que os tratados de Aristóteles expressam um sistema coerente de doutrinas, de maneira que o esclarecimento de pontos obscuros à luz do que é afirmado em outras partes foi prática livre e corrente.

Contudo, é difícil pressupor coerência em um conjunto de tratados que, quando examinados de perto, revelam contradições. Se quisermos ser coerentes com o próprio Aristóteles, ou assumimos que seu pensamento evoluiu e que os conflitos se acomodam em um eixo temporal, ou então assumimos que as contradições são aparentes e representam perspectivas e abordagens diversas de um mesmo assunto ou questão.[13] A primeira alternativa norteou todos aqueles que, na primeira metade do século XX, trabalharam no assim chamado método genético.[14]

Nos dias de hoje, há um certo consenso entre estudiosos de que a abordagem mais adequada do *corpus* é aquela, por assim dizer, pluralista.[15] Ela consiste, *grosso modo*, em admitir que o que Aristóteles afirma em uma dada passagem sobre certos problemas pode não ter relação com problemas aparentemente similares de outras passagens, e essas diferenças devem ser vistas como diferenças de ênfase e de perspectiva.[16]

A presente tradução aspira a contribuir para a linha de pesquisas que recupera o Aristóteles grego (vale dizer, analítico e crítico) que há por trás de sua desfiguração (dogmática) ao longo dos tempos. As notas, em larga medida, são fruto da seleção e compilação paciente de análises conceituais e reconstruções de argumentos, sem pretender ou poder, contudo, dar-lhes qualquer tratamento formal. O objetivo, em suma, é reunir em torno do *De Anima* a pesquisa recente que contribui para revelar a originalidade do autor.

O processo de deturpação do pensamento de Aristóteles vem de longa data, ocorrendo em maior escala por obra e graça da filosofia escolástica, cujo maior expoente é Tomás de Aquino. Não obstante sua aguda apreciação da complexidade da filosofia de Aristóteles, a interpretação que Aquino nos legou incorre em duas graves tentações: acomodou-a a noções teológicas que lhe são totalmente estranhas e apresentou-a como um sistema de ideias encadeadas dedutivamente. A desmontagem paciente deste sistema monumental só foi empreendida de fato no século XX.[17]

O mérito da filosofia de Aristóteles, de um certo ponto de vista, consiste exatamente em reconhecer a irredutibilidade das áreas de conhecimentos umas às outras — o que talvez se deva ao reconhecimento de que é impossível proceder a uma redução dos diversos âmbitos da realidade a um único — mantendo, entretanto, a firme disposição de examinar os vínculos que existem entre elas, por meio de um vocabulário interdisciplinar, se é que podemos definir assim o expediente metafísico.

Em particular, como observador e investigador do fenômeno da vida, por via estritamente especulativa (vale dizer, usando exclusivamente as ferramentas de sua filosofia primeira), Aristóteles formulou uma teoria elaborada e penetrante. A clareza que teve da complexidade dos problemas envolvidos e das condições que se impunham para a sua solução, está longe de ser ingênua ou desencaminhadora. O déficit de nossa época, por sua vez, é eminentemente teórico.[18] Foi com recursos largamente teóricos que Aristóteles chegou longe, tão longe que até mesmo aproximou-se de nós.[19]

O ESCOPO DO TRATADO

O objeto do tratado é a *psykhê*, aquilo que diferencia um ser natural animado de um ser inanimado,[20] termo que se traduz por alma, na falta de expressão melhor. Aristóteles inova, incluindo nesta classe as plantas, por entender que a nutrição por si mesmo está na base de todas as demais manifestações de vida [*DA* 414b34]. Segundo ele, para os seres vivos, ser é viver; e o viver subsiste em todos de acordo com a alma nutritiva [*he threptikê psykhê* — *DA* 415a23-4],

> [cujas] funções são o gerar e o servir-se de alimento. Pois, para os que vivem [...], o mais natural dos atos é produzir outro ser igual a si mesmo; o animal, um animal, a planta, uma planta, a fim de que participem do eterno e do divino como podem. [*DA* 415a25-b1]

O escopo do tratado é examinar e encaminhar a solução de três ordens de problemas: o do gênero e o da unidade da alma, bem como o de sua definição [*DA* 402a23-b8]. O primeiro gira em torno de questões como: que gênero de coisa é este princípio de vida, que designamos alma? Seria uma substância, no sentido de algo de natureza material, extensa, ocupando lugar no espaço, como pretendiam alguns pré-socráticos? Ou, como sustentavam outros, seria a alma algo abstrato, relacionado às quantidades envolvidas em seus componentes materiais? Ou, quem sabe, uma espécie de alteração sofrida no todo natural, tal como uma mudança de qualidade, decorrente da forma como as partes materiais são combinadas? Ou, como parece querer mostrar Aristóteles, nenhuma das alternativas anteriores?

Uma segunda ordem de problemas concerne à unidade da alma: "é preciso examinar também se ela é divisível em partes ou não, e se toda e qualquer alma é de mesma forma" [*homoeidês* — *DA* 402b2]. Aristóteles sugere que o problema não é simples e, de fato, não é fácil dar-se conta do que exatamente está em jogo. A alma, por um lado, garante a coesão das partes materiais que compõem o ser vivo e determina suas proporções [*DA* 416 a16-7] — do contrário seus elementos físicos não se manteriam agregados e sob certos limites.

> Alguns dizem ainda que a alma é partível, e que uma parte é o pensar, outra o ter apetite. Pois bem, o que mantém afinal a alma junta, se ela é por natureza partível? Certamente não é o corpo. Ao contrário, parece mais que é a alma que mantém junto o corpo, pois, quando ela o abandona, ele se dissipa e corrompe. [*DA* 411b5-9]

E a alma exibe também um tipo de homogeneidade, no sentido de estar toda ela em cada parte do corpo, sendo possível em certa medida secionar partes do ser vivo sem diminuir-lhes a vitalidade como um todo [*DA* 413b16-24]. Contudo, o viver se diz de fato em vários sentidos, pois dizemos que um ser vive caso tenha ao menos um dos seguintes atributos: nutrição, percepção, locomoção e intelecção [*DA* 413a22-5], o que sugere que a alma talvez seja algo complexo. É possível que a alma tenha partes logicamente distinguíveis, sem que tenha o tipo de divisibilidade dos objetos extensos, não sendo talvez apropriado falar de partes da alma sediadas em partes específicas do corpo, como o fez Platão.

Aristóteles parece preferir falar em *potências* antes que em partes da alma [*DA* 414a29]. Os atributos da alma são *capacidades* e de diversas modalidades: umas intermitentes e intencionais, e outras simplesmente contínuas. De maneira que a psicologia tem de encontrar uma definição de alma que escape ainda de certos dilemas (lógicos e epistemológicos), legados por filósofos anteriores a Aristóteles sobre o *status* da potencialidade. Os megáricos, por exemplo, sustentando que tudo o que se pode dizer sobre um ser qualquer é que ele está, ou não está, em um determinado estado, afirmavam que "o ser só é potente quando atua e quando não atua não é potente" [*Met.* 1046b29-30]. Isso, contudo, parece insustentável ao bom-senso aristotélico: se só aquele que atua pode ser considerado capaz, então "um construtor, por exemplo, teria de readquirir sua arte, a cada vez que reiniciasse seu ofício" [*Met.* 1046b33-4].[21]

Que gênero de coisa pode dar conta de garantir a unidade do ser e, ao mesmo tempo, comandar a variedade de tais atributos? Eis a terceira ordem de problemas: os da definição. Há um único enunciado definidor de alma? Ou diversos, e um para cada espécie? A propósito, toda e qualquer alma é do mesmo gênero? A boa definição, de qualquer modo, é aquela que deixa claro o porquê das propriedades do que define [*DA* 402b16-403a2]. E o desafio da psicologia, em uma palavra, é enunciar o que é a alma e mostrar, a partir disso, como todas estas dificuldades encontram solução.

O ARGUMENTO PRINCIPAL

Aristóteles, em todo o primeiro livro, levanta pacientemente objeções cabíveis a cada uma das teses antigas que lhe parecem não dar conta da tarefa. Refuta severamente os que, com base na convicção de que só o que se move pode fazer algo se mover, de uma maneira ou de outra, definem a alma simplesmente como *algo em movimento*. Por mais que se esmerem em concebê-la de forma sutil e incorpórea, todas as tentativas anteriores estavam comprometidas com o materialismo, se atribuem a um movimento *tout court* o princípio da vida. Por isso diz:

> Na opinião de alguns, é simplesmente a natureza do fogo que causa a nutrição e o crescimento, pois só o fogo, dentre os corpos, ou [os elementos] revela-se nutrido e crescente. E por isso alguém poderia supor que é também o fogo que opera nas plantas e nos animais. De certa maneira, ele é *um* causador coadjuvante, mas não *o* causador simplesmente, o qual é antes a alma. Pois o crescimento do fogo é em direção ao ilimitado e até o ponto em que existir o combustível, mas em tudo o que é constituído por natureza há um limite e uma proporção para o tamanho e para o crescimento, e essas são coisas da alma e não do fogo, e da determinação mais do que da matéria. [*DA* 416a9-18]

Aristóteles adverte-os, de fato, alhures que "a ordem e a beleza dos seres naturais não são engendradas pelo jogo aleatório de seus componentes" [*Met.* 984a11-15].

Há, por outro lado, aqueles que abstraem demais a ponto de tratarem a alma matematicamente, independente de seu poder de movimento. Para Aristóteles, contudo, os seres naturais são "menos separáveis" que entidades matemáticas. Do ponto de vista da sua filosofia natural, a grandeza matemática é uma propriedade dos corpos e pretender que a alma seja algo de natureza numérica significa dizer que a alma é uma propriedade da matéria. Outros, por sua vez, defendem a teoria de que a alma é como uma harmonia das partes que compõem o ser vivo, isto é, uma qualidade decorrente do arranjo material. As ciências como a harmônica, a óptica e a astronomia, ao contrário da geometria, estudam efetivamente as entidades em suas naturezas e não como meras abstrações [*Fis.* 194a1-13]. Porém, causar movimento não é atributo da harmonia e é isso o que principalmente se atribui à alma [*DA* 407b34]. Se a alma fosse simplesmente uma característica emergente do corpo, então ela seria algo derivado, posterior e ontologicamente subordinado a ele. Mas, segundo Aristóteles, a alma é princípio e comanda a ordenação progressiva de suas partes — ela é substância, não qualidade.

> A alma é causa e princípio do corpo que vive. Mas estas coisas se dizem de muitos modos, e alma é similarmente causa conforme três dos modos definidos, pois a alma é de onde e em vista de que parte este movimento, sendo ainda causa como substância dos corpos animados. Ora, que é causa como substância, é claro. Pois, para todas as coisas, a causa de ser é a substância, e o ser para os que vivem é o viver, e disto a alma é causa e princípio. [*DA* 415b7-14]

O avanço de Aristóteles em *De Anima* consiste em mostrar que a alma é *princípio* de movimento, mas que não pode ser algo *em movimento*. Sua inovação foi admitir que a alma é um princípio *parado* embora *atuante* nos processos de mudança denotando vida. Sua solução, de fato, é a não imediatamente clara tese da alma como "a primeira atualidade — *entelekheia prôte* — do corpo natural orgânico" [*DA* 412b5-6]. Tomemos um outro caminho.

A alma como substância no sentido de forma

A noção de substância [*ousia*], por sua vez, tem alta relevância tanto nos tratados de biologia como nos de lógica, por seus vínculos complexos com a teoria da predicação e com a tese da homonímia do ser — "o ser se diz em vários sentidos".[22] E foi alvo dos mais severos ataques.[23] Talvez seja um dos temas mais difíceis da filosofia de Aristóteles.[24] Contudo, é tese bem aceita que

Aristóteles define a substância (primeira) como aquilo que nunca é predicado, mas sempre sujeito [*Cat.* 1b11-3; *Met.* 1029a8-9], porque, permanecendo a mesma, sofre mudanças e admite o vir a ser [*Cat.* 4a10-b19].

Aristóteles sugere que a substância não é a matéria, mas a forma [*eidos*]: aquilo por meio do que o sujeito é o que é [*DA* 412a8-9].[25] Pois, é a forma, em poucas palavras, o que permanece constante por trás das mudanças. De fato, assim como é possível substituir o bronze de uma estátua sem modificar sua figura, da mesma maneira, a forma de um ser vivo mantém-se idêntica, mesmo sua matéria sendo, ao longo da vida, totalmente substituída pela nutrição.[26] Ao fazê-lo, conserva mais do que perde sua integridade e unidade, preserva a forma [*GC* 321b22-8]. É neste sentido que Aristóteles afirma que "é necessário [...] que a alma seja substância como forma do corpo natural que em potência tem vida" [412a19-21].

Mas, como seria possível conceber um tal princípio formal, para dar conta do fato de que ele existe informando a matéria e atuando nela, e não subsiste por si e separado (como supunham os platônicos)? Sem resolver este ponto, a teoria de Aristóteles continuaria vacilante entre um formalismo desencarnado (a substância é uma fórmula inteligível) e um materialismo rústico (a substância é a matéria).[27] O problema concerne à relação que guardam forma e matéria no devir.

A argumentação de Aristóteles parece seguir esta direção. Na medida em que a forma subordina-se a um fim [*telos*], ela tem em última instância um aspecto separado. Isto é claro, em se tratando da produção artificial. A construção de uma casa, por exemplo, tem como causa final a meta de ser um abrigo contra intempéries e como causa formal o projeto do construtor, que é quem efetivamente inicia os movimentos apropriados de sua construção com pedras e madeiras reais. Na geração natural, por sua vez, a alma é algo desse tipo inscrito naturalmente nos organismos [*DA* 415b16-7] e que Aristóteles designa por *atualidade primeira*. O que a filosofia de Aristóteles quer entender é como se dá a transição do ato (separado) da finalidade para os movimentos de sua realização.[28] Suas considerações mostram, em geral, que este princípio formal tem sua realização condicionada a uma outra coisa: ele é correlato à matéria, no sentido de que os meios de alcançá-lo são particulares e concernem ao que se apresenta como sendo o caso. O princípio tem uma natureza dual. Tanto é *formal* e *esquemático* — pois é um plano desprovido de conteúdo real —, quanto *dinâmico* — já que tem também o princípio de movimento em outra coisa, a saber, a matéria particular que se apresenta. Alma e corpo, tanto quanto forma e matéria, são princípios correlatos e formam unidade na melhor acepção do termo [*DA* 412b6-9]. Nesta medida, nenhum constitui por si só base para a substância.[29] A matéria é a carência de determinação, a forma é uma disposição orientada para determiná-la em certa direção (reprodução via nutrição, por exemplo). Essa disposição é analisável logicamente em termos de um fim (absorver matéria e replicar-se), a que está subordinada a forma da composição, e que estará realizada tão logo condições reais contribuam com a matéria adequada e seus movimentos.

> Uma vez que é justo designar todas as coisas a partir de seu fim — e uma vez que o fim consiste em gerar outro como si mesmo —, a primeira alma seria a capacidade de gerar outro como si mesmo. [*DA* 416b25]

A atualidade primeira de um corpo natural orgânico

A alma como forma é a causa ativa que mantém a unidade ordenada do composto face ao poder destrutivo do devir. Os elementos a partir dos quais o organismo é gerado contribuem com suas propriedades para uma ordem e função mais elevada. O objetivo superior impede que os elementos façam, de acordo com a física aristotélica, o que seria natural em estado simples: tenderem a seus lugares próprios. E por isso Aristóteles pode dizer que "os seres naturais são destruídos por aquilo a partir de que são constituídos" [*DC* 283b21-2]. A corrupção dos organismos vivos é causada, então, pela dissipação dos elementos constituintes. É preciso, pois, um princípio atuante que mantenha a ordem complexa e superior. E isto é precisamente a forma no sentido de substância. Ter alma é poder guardar uma certa ordem nas partes materiais e manter-se imune à destruição.

Mas isso não é tudo. A forma dispõe o composto em termos de *capacidades*. E a efetividade da forma não deve ser confundida com sua plena atividade. A disposição natural do organismo para certas funções denotando vida precede o exercício propriamente dito. Um animal, por exemplo, vive mesmo quando está dormindo e, embora inativa, sua capacidade de perceber não desaparece por completo e permanece de algum modo disponível [*DA* 417a9-11]. Em outras palavras, o que é inseparável do corpo animado e tem de entrar na definição é tão somente a capacidade efetiva (primeira atualidade — *entelekheia prôtê*) como algo distinto da inatividade ou atividade efetiva (*energeia*). Em tempo: passar da capacidade à atuação (vale dizer, a passagem da atualidade à atividade) nem bem é mudar, nem bem é mover — se falamos em mudança ou alteração é apenas por imprecisão da linguagem —, trata-se apenas da manifestação do que já existe e está lá [*DA* 417b2-9].

Aristóteles, por fim, tem de mostrar de que modo esta definição permite a clara compreensão de todos os atributos denotando vida. Ora, viver se diz em vários sentidos, pois viver é nutrir-se, crescer, gerar, sentir (ter tato, paladar e olfato), perceber (olhar, ouvir), desejar e locomover-se, querer e agir, pensar (imaginar, saber) e discursar (opinar, deduzir, demonstrar). E a dificuldade de uma definição geral de alma, tal como a de figura geométrica, remonta ao seu arranjo serial [*DA* 414b19-32]. É possível um enunciado comum. O problema é que ele não será suficientemente informativo sobre as potências que inclui, pois omitirá o ponto crucial, a saber, o fato de que elas formam uma progressão.

Eis, em poucas palavras, o argumento principal e a definição proposta por Aristóteles.

Aristóteles, nos demais capítulos do tratado, ocupa-se do exame detalhado de cada uma das cinco potências da alma — nutritiva, perceptiva, desiderativa, locomotiva e raciocinativa [*DA* 414a31-2] — à luz da definição de *psykhê* como primeira atualidade do corpo natural orgânico.

A crítica moderna a Aristóteles

A filosofia natural de Aristóteles entrou em eclipse já no alvorecer do século XVII, que viu no aristotelismo como um todo nada mais do que uma camisa de força imposta ao ensino e ao estudo. Cosmologias contrárias à sua vinham emergindo desde que físicos e astrônomos começaram a demolição de seus postulados na *Física*, uma história, aliás, bem conhecida. Foi quando ao desprezo dos humanistas por análises lógicas de caráter escolástico, juntou-se o desprezo da tradição galileana por certas noções metafísicas imiscuídas em sua análise do mundo natural. Aristóteles, *grosso modo*, foi acusado de impedir o uso de princípios explicativos que permitem determinar o movimento em termos estritamente quantitativos. Sua física e cosmologia foram postas de lado porque recorriam a explicações teleológicas — que analisam os processos em termos de seus fins — incompatíveis com a mecânica e cosmologia modernas. No que concerne à psicologia, para atravessar o hiato entre a teoria da matéria (e seus movimentos por necessidade) e uma teoria da ordem natural dos seres, Aristóteles, na perspectiva moderna, teria recorrido a princípios explicativos adicionais: finalidades e formas substanciais. Para a nova ciência, além disso, a experiência tem um novo *status*. Assim, por deslizamentos conceituais e pequenos reparos metodológicos, ocorreu por fim o desmoronamento completo do sistema com o qual a filosofia de Aristóteles fora identificada. E o auge da crise, em fins do século XIX, dá-se com os adeptos das críticas kantianas à metafísica ingênua, que tinham Aristóteles como exemplo mais notável.

É conveniente, portanto, dedicar duas palavras especialmente ao problema do finalismo. Cabe dizer, em geral, que a teleologia de Aristóteles tem caráter basicamente empírico, e não é de todo uma doutrina metafísica *a priori*, trazida do nada para a investigação da natureza. Se há um papel importante para ela, particularmente nos estudos científicos, isso nada tem a ver com algum tipo de princípio cósmico universal,[30] e tampouco envolve qualquer ideia de desígnio de um agente planejador.[31] No que concerne ao *De Anima*, Aristóteles apenas admite que, na investigação sobre os seres animados, o tipo correto de análise e explicação envolve o que hoje entendemos por estrutura e função.

A pesquisa recente sobre os tratados biológicos de Aristóteles, por sua vez, parece desautorizar um tipo de essencialismo que lhe era atribuído com o amparo de certas noções da lógica — a ideia de que a espécie é uma forma absoluta imposta sobre os indivíduos. Esse essencialismo que lhe era imputado, de fato, se opõe aos argumentos mais elaborados dos estudos de Aristóteles sobre a geração dos animais.[32] Pode-se dizer que ele está mais próximo da perspectiva moderna do que se supunha, também no sentido de pretender que a compreensão adequada de um órgão, por exemplo, passa pelo conhecimento de seu papel e contribuição para a vida do organismo. E, se for possível pensar em uma inclinação dos organismos vivos para algum tipo de bem geral, não se deveria entendê-lo em termos normativos, mas como uma tendência ao estado completamente desenvolvido ou plena maturidade — sua *akmê*.[33]

Notas

[1] O manuscrito considerado paradigmático (E — *Parisinus Graecus*) apresenta indícios de que uma outra versão do segundo livro substituiu a original, e de que a nova versão talvez não derive da mesma família de manuscritos que os outros livros. De qualquer modo, o conjunto de manuscritos, segundo os especialistas, não foi ainda suficientemente analisado, e haveria lugar para uma nova edição crítica do texto. Para um breve resumo da situação dos manuscritos, ver Nussbaum, "The Text of Aristotle's *De Anima*", p. 1-6; e Jannone, *Aristote — De l'âme*, p. xxiv-xlv.

[2] Darwin, por exemplo, refere-se a Aristóteles, em carta de 22/2/1882 ao Dr. Ogle, autor de um estudo sobre a biologia aristotélica, nestes termos: "Eu estava, através de citações, bem esclarecido sobre os méritos de Aristóteles, mas não tinha a menor ideia do homem extraordinário que ele foi. Lineu e Cuvier eram meus dois ídolos, ainda que de formas diferentes, mas eles são meros estudantes secundaristas, se comparados ao velho Aristóteles. E como era curiosa, também, a sua ignorância de alguns pontos, como o fato de que os músculos são os meios do movimento. Eu estou satisfeito que você tenha explicado de uma maneira tão plausível alguns dos mais gritantes equívocos atribuídos a ele. Eu nunca tinha me dado conta, antes de ler seu livro, da enorme quantidade de trabalho que devemos a ele, mesmo no que diz respeito aos nossos conhecimentos mais comezinhos". A carta está em *Life and Letters of Charles Darwin*, vol. 3, p. 252.

[3] A informação está em Park e Kessler "The Concept of Psychology", p. 456. Para uma apreciação da presença da filosofia de Aristóteles nas universidades europeias deste período, ver Schmitt, *The Aristotelian Tradition and Renaissance Universities*.

[4] O *De Anima*, que circulava até então em uma versão latina de Guilherme de Moerbeke, acompanhando o comentário de Tomás de Aquino, estimativamente de 1271, teve duas novas traduções no século XV e, pelo menos, outras cinco para o latim e duas para o italiano, durante o século XVI. Ver Park e Kessler, "The Concept of Psychology", p. 458.

[5] Ver Park e Kessler, "The Concept of Psychology", p. 455.

[6] Uma evidência textual pode ser encontrada em Hegel, por meio de quem a obra de Aristóteles conheceu, no início do século XIX, uma vigorosa reabilitação. Ele diz que os métodos da ciência moderna teriam se imposto também à psicologia empírica, mantendo a teoria metafísica fora da ciência indutiva — que assim se apegou a conceitos metafísicos de senso-comum. Nesse contexto afirma: "Os livros de Aristóteles sobre a alma, ao lado de

suas discussões sobre seus respectivos aspectos e estados especiais, são ainda, por esta razão, de longe o mais admirável e, talvez, mesmo o único trabalho de valor filosófico neste tópico. O principal objeto da filosofia da mente só pode ser o de re-introduzir unidade e princípio à teoria da mente, e assim reinterpretar as lições daqueles livros de Aristóteles". Ver Hegel, *Philosophy of Mind*, p. 3. Sobre a alta consideração que Leibniz tinha por Aristóteles, ver o prólogo de Berti em *Aristóteles no século XX*.

[7] Sobre a pertinência e os parâmetros da relevância dos filósofos antigos para o problema mente-corpo, ver a introdução de Everson em *Companion to Ancient Thought 2 — Psychology*, e também Ostenfeld, *Ancient Greek Psychology and the Modern Mind-Body Debate*.

No que concerne ao tipo de relação que Aristóteles supõe entre a alma e o corpo, as interpretações são assustadoramente divergentes. No livro I do *De Anima*, *grosso modo*, ele rejeita tanto o dualismo substancial (de Platão) — a alma é uma substância incorpórea (de natureza matemática) — quanto o materialismo reducionista (de Demócrito) — a alma é matéria. Mas sua própria exposição sugere que deve haver uma terceira alternativa. De fato, certas passagens parecem sustentar alguma outra forma de materialismo: afirmam, por exemplo, que as capacidades psíquicas existem com o corpo [*DA* 403a6-17, 407b4]. Outras sugerem algum dualismo: caso o intelecto não seja propriedade de um órgão físico, então ele pode existir separado [*DA* 413b24].

Há uma linha de pesquisa, do início do século XX, que procurou resolver a aparente contradição por meio da hipótese de um desenvolvimento intelectual de Aristóteles (ver nota 12). Mas foram outras as tendências que por fim prevaleceram. Para uma discussão das interpretações dualistas, ver Hardie, "Aristotle's Treatment of the Relation between the Soul and the Body", Robinson, "Aristotelian Dualism", e Shields, "Soul and Body in Aristotle". Para as materialistas, ver Sorabji, "Body and Soul in Aristotle", e Hartman, *Substance, Body and Soul*.

Há quem tenha sugerido que Aristóteles sustenta alguma forma de atributivismo, e que este varia de uma capacidade psíquica para outra — a alma não é uma substância incorpórea: algumas capacidades psíquicas são como que atributos físicos do corpo, outras são propriedades inteiramente não físicas. Esta é a interpretação de Barnes, em "Aristotle's Concept of Mind". A dificuldade aqui é que Aristóteles parece refutar uma teoria antiga, da mesma cepa: a que define a alma como a harmonia do corpo. Para uma defesa do atributivismo ou teoria de aspecto dual para o problema mente-corpo, ver Nagel, *The View from Nowhere*, cap. 3.

Para outros intérpretes, enfim, o exame acurado da psicologia de Aristóteles mostra que, em geral, ele contrasta a alma e o corpo (forma e matéria) para opor estados funcionais aos estados físicos que os constituem ou realizam, e que sua posição tem um viés funcionalista. O funcionalismo é compatível com certas formas de materialismo. Esteve em alta, no final do século XX, quando as teorias materialistas da identidade entre o físico e mental entraram em crise, com a verificação empírica da capacidade que o cérebro tem, após certas sequelas, de servir-se de circuitos neurológicos alternativos para restabelecer atividades mentais. O funcionalismo, por sua vez, admite que estados mentais devem ser identificados, não com estados físicos específicos do cérebro, mas com estados funcionais, que têm a característica de serem neutros em relação aos meios físicos pelos quais os estados mentais são realizados. Para a abordagem funcionalista de Aristóteles, ver Irwin, "Aristotle's Philosophy of Mind", e Cohen, "Hylomorfism and Functionalism".

O maior ataque a esta tendência vem de um polêmico artigo de Burnyeat, "Is an Aristotelian Philosophy of Mind Still Credible?", cujo impacto pode ser apreciado na coletânea de artigos organizada por Nussbaum e Rorty, *Essays on Aristotle's De Anima*.

[8] Ver Lloyd, "Aspects of the Relationship between Aristotle's Psychology and his Zoology". Para uma visão geral do legado da biologia de Aristóteles para o entendimento de sua filosofia, com interesse para a história e filosofia da biologia, ver Gotthelf e Lennox, *Philosophical Issues in Aristotle's Biology*.

[9] Cf. Furth, "Aristotle's Biological Universe: An Overview", p. 26.

[10] Esta seria a opinião de Averróes e do próprio Aristóteles na abertura do tratado [*DA* 402a2-4], segundo Park e Kessler, em "The Concept of Psychology", p. 456.

[11] Nesses dois tratados se reúnem os resultados do trabalho de Aristóteles como lógico *e* investigador da natureza. Cabe notar, que a direção que ele tomou na *Física*, e os desdobramentos, na *Metafísica*, da assim chamada teoria aristotélica da atividade e da potência, não são uma criação *ex nihilo*. Aristóteles via-se desafiado por problemas colocados por filósofos do seu tempo. No (pouco) que havia de consensual entre os filósofos gregos, estava a crença de que o conhecimento é captura intelectual do que há de permanente por trás da variabilidade dos fenômenos revelada aos sentidos. Nesse contexto, a filosofia grega ficou fechada em um beco ao qual fora levada pelo inspirado poema de Parmênides de Eléa, que bania o mundo empírico da especulação filosófica, ao sustentar que todas as mudanças observadas nele nada mais são que ilusões e enganos dos sentidos. A radicalidade do eleatismo vinha sendo combatida por todos que esperavam mais do mundo empírico do que simplesmente bani-lo. E Aristóteles era um desses. Para um pa-

norama da reação antiga ao eleatismo, ver Dijksterhuis, *The Mechanisation of the World Picture*, cap. 2.

[12] Ver Nussbaum, "The Text of Aristotle", p. 3-4. Em linhas gerais, a tradição de comentários é a seguinte. Teofrasto — o primeiro chefe do Liceu depois da morte de Aristóteles, em 322 a.C. — e Alexandre de Afrodisias — que floresceu já por volta do ano 200 da era cristã — discutiram partes consideráveis do texto, e Themistius, no século IV, produziu uma paráfrase. Os neoplatônicos e antagonistas Simplicius e Philoponus, nos séculos V e VI, foram intérpretes importantes e escreveram os dois maiores comentários antigos que chegaram até nós. Depois disso, só no século XIII, Sophonias escreveu uma paráfrase do tratado. De fato, nos seis primeiros séculos da era cristã, os únicos tratados de Aristóteles certamente conhecidos em primeira mão eram *Categorias* e *De Interpretatione*, ligados a uma suposta lógica tradicional e suas querelas. (A lógica incluída na primeira parte do ensino universitário medieval — o *Trivium* —, estava acompanhada da gramática de Donatus e Prisciano e da retórica de Cícero e Quintiliano, que não diferenciavam a teoria da demonstração dos *Segundos Analíticos*, da dialética contida nos *Tópicos*). Nesse meio-tempo, por outro lado, os tratados foram encontrando seu caminho até a Bagdá dos Abássidas, onde os árabes do Califado os teriam conhecido e traduzido. Avicena, no século XI na Pérsia, e Averróes, no século seguinte na Espanha, ocuparam-se diretamente do *De Anima*. Finalmente, por volta de 1271, Tomás de Aquino, que não lia grego, mas queria fazer face à interpretação da tradição árabe circulante, trabalhou em um comentário completo do *De Anima* (a partir de uma versão latina produzida por Guilherme de Moerbeke).

[13] Isto se impõe a Aristóteles, como se sabe, pelo Princípio de não contradição: é impossível o mesmo atributo ser e não ser atribuído ao mesmo sujeito, ao mesmo tempo e sob um mesmo aspecto [*Met.* 1005b19-21].

[14] Esta linha de pesquisa vincula-se ao célebre trabalho de Werner Jaeger de 1923, *Aristóteles: bases para la historia de su desarrollo intelectual.* Cabe notar que ele se baseia nos diálogos de Aristóteles, dos quais conhecemos apenas fragmentos e que estão fora do *corpus* tradicional. Jaeger estipulou uma evolução do pensamento de Aristóteles em três fases e procurou mostrar extratos destes diferentes períodos na metafísica e na ética. Em 1929, Solmsen estendeu a hipótese de Jaeger ao *Organon*, e o resultado do método aplicado à lógica pode ser apreciado em Stocks, "The Composition of Aristotle's Logical Works". Ver também dois influentes artigos de Owen, "Logic and Metaphysics in Some Earlier Works of Aristotle" e "The Platonism of Aristotle". Em 1939, Nuyens estende o método à psicologia em *L'Évolution de la psychologie d'Aristote.*

A posição de Jaeger, *grosso modo*, é a seguinte. Aristóteles começa platônico e termina um cientista empírico. Em outras palavras, nos vinte anos em que frequenta a Academia, ele aceita a doutrina da pré-existência e imortalidade da alma, bem como a do conhecimento como reminiscência; e, nessa medida, deve ter sustentado também a teoria das formas como transcendentes. Na fase de transição (um período de viagens e atividade didática pela Ásia Menor, entre a fase acadêmica e a propriamente peripatética), Aristóteles produz os trabalhos biológicos e expressa objeções às teorias antes sustentadas. Por fim, há o período de maturidade, em Atenas, quando Aristóteles trabalha segundo seus próprios princípios e constitui sua própria escola, o Liceu.

Ross, na introdução de *Parva Naturalia*, em "The Development of Aristotle's Thought" e na introdução ao *De Anima*, endossa Jaeger e Nuyens. No período dos diálogos, Aristóteles adota a posição de Platão no *Fédon* e tem em foco a alma humana. Nos trabalhos biológicos, insere o homem no reino animal e está mais propenso a ver todo e qualquer ser vivo como dotado de alma; associa a *psykhê* ao calor, e localiza-a no coração. Na fase do *De Anima*, a alma é pensada como princípio de organização do corpo, *entelékheia*.

Sobre as críticas a esse método, ver Hardie, "Aristotle's Treatement of the Relation between the Soul and the Body" e *Aristotle's Ethical Theory*, cap. 5. Ver também Kahn, "Sensation and Consciousness in Aristotle's Psychologie".

[15] Ver Nussbaum, "The Text of Aristotle's *De Anima*", p. 6. Berti emprega essa expressão, que já teria sido utilizada por J. M. Moravcsik. Cf. Berti em *Aristóteles no século XX*, p. 165.

[16] É provável até mesmo que Aristóteles tenha deliberadamente recorrido a proposições contraditórias como uma maneira de aprofundar suas reflexões sobre um tema. Cf. Guthrie, *A History of Greek Philosophy*, p. 12.

[17] O movimento surgiu na própria filosofia católica do final do século XIX, com Frans Brentano (1838-1917), mas foi levado adiante por W. Jaeger (ver nota 11) e outros, já no século XX, acompanhado agora da recusa à escolástica. O estudo de Brentano sobre os múltiplos sentidos do ser em Aristóteles, além de abalar a tradição escolástica, influenciou diretamente Martin Heidegger. Brentano possivelmente teve influência indireta sobre G. E. Moore, professor de Wittgenstein, que antecipou o interesse da filosofia analítica inglesa pela linguagem comum. Parece, que no momento mesmo desse abalo, planta-se uma semente aristotélica na raiz de duas importantes tendências do pensamento contemporâneo. Ver Berti, *Aristóteles no século XX*, caps. 2 e 3.

Em linhas gerais, deu-se o seguinte. Brentano dedicou-se à filosofia de Aristóteles em geral e à psicologia em particular, mas conservou a inspiração escolástica no modo de interpretar o aspecto teológico da metafísica e o intelecto ativo. Afirmou que sua época sofria com o obscurecimento moderno da filosofia aristotélica e entendia ser possível fazer com a obra de Aristóteles o que Cuvier fizera com os restos de animais pré-históricos: pela natureza das partes existentes determinar a das faltantes. Aventou a hipótese de uma lei de transformação no pensamento de Aristóteles e viu-a na teoria da definição. Em suma, considerou importante a cronologia das obras para a ordenação das várias partes da filosofia de Aristóteles, a que ele se referia como um "grande organismo". Cf. Brentano, *Aristóteles*, p. 24-32.

Jaeger, por sua vez, insatisfeito com os neokantianos da Escola de Marburg, que interpretavam Platão como um antecessor da teoria das formas *a priori* do conhecimento e viam Aristóteles como um exemplo da metafísica ingênua criticada por Kant, despertou para o estudo de filosofia antiga. A esta avaliação negativa contrapunham-se filólogos como Trendelenburg, professor de Brentano, Bekker, editor do *corpus* pela Academia de Berlim (1831) e Bonitz, autor do *Index Aristotelicus* (1870). Influenciado por seu professor, Adolf Lasson, ligado a essa tradição, Jaeger ocupou-se de Aristóteles para realizar a mesma exegese minuciosa de texto, que já se praticava, na Inglaterra, com viés filológico *e* filosófico por Bywater, editor da *Ética a Nicômaco*, fundador e primeiro presidente da célebre *Aristotelian Society*, no final do século XIX, e também por W. D. Ross, editor com J. A. Smith da tradução inglesa do *corpus* (Oxford, 1908-1951).

Jaeger salienta a mentalidade analítica de Aristóteles, o caráter problemático e não sistemático de sua filosofia, que busca coordenar análise conceitual e investigação empírica. Interpreta a metafísica como uma investigação fundada na física, que busca conhecer racionalmente os princípios últimos do mundo, e por isso culmina na ideia de um primeiro motor imóvel. Sua hipótese evolutiva sobre a *Metafísica*, contudo, constata uma verdadeira falência na tentativa de Aristóteles de conciliar especulação e ciência. Mas, a conclusão de Jaeger pode estar ligada à influência da atmosfera neokantiana sobre ele próprio, na medida em que reduziu a ciência a uma análise empírico-positiva da realidade. Ver Berti, *Aristóteles no século XX*, cap. 1.

[18] Em 1948, o físico Erwin Schrödinger chamava a atenção para o que ele descreveu como "o grotesco fenômeno de mentes altamente competentes, com boa formação científica, mas com uma perspectiva filosófica incrivelmente infantil, subdesenvolvida e atrofiada". Sua opinião foi expressa em Londres, nas Conferências Shearman, que depois foram transformadas em livro. Ver Schrödinger, *La naturaleza y los griegos*, p. 28.

[19] Salta aos olhos, para o leitor do *De Anima*, a afinidade de enfoque e de análise que o próprio Schrödinger guarda com Aristóteles. Em palestra no Dublin Institute for Advanced Studies do Trinity College, ele se refere ao código hereditário nestes termos: "[S]ão esses cromossomos, ou provavelmente apenas um filamento esquelético axial daquilo que realmente vemos ao microscópio como um cromossomo, que contêm em algum tipo de código, todo o padrão do desenvolvimento futuro do indivíduo e de seu funcionamento no estado maduro. (...) Mas o termo código é, evidentemente, muito estreito. As estruturas cromossômicas são, ao mesmo tempo, o instrumento da realização do desenvolvimento que prefiguram. São o código legal e o poder executor ou, para usar outra analogia, são o projeto do arquiteto e a perícia do construtor em um só". O que ele está dizendo, sem o saber, é que a ciência de seus dias concebe a estrutura cromossômica exatamente como Aristóteles afirmou ser a forma dos seres naturais: causa formal, final e eficiente. Ver Schrödinger, *O que é vida?*, p. 34. De fato, o biólogo Max Delbrück, atribuindo a Aristóteles a descoberta do DNA por identificá-lo à noção aristotélica de forma, sugeriu brincando que a ele caberia um prêmio Nobel, caso a Academia de Estocolmo conferisse prêmios póstumos. A história é contada por Berti, *Aristóteles no século XX*, p. 310.

[20] É preciso lembrar que a *Física* de Aristóteles trata de "tudo aquilo que tem em si mesmo o princípio de movimento e mudança" [*Fis.* 192b13-4]. Note-se, assim, que tanto os elementos simples (fogo), como os compostos inanimados (rocha), quanto os seres vivos (plantas e animais) e suas partes, todos têm em si mesmos um princípio de movimento, devido a sua natureza (*physis*) própria, o que quer dizer que podem mover-se de modos característicos, caso não sejam impedidos de fazê-lo (por exemplo, o fogo por natureza sobe; a rocha, cai). E mais: todo e qualquer ser físico tem por si mesmo também a potencialidade (*dynamis*) de ser modificado e alterado por outro, ou por uma parte de si [*Met.* 1019a15-6; 1046a9-13].

Assim, as entidades naturais podem atuar umas sobre as outras (e sobre aspectos de si mesmas), afetando-se mutuamente [*Met.* 1029a12-3] e respondendo de modos recorrentes e característicos aos estímulos que sofrem. Dentre tais afecções (*pathoi*) ou interações entre as coisas naturais, e em seus vários níveis, algumas são destrutivas (por exemplo, um corpo natural simples como o fogo destrói um tecido natural complexo como o da pupila); outras, são conservadoras e preservam uma certa disposição do ser, ou de uma parte dele, exatamente na medida em que o colocam em atividade (*energeia*) e no exercício da própria potência (a luz natural, por exemplo, aciona a capacidade do olho de ver) [*DA* 417b2-16; *Met.* 1046a13-6]. Mas todas as afecções, tanto as destrutivas como as conservadoras, acontecem com o amplo suporte da matéria componente e de mudanças físicas patentes [*kinesis*, moção, isto é, movimento de um dos seguintes tipos: deslocamento, diminuição e aumento de quantidade, alteração de qualidade — *Fís.* 201a10-19].

[21] Assumindo tal posição, eles acabavam ainda por endossar a opinião de Protágoras — cuja famosa sentença reza ser o homem a medida de todas as coisas — para quem "nada será, por exemplo, nem quente, nem doce e, em geral, nenhuma das demais qualidades, quando não percebido" [*Met.* 1047a4-6], e cujo relativismo epistemológico parecia a Aristóteles de todo espúrio. Ele afirma, por sua vez, que é preciso existir a qualidade sensível em ato antes de qualquer sensação, pois, o sensível é o agente da alteração que acompanha a percepção sensível; e se a qualidade existe mesmo antes do contato com o sentido, então o sujeito que sente não pode ser a medida de seu ser. De fato, segundo Aristóteles, é possível descrever o sensível ainda não percebido como qualidade 'potencial', na medida em que o processo não estará plenamente realizado até que tal qualidade seja efetivamente percebida, mas não pretender (como Protágoras) que só existe quando percebida.

Os megáricos estão na raiz da outra grande escola de lógica antiga — a estoica — ao lado da do próprio Aristóteles. Foram os seguidores de um certo Euclides de Mégara, contemporâneo ligeiramente mais velho de Platão e estudioso da obra de Parmênides. Inspirados pelos paradoxos sobre o movimento de seu discípulo Zenão [*Fís.* 239b9-11], e influenciados pelos debates dialéticos (que, por colocarem os argumentos na forma de pergunta e resposta, eram também denominados erísticos), os megáricos teriam desenvolvido ideias interessantes sobre os chamados operadores modais, embora pouco tenha sido conservado pela tradição.

[22] Esta é a mais fecunda em dificuldades das teses aristotélicas. Apresenta um problemático (e célebre) corolário epistemológico para o *status* da metafísica (tanto como da ética). Se o ser não é um gênero (e nem tampouco o bem), então apenas as ciências particulares são possíveis, e qualquer filosofia com a pretensão de investigar a natureza geral de tudo o que existe deve ser descartada (bem como uma ciência do bem, isto é, uma ética). Ver *EE* 1217b25-35.

[23] Ninguém menos que Bertrand Russell, em sua *History of Western Philosophy*, publicada em 1945, emite a opinião sobre a lógica aristotélica de que "sua influência hoje é tão contrária ao raciocínio claro que é difícil lembrar-se do grande progresso por ele realizado sobre todos os seus predecessores". Russell atacou a noção de substância com críticas deste calibre: "quando encarada seriamente, é um conceito impossível de estar livre de dificuldades [...]; é simplesmente um modo conveniente de se reunir acontecimentos em feixes [...]; substância, numa palavra, é um erro metafísico, devido à transferência para a estrutura do mundo da estrutura de sentenças

compostas de um sujeito e um predicado". Cf. Russell, *História da filosofia ocidental*, vol. 1, p. 221 e 228.

[24] Os textos básicos da teoria da substância de Aristóteles são os complicadíssimos livros VII [*dzeta*] e VIII [*heta*], além dos livros IV [*gama*] e VI [*epsilon*] da *Metafísica* — onde ele examina a possibilidade de uma ciência do ser enquanto ser. Ver Bostock, *Aristotle Metaphisics — books Z and H* e Kirwan, *Aristotle's Metaphysics — books Gama, Delta, Epsilon*. A pesquisa sobre este tópico é extensa, tanto em língua inglesa, como em francês. Um artigo de 1957, que está na raiz do debate recente, é o de Owen, "Logic and Metaphysics in Some Earlier Works of Aristotle", no qual o seguinte argumento é apresentado. Na medida em que Aristóteles foi formulando melhor, contra Platão, sua própria teoria da substância como forma imanente da matéria (e, nessa medida, refinando seus conceitos para abordar melhor o problema da ambiguidade do ser), ele também pôde desvencilhar-se de suas velhas objeções a uma filosofia primeira ou metafísica. Aristóteles se dá conta de que o ser não é um caso de mera ambiguidade, e que seus diversos sentidos podem reduzir-se a um padrão único (bem como os diversos sentidos de outras noções com a mesma generalidade, tais como a de bem e, quem sabe, a de alma). Um novo tratamento é dispensado ao ser [*to on*] por Aristóteles: "o ser se diz em relação a uma coisa e a uma única natureza" [*pros hen kai mian physin legomena — Met.* 1003a33-4]. Ele é interpretado por Owen como dotado de *focal meaning*.

Salta aos olhos a semelhança entre o padrão de tradução redutiva proposto por Owen para aquela crucial passagem da *Metafísica* e a crítica de Russell de que "substância é simplesmente um modo conveniente de reunir acontecimentos em feixes" (ver nota 21). Se Owen está correto, Aristóteles até certo ponto concordaria com Russell. O mesmo padrão é sugerido, inclusive, como aplicável à psicologia. Cf. *Articles on Aristotle — Metaphysics*, p. 20.

A difícil aproximação entre o estudo do ser e a teologia do livro XII [*lambda*] foi tratada no influente artigo de 1960 de Patzig, "Theology and Ontology in Aristotle's Metaphysics".

[25] O termo *eidos*, ligado etimologicamente ao verbo ver, em sua forma do perfeito, indica a noção de *trânsito* do perceber ao conhecer (tendo visto algo, o conhecemos) em registro francamente diverso do pensamento ocidental posterior, que indica a *oposição* entre forma/aparência (conhecida pelos sentidos) e essência (conhecida intelectualmente). Para os gregos, "a forma traz a promessa da verdade". Ver Pellegrin, "Logical and Biological Difference: The Unity of Aristotle's Thought", p. 322. Bases para uma interpretação de forma sem o *status* de universal, que tradicionalmente lhe

conferem, podem ser encontradas no influente artigo de Frede, "Individuals in Aristotle".

[26] A maior pesquisa nessa direção foi realizada por Gill em *Aristotle on Substance*.

[27] A melhor discussão deste ponto pode ser encontrada em Mansion, "The Ontological Composition of Sensible Substances in Aristotle".

[28] Cf. Mansion, "The Ontological Composition of Sensible Substances in Aristotle", p. 84.

[29] Nesse ponto, avanços têm sido feitos para iluminar outro aspecto obscuro da biologia aristotélica: a noção de *pneuma* e seus vínculos com os processos vitais. O exame de inúmeros textos esparsos subsidiou a ideia de que Aristóteles pretendia levar adiante uma pesquisa de caráter estritamente fisiológico para dar suporte a suas teses psicológicas. Uma excelente apresentação de problemas, exegese minuciosa e análises penetrantes, é o trabalho de Freudenthal, *Aristotle's Theory of Material Substance*.

[30] Ver Charles, "Teleological Causation in the *Physis*".

[31] Cf. Irwin, "Aristotle's Philosophy of Mind", p. 64.

[32] Na interpretação tradicional da teleologia aristotélica, o ser vivo individual e transitório é fruto de um processo de geração fazendo parte da tendência, inerente ao mundo natural, de preservar sua ordem. Esse processo de reprodução de plantas e animais seria presidido por formas efetivamente existentes, isto é, por objetivos finais a serem alcançados, que são as espécies conhecidas. Ver Cooper, "Aristotle on Natural Teleology". Um artigo mostrando que no *Generatione Animalium* Aristóteles assume uma perspectiva não essencialista, já que o animal se desenvolve por semelhança parental incluindo mesmo detalhes não essenciais do ser, é o de Balme, "Aristotle's Biology was not Essentialist".

[33] Um artigo seminal sobre o assunto é o de Gotthelf, "Aristotle's Conception of Final Causality" e seu *postscript*, onde o debate que gerou é resumidamente apresentado. Ver também Cooper, "Hypothetical Necessity and Natural Teleology", e Balme, "Teleology and Necessity". As linhas mestras da discussão estão em Sorabji, *Necessity, Cause and Blame*; Waterlow, *Nature, Change and Agency in Aristotle's Physics*, e também em Lennox, "Teleology, Chance and Aristotle's Theory of Spontaneous Generation", e Bradie e Miller, "Teleology and Natural Necessity in Aristotle".

Sinopse do tradutor

LIVRO I

1. Introdução: a natureza do estudo da alma e questões a serem respondidas
2. Panorama das opiniões relevantes
3. Crítica das opiniões: o problema do movimento
4. O problema do movimento
5. O problema do conhecimento e o problema das partes e da unidade da alma

LIVRO II

1. O enunciado da definição
2. A definição
3. Da distinção das partes à hierarquia das potências
4. A nutrição
5. A capacidade de discernir: os sentidos
6. Sensíveis por si — próprios e comuns — e sensíveis por acidente
7. O visível e a luz. A necessidade de um intermediário
8. O audível e a produção do som
9. O olfato e o odorífero
10. O palatável. O intermediário intrínseco
11. Algumas dúvidas sobre o tato esclarecidas
12. A unidade da percepção

LIVRO III

1. A percepção sensível comum
2. Suas demais funções
3. A imaginação como derivada da percepção sensível
4. A capacidade de discernir: o aspecto potencial do intelecto
5. O aspecto ativo do intelecto
6. O inteligível: o indiviso
7. O juízo prático: percepção sensível, imaginação e pensamento envolvidos
8. Percepção sensível e intelecto
9. A locomoção. O problema das partes da alma retomado
10. Desejo, intelecto e imaginação
11. Imaginação e locomoção de animais dotados só de tato
12. Necessidade e capacidades da alma
13. Sentidos, conservação e o bem dos animais

Data ___/___/___

DE ANIMA - PALAVRAS-CHAVE - TEMAS

LIVRO I. περὶ τῶν παραδεδομένα περὶ ψυχῆς [412a 31]

CAP. 1. τὴν τῆς ψυχῆς ἱστορίαν [402a3]
CAP. 2 τὰς τῶν προτέρων δόξας συμπαραλαμβάνειν [403b21]
CAP. 3 περὶ κινήσεως [405b31]
[A] οἱ λέγοντες ψυχὴν εἶναι τὸ κινοῦν ἑαυτὸ ἢ δυνάμενον κινεῖν [40
CAP. 4 [B] ἡ μὲν ἁρμονία λόγος τίς ἐστι τῶν μιχθέντων ἢ σύνθεσις, τὴν ψυχὴν οὐδέτερον οἷόν τ' εἶναι τούτων [407b32-33]
[C] ἀλογώτατον τὸ λέγειν ἀριθμὸν εἶναι τὴν ψυχὴν κινοῦνθ' ἑαυτον. [408b32]
CAP. 5 λείπεται δ' ἐπισκέψασθαι πῶς λέγεται τὸ ἐκ τῶν στοιχείων αὐτὴν εἶναι [409b23]
πότερον ὅλῃ τῇ ψυχῇ τούτων ἕκαστον ὑπάρχει ἢ ποίοις ἑτέροις ἕτερα [411b1-3]

LIVRO II τί ἐστι ψυχή [412a5]
CAP. 1 καθόλου τί ἐστιν ἡ ψυχή - [412b10]. τὸ τί ἦν εἶναι [412b11]
CAP. 2. ἐκ τῶν φανερωτέρων ἐπελθεῖν περὶ αὐτῆς [413a11-13]
CAP. 3 τῶν δυνάμεων τῆς ψυχῆς [414a29]
CAP. 4 ἡ θρεπτικὴ ψυχή [415a23]
CAP. 5 περὶ πάσης αἰσθήσεως [416b32]
καὶ διὰ τί ἄνευ τῶν ἔξω οὐ ποιοῦσιν αἴσθησιν [417a4]
CAP. 6. περὶ τῶν αἰσθητῶν - [418a7]
CAP. 7 ἡ ὄψις, ὁρατόν [418a26]
περὶ φωτός [418b3]
CAP. 8 περὶ ψόφου καὶ ἀκοῆς [419b4]
ἡ φωνή [420b5]
CAP. 9 περὶ ὀσμῆς καὶ ὀσφραντοῦ [421a7]
CAP. 10 [περὶ ἁπτοῦ] τὸ γευστόν [422a8]
CAP. 11 περὶ τοῦ ἁπτοῦ καὶ περὶ ἁφῆς [422b17]
CAP. 12 καθόλου περὶ πάσης αἰσθήσεως [424a17]

LIVRO III.
CAP. 1 [A] Ὅτι δ' οὐκ ἔστιν αἴσθησις ἑτέρα παρὰ τὰς πέντε [424b22]

DE ANIMA

Livro I

Capítulo 1

402a1. Supondo o conhecimento entre as coisas belas e valiosas, e um mais do que outro, seja pela exatidão, seja por ter objetos melhores e mais notáveis, por ambas as razões o estudo da alma estaria bem entre os primeiros. Há inclusive a opinião de que o conhecimento da alma contribui bastante para a verdade em geral e, sobretudo, no que concerne à natureza; pois a alma é como um princípio dos animais. Buscamos considerar e conhecer sua natureza e substância, bem como todos os seus atributos, dentre os quais uns parecem ser afecções próprias da alma, enquanto outros parecem subsistir nos animais graças a ela.

402a10. Em todo caso e de todo modo, é dificílimo obter alguma convicção a respeito da alma. Pois sendo a investigação comum também a muitas outras coisas — quero dizer, a investigação que concerne à substância e ao que é algo —, poderia talvez parecer a alguém que existe um só método para tudo aquilo cuja substância queremos conhecer (tal como há a demonstração para os atributos próprios), de modo que seria necessário buscar este método. Mas se não há um método único e comum para saber o que é algo, a tarefa torna-se ainda mais difícil; pois será preciso compreender, em cada caso, qual é o procedimento adequado. Se for evidente que se trata de demonstração ou de divisão ou de algum outro método, restarão ainda muitos impasses e incertezas no que diz respeito ao ponto de partida da investigação: pois para coisas distintas há princípios distintos, como, por exemplo, para os números e as superfícies.

402a23. Em todo caso, é necessário decidir primeiro a qual dos gêneros a alma pertence e o que é — quero dizer, se ela é algo determinado e substância, ou se é uma qualidade, uma quantidade ou mesmo alguma outra das categorias já distinguidas —, e, ainda, se está entre os seres em potência ou, antes, se é uma certa atualidade. Pois isso faz diferença e não pouca. É preciso examinar também se ela é divisível em partes ou não, e se toda e qualquer alma é de mesma forma; e, no caso de não ser de mesma forma, se a diferença é de espécie ou de gênero. Pois aqueles que agora se pronunciam e investigam a respeito da alma parecem ter em vista somente a alma humana. É preciso tomar cuidado, porém, para que não passe despercebido se há uma única definição de alma (tal como de animal) ou se há diversas, como, por exemplo, a de cavalo, cão, homem, divindade, sendo neste caso o animal, considerado universalmente, ou nada ou algo posterior, o mesmo ocorrendo para qualquer outro atributo comum que for predicado.

402b9. Além disso, no caso de serem muitas as partes e não as almas, deve-se primeiro investigar a alma como um todo ou suas partes? Também é difícil definir quais dentre estas são, por natureza, distintas entre si, e se é útil investigar primeiro as partes ou suas funções: por exemplo, o pensar ou o intelecto, o perceber ou a parte perceptiva, e assim por diante. No caso de se optar primeiro pelas funções, haveria novamente impasse sobre se se deve investigar, antes delas, os objetos correlatos: por exemplo, o perceptível antes da parte perceptiva, e o inteligível antes do intelecto.

402b16. Parece que conhecer o que é algo não só ajuda a considerar as causas daquilo que se atribui às substâncias (assim como, nas ciências matemáticas, conhecer o que é a reta e a curva, ou o que é a linha e a superfície, ajuda a perceber bem a quantos ângulos retos equivalem os ângulos do triângulo), mas também, inversamente, parece que os atributos contribuem em grande medida para saber o que algo é; pois, quando pudermos discorrer seja sobre todos, seja sobre a maioria dos atributos conforme se mostram, poderemos então nos pronunciar também mais acertadamente a respeito da substância; pois o ponto de partida de toda demonstração é o que é algo; de modo que as definições que não nos levam ao conhecimento dos atributos, nem nos fornecem facilmente uma imagem deles, são todas, evidentemente, dialéticas e vazias.

403a3. Há ainda a dificuldade de saber se as afecções da alma são todas comuns àquilo que possui alma ou se há também alguma afecção própria à alma tão somente. E embora não seja fácil, é necessário compreender isto. Revela-se que, na maioria dos casos, a alma nada sofre ou faz sem o corpo, como, por exemplo, irritar-se, persistir, ter vontade e perceber em geral; por outro lado, parece ser próprio a ela particularmente o pensar. Não obstante, se também o pensar é um tipo de imaginação ou se ele não pode ocorrer sem a imaginação, então nem mesmo o pensar poderia existir sem o corpo. Enfim, se alguma das funções ou afecções é própria à alma, ela poderia existir separada; mas se nada lhe é próprio, a alma não seria separável. E seria então como a reta que, enquanto tal, possui muitos atributos — por exemplo, o de tangenciar num ponto uma esfera de bronze; todavia a reta não tocará a esfera assim separada, pois é inseparável, uma vez que se encontra sempre com um corpo.

403a16. Parece também que todas as afecções da alma ocorrem com um corpo: ânimo, mansidão, medo, comiseração, ousadia, bem como a alegria, o amar e o odiar — pois o corpo é afetado de algum modo e simultaneamente a elas. Isto é indicado pelo fato de que algumas vezes mesmo emoções fortes e violentas não produzem em nós excitação ou temor; outras vezes, contudo, somos movidos por emoções pequenas e imperceptíveis (por exemplo, no caso em que o corpo irritado já está como encolerizado). Isto se torna ainda mais evidente quando, não havendo ocorrido nada de temível, experimentamos o sentimento de temor.

403a24. Sendo assim, é evidente que as afecções são determinações na matéria. De maneira que as definições serão tais como "o encolerizar-se é um certo movimento de um corpo deste ou daquele tipo, ou de uma parte ou potência dele, devido a isto e em vista daquilo". Por isso, é a quem estuda a natureza que cabe enfim o inquirir a respeito da alma (seja toda e qualquer alma, seja a que é deste modo).

403a29. Contudo, o estudioso da natureza e o dialético definiriam diferentemente cada uma das afecções da alma; por exemplo, o que é a cólera. Pois este falaria em desejo de retaliação ou algo do tipo, o outro, por sua vez, falaria em ebulição do sangue e calor em torno do coração. Um discorre sobre a matéria e o outro sobre a forma e a determinação. Pois a determinação é a forma da coisa, e é necessário que ela exista em uma matéria de tal qualidade, se existir. Assim, o enunciado de casa é algo como "abrigo preventivo contra a destruição por ventos, chuvas e calor"; mas outro falará em pedras, tijolos, madeiras, e outro ainda falará da forma que há nesses materiais em vista daqueles fins. Qual deles, então, será o estudioso da natureza? Aquele que aborda a matéria ignorando a determinação ou aquele que aborda somente a determinação? Ou, melhor, aquele que combina ambas? Como caracterizaríamos então os dois primeiros? Não há um único que aborde as afecções que não são separáveis da matéria, nem consideradas como separáveis? O estudioso da natureza aborda todas as funções e afecções que correspondem a um tal corpo e a uma tal matéria; e no que diz respeito às afecções que não são deste tipo, ele as deixa para outros — algumas são eventualmente tratadas por aquele que domina uma arte, por exemplo um carpinteiro ou médico. O que não é separável mas não se considera como afecção de um tal corpo e sim abstratamente, estuda-o o matemático. Por fim, o filósofo primeiro trata do que é separado como tal.

403b16. Mas é preciso retornar ao ponto de onde partiu a discussão. Dizíamos que as afecções da alma são assim inseparáveis da matéria natural dos animais, na medida em que de fato subsistem neles coisas tais como ânimo e temor, e não são como a linha e a superfície.

Capítulo 2

403b20. No exame da alma, é necessário, ao mesmo tempo em que se expõem as dificuldades cuja solução deverá ser encontrada à medida que se avança, recolher[1] as opiniões de todos os predecessores que afirmaram algo a respeito dela, aproveitando-se o que está bem formulado e evitando aquilo que não está.

403b24. O ponto de partida da investigação é apresentar aquilo que mais parece pertencer à alma por natureza. Ora, há a opinião de que o animado difere do inanimado especialmente em dois aspectos: o movimento e a percepção sensível. E, em relação à alma, são mais ou menos esses dois que recebemos de nossos predecessores. Alguns, com efeito, dizem que a alma é, primordialmente, o que faz mover. E julgando que não pode mover outra coisa o que não estiver ele mesmo em movimento, supuseram a alma entre as coisas que estão em movimento.

403b31. Donde Demócrito declara que a alma é algo quente ou uma espécie de fogo; pois, havendo infinitos átomos e formatos,

[1] Lendo συμπεριλαμβάνειν na linha 22.

diz que os de forma esférica são fogo e alma (como no ar as chamadas poeiras, que se revelam nos raios de luz através das frestas); ele afirma, por um lado, que o agregado de sementes contém os elementos da natureza inteira (e de maneira similar pensa Leucipo), e, por outro lado, que dentre esses os de forma esférica são alma, sobretudo porque tais fluxos podem tudo permear e, por moverem as coisas restantes, que se movem também. Disso se supõe que é a alma que fornece aos animais o movimento. E por isso também o que define o viver é a respiração. Pois, como o ar circundante comprime os corpos, expulsando os formatos que, por nunca repousarem, fornecem aos animais movimento, um auxílio vem de fora. Pois, ao serem introduzidos de novo outros semelhantes no respirar, impedem que os formatos contidos nos animais escapem, ajudando a repelir aquilo que contrai e condensa — e vivem enquanto puderem fazer isso.

404a16. E o que dizem os pitagóricos parece seguir o mesmo raciocínio, pois alguns deles declararam que a alma são as poeiras no ar; outros, por sua vez, que ela é o que faz com que se movam. Sobre as poeiras no ar disseram que elas se mostram em movimento contínuo, mesmo quando há calmaria absoluta. E à mesma afirmação são levados também todos os que dizem que a alma é aquilo que move a si mesmo,[2] pois todos eles parecem partir do pressuposto de que o movimento é algo muitíssimo peculiar à alma — e que tudo o mais é movido pela alma, sendo ela movida por si mesma — pois não veem nada que faça mover que não esteja ele mesmo em movimento.

404a25. De maneira similar também Anaxágoras diz que a alma é o que faz mover — e também todo aquele que tenha dito que o intelecto move o todo —, o que não é exatamente o que diz Demócrito. Pois este diz simplesmente que alma e intelecto são

[2] Lendo τὸ ἑαυτὸ κινοῦν na linha 21, segundo o texto de Jannone.

o mesmo, pois o verdadeiro é o que se revela — por isso Homero compôs bem o seguinte verso: "Heitor jaz desmaiado". Ora, Demócrito não se serve do intelecto como uma potência relativa à verdade, mas diz que alma e intelecto são o mesmo. Anaxágoras, por sua vez, é ainda menos esclarecedor a esse respeito, pois em muitas passagens diz que o intelecto é a causa do modo belo e correto de ser, mas em outra diz que o intelecto é a alma, pois ele subsiste em todos os animais — tanto nos grandes como nos pequenos, tanto nos valiosos como nos sem valor. No entanto, não parece que o intelecto, ao menos no sentido de entendimento, subsista igualmente em todos os animais, e nem mesmo em todos os homens.

404b7. Assim, por um lado, todos aqueles que deram atenção especial ao fato de que o animado se move supuseram que a alma é por excelência aquilo que faz mover. Aqueles, por outro lado, que se detiveram no fato de que o animado conhece e percebe os seres, identificaram a alma aos princípios: seja a uma pluralidade deles, seja a um único; tal como Empédocles, que compõe a alma a partir de todos os elementos, cada um deles sendo alma, e assim se expressa:

> pois com terra, terra contemplamos; com água, água;
> com éter, éter divino; com fogo, o fogo destruidor;
> com amor, amor; e discórdia com discórdia lúgubre.

404b15. Do mesmo modo Platão, no *Timeu*, compõe a alma a partir dos elementos, pois sustenta que o semelhante é conhecido pelo semelhante e as coisas são compostas a partir dos princípios, definindo similarmente nas discussões sobre filosofia: que o próprio animal provém da ideia mesma do uno e do comprimento, largura e profundidade primeiros, e tudo o mais de modo semelhante. Também é dito, ainda de outra maneira, que o intelecto é o uno e a ciência é a díade: pois ela avança em direção a algo uno de um único modo; e que a opinião é o número da superfície, e a percepção sensível o do sólido; pois ele dizia que os números são as próprias formas e os princípios, embora provenientes dos elementos, e que algumas coisas são discernidas pelo intelecto, outras pela ciência, outras ainda pela opinião e outras enfim pela percepção sensível. Além disso, esses números são a forma das coisas.

404b27. E como havia também a opinião de que a alma é o que pode tanto mover como conhecer, alguns então a combinaram a partir de ambos aspectos, declarando que a alma é um número que move a si mesmo.

404b30. Mas, em relação aos princípios — quais e quantos são eles —, há diferenças especialmente entre aqueles que os concebem como corpóreos e aqueles que os concebem como incorpóreos, e ainda discordam desses aqueles que os combinaram e declararam que os princípios procedem de ambos os tipos. Há ainda diferenças em relação à multiplicidade, pois uns assumem um único princípio, outros um número maior. De acordo com isso discorrem também sobre a alma, pois supunham que o que é por natureza fonte de movimento deve estar entre os primeiros princípios — e não sem razão. Donde alguns terem a opinião de que a alma é fogo, pois o fogo é composto de partículas sutis e é o mais incorpóreo dos elementos e, além disso, em sentido primordial, tanto é movido como move tudo o mais.

405a8. Também Demócrito expressou-se com maior minúcia, ao declarar o porquê de cada um daqueles aspectos; pois alma e intelecto são o mesmo: algo que está entre os corpos primordiais e indivisíveis, podendo mover-se pela pequenez e formato de suas partes. Ele afirma que o esférico é o mais móvel dos formatos; e assim são tanto o intelecto como o fogo.

405a13. Anaxágoras, por sua vez, parece dizer que alma é algo diverso de intelecto; no entanto, serve-se de ambos, como se se tratassem de uma única natureza, exceto quando estabelece especialmente o intelecto como princípio de tudo; em todo caso, ele diz que, dos seres, o intelecto é o único simples, sem mistura e puro. Ele discorre sobre ambos — o conhecer e o mover — recorrendo a um mesmo princípio, ao dizer que o intelecto põe o todo em movimento. (E também Tales, segundo o que dele se lembra, parecia supor que a alma é algo capaz de mover, se é que disse que o magneto tem alma porque move o ferro.)

405a21. Diógenes, bem como alguns outros, disse que a alma é ar, julgando ser o ar composto das menores partículas e princípio de tudo, e que por isso a alma tanto conhece como move: por ser o primeiro princípio a partir de que tudo o mais existe, por um lado, a alma conhece; por ser composta das menores partículas, por outro lado, a alma é capaz de mover. Também Heráclito disse que a alma é o princípio, se de fato ela é a exalação a partir do que tudo o mais se constitui; além disso ela é tanto o mais incorpóreo como o sempre fluente. E que o movido é conhecido pelo movido, e que os seres estão em movimento, pensava tanto ele como a maioria. Com alguma semelhança a eles, também Alcméon parecia fazer suposições a respeito da alma, pois diz que ela é imortal por assemelhar-se aos imortais; e que isso é atribuído a ela em virtude de ser sempre movente, pois tudo o que é divino move-se sempre continuamente — a lua, o sol, os astros e o céu inteiro.

405b1. Entre as opiniões mais grosseiras, alguns declaram que a alma é água, tal como Hípon; e parecem ter-se persuadido disso com base na semente, que em todos os seres é úmida. Pois ele inclusive refuta os que afirmam ser a alma sangue, porque a semente é alma primeira e não é sangue. Mas outros declaram que a alma é sangue, como Crítias, supondo que é muitíssimo peculiar à alma o perceber e que ele subsiste por causa da natureza do sangue. Ora, todos os elementos tiveram um partidário, exceto a terra; e ninguém a declarou alma, a não ser que alguém tenha dito que a alma é composta de todos os elementos ou que ela é todos os elementos.

405b10. Todos, com efeito, definem a alma por assim dizer por três atributos: o movimento, a percepção sensível e a natureza incorpórea; e cada um deles remonta aos princípios. Por isso também aqueles que definem a alma pelo conhecer fazem dela ou um elemento ou algo proveniente dos elementos, afirmando coisas parecidas uns e outros, exceto um; pois dizem que o semelhante é conhecido pelo semelhante e, uma vez que a alma conhece tudo, constituem-na a partir de todos os princípios. Assim, todos aqueles que dizem haver uma única causa e um único elemento também afirmam que a alma é única, por exemplo, fogo ou ar. Outros, por sua vez, ao afirmarem que são inúmeros os princípios, também fazem da alma algo múltiplo. Anaxágoras é o único que diz que o intelecto é impassível e nada tem em comum com os outros seres. No entanto, sendo assim, como conhecerá e por que causa, nem ele disse, nem fica claro a partir de suas palavras. Por outro lado, aqueles que colocam pares de contrários como princípios, também constituem a alma a partir de pares de contrários. E aqueles que colocam como princípio um dos contrários — por exemplo, quente, frio ou outro semelhante — estabelecem de maneira similar que também a alma é um desses contrários. Por isso, eles se guiam pelas designações: aqueles que dizem que a alma é o quente, afirmam que também por isso o viver foi assim nomeado; aqueles que dizem que a alma é o frio pretendem que seu nome vem de "resfriamento" e de "respiração". Estas são, portanto, as opiniões transmitidas a respeito da alma e as causas pelas quais foram ditas.

Capítulo 3

405b31. É preciso examinar primeiro o que diz respeito ao movimento, pois talvez não somente seja falso que a substância da alma é tal como afirmam os que dizem que ela é o que faz mover a si mesmo ou que pode mover, como talvez seja algo impossível subsistir movimento na alma.

406a3. Não é necessário que aquele que faz mover também esteja ele próprio em movimento, como já foi argumentado anteriormente. Tudo, porém, é movido de dois modos — pois ou é movido por outro ou por si mesmo. E dizemos que é movido por outro tudo quanto está em algo que se move — por exemplo, os navegantes, que não são movidos de modo similar ao navio, pois este é movido por si mesmo e aqueles por estarem em algo que se move, o que fica claro se considerarmos os membros do corpo: o movimento próprio dos pés é o caminhar, que é também o dos homens, o qual não se atribui aos navegantes — dizendo-se, então, de dois modos o ser movido. Examinemos agora, no que respeita à alma, se é por si mesma que se move e participa do movimento.

406a13. Posto que há quatro movimentos — locomoção, alteração, decaimento e crescimento —, a alma se moveria ou por um único deles, ou por mais de um, ou ainda por todos. Se ela é movida, mas não por acidente, o movimento seria atribuído a ela por natureza e, assim, também por natureza o lugar; pois todos os movimentos mencionados ocorrem em um lugar. Se a substância da alma é o mover-se a si mesma, o movimento será atribuído a ela não por acidente, como ocorre com o branco ou com o comprimento de três côvados, que também se movem, mas por acidente — porque aquele a que são atribuídos é movido, isto é, o corpo. E por isso eles não têm lugar; mas para a alma haverá lugar, se é que por natureza participa do movimento.

406a22. Além disso, se é por natureza que a alma se move, também por coerção poderá ser movida; e, se é movida por coerção, também o seu movimento será por natureza. E da mesma maneira no que concerne ao repouso; pois, para onde se move por natureza, também ali repousa por natureza, e, de maneira similar, para onde é movida por coerção, também ali repousa por coerção. Mas quais seriam os movimentos e os repousos por coerção da alma, não é fácil explicar nem mesmo para os que gostam de fantasiar.

406a27. E mais: se a alma se move para cima, será fogo; se se move para baixo, terra; pois estes são os movimentos destes corpos. O mesmo argumento vale também para os movimentos intermediários. Além disso, já que a alma se mostra como o que move o corpo, é razoável emprestar a ele esses mesmos movimentos pelos quais ela é movida. E se é assim, também é verdadeiro dizer, inversamente, que o movimento pelo qual o corpo é movido é o mesmo que move a alma. O corpo é movido por locomoção; de maneira que também a alma poderia, de acordo com o corpo,[3] mudar inteira de lugar ou ser deslocada conforme as partes. Mas se isso fosse cabível, caberia também à alma entrar novamente no corpo depois de ter saído, e isso implicaria o reviver dos animais que morreram.

406b5. Mas o movimento por acidente da alma poderia ser produzido por outro, pois o animal poderia ser impelido por coerção. Porém, aquele cuja substância consiste em mover-se por si mesmo não precisa ser movido por outro, exceto acidentalmente; tal como o que é bom por si ou em si não precisa sê-lo por outro ou em vista de outro. E poder-se-ia dizer especialmente que a alma, se é que ela se move, é movida pelos objetos da percepção sensível.

406b11. No entanto, se ela move a si mesma,[4] também está em movimento. E se todo movimento é deslocamento do movido en-

---

[3] Lendo κατὰ τὸ σῶμα na linha 2, conforme o texto de Jannone.

[4] Lendo αὐτὴ ἑαυτήν na linha 12.

quanto é movido, por conseguinte também a alma se deslocaria de sua substância, supondo que se move não por acidente, mas sim que o movimento pertence à substância mesma por si mesma.

406b15. Alguns declaram ainda que a alma move o corpo em que está do mesmo modo como ela move a si mesma. Por exemplo, Demócrito, que fala de maneira similar a Felipe, o instrutor de comédia. Este último afirma que Dédalo fez a Afrodite de madeira se mover ao verter nela mercúrio. E também Demócrito se expressa de maneira similar, pois declara que as esferas indivisíveis se movem por jamais pararem naturalmente, assim compelindo e movendo o corpo todo. É preciso, porém, levantar a questão de se são essas mesmas esferas que produzem o repouso. Mas, como o produziriam, é algo difícil ou até impossível de dizer. Não parece de todo que a alma mova o animal desse modo, e sim por meio de alguma decisão e pensamento.

406b25. Da mesma maneira também o *Timeu* explica em termos físicos que a alma move o corpo, pois é por mover-se e por estar entrelaçada ao corpo que ela também o move. Como a alma é constituída a partir dos elementos e repartida de acordo com os números harmônicos, a fim de que tenha percepção sensível inata da harmonia e que o universo se mova por locomoções consoantes, o demiurgo curvou a reta em círculo e, tendo extraído do uno dois círculos tangentes em dois pontos, de novo tornou a dividir um deles em sete círculos, como se as revoluções do céu fossem os movimentos da alma.

407a2. Em primeiro lugar, contudo, não é acertado dizer que a alma é uma magnitude. Pois claramente Platão quer que a alma do universo seja tal como o que é denominado porventura de intelecto (e certamente não quer que seja como a parte perceptiva ou como a desiderativa, pois o movimento delas não é locomoção circular). Ora, o intelecto é uno e contínuo como o pensamento, e o pensamento são as coisas pensadas — que são unas por estarem em sucessão, como o número, e não como a magnitude. E por isso o intelecto não é contínuo deste modo; e, ou bem é sem partes, ou bem é contínuo, mas não como uma magnitude.

407a10. Pois, sendo magnitude, como pensará: por inteiro ou por alguma — e não importa qual — de suas partes? Se por parte, ou pensará segundo uma magnitude ou segundo um ponto — se é que se deve chamar de parte o ponto. Se pensar segundo um ponto, e estes são ilimitados, é claro então que jamais percorrerá a todos; se pensar, por outro lado, segundo uma magnitude, pensará o mesmo muitas ou ilimitadas vezes. Mas é evidente que ele pode pensar uma só vez. E, se é suficiente tocar com não importa qual parte, por que deveria se mover em círculo ou mesmo ter de todo magnitude? E, se é necessário que pense tocando com o círculo inteiro, o que seria o contato para as partes? Além disso, como pensará o que tem partes com o que não tem partes, e o que não tem partes com o que tem?

407a19. É necessário que o intelecto seja o tal círculo; pois o movimento do intelecto é o pensamento e o movimento do círculo é a locomoção circular; e se, de fato, o pensamento fosse locomoção circular, também o intelecto seria o círculo, do qual a locomoção circular seria o pensamento. Mas, então, o que pensaria sempre? (Pois deveria, uma vez que a locomoção circular é eterna). Para os pensamentos práticos, contudo, há limites (pois todos são em favor de outra coisa); e os pensamentos teóricos, por sua vez, são limitados de maneira similar por enunciados. Ora, todo enunciado ou é definição ou é demonstração. No que diz respeito às demonstrações, elas não só partem de princípios, como têm um fim: o silogismo ou a conclusão (e, se não alcançam o seu fim, também não retornam novamente ao princípio, mas progridem em linha reta, assumindo sempre um termo médio e um extremo; a locomoção circular, ao contrário, retorna novamente ao princípio). As definições, por sua vez, são todas limitadas.

407a32. Além disso, se a mesma locomoção circular se repete muitas vezes, também muitas vezes deverá pensar o mesmo. Aliás, o pensamento mais parece um certo repouso — um deter-se — do que um movimento, e o mesmo se dá com o silogismo. Tampouco é feliz o que não é fácil e é forçado. Ora, se o movimento não é substância da alma, a alma se move contra a natureza. Também é penoso estar misturado ao corpo e não poder se libertar — além do mais é evitável — se de fato é melhor para o intelecto não existir com um corpo, como se costuma dizer e é amplamente aceito pela maioria.

407b5. Não é clara ainda a causa de o céu locomover-se em círculo; pois nem a substância da alma é causa do locomover-se em círculo — mas ela se move assim por acidente —, nem o corpo é causa, mas antes a alma. E, na verdade, tampouco se diz que é melhor assim, embora fosse preciso que o demiurgo fizesse a alma locomover-se em círculo pela seguinte razão: que é melhor para ela o mover-se do que o repousar, e mover-se deste modo e não de outro. Mas, já que tal exame é mais próprio a outras discussões, deixemo-lo por ora.

407b13. O seguinte absurdo ocorre tanto nesta como na maioria das discussões sobre a alma: elas acomodam e instalam a alma no corpo, nada definindo em acréscimo sobre a causa e o modo como o corpo se mantém. Todavia isso parece necessário, pois, devido a esta comunhão, um faz e o outro sofre, um é movido e o outro move, e nada disso ocorre casualmente a um e a outro. Há os que tentam defender isso, dizendo apenas que a alma é uma certa qualidade, nada definindo, além disso, sobre o corpo que a receberá (como se fosse possível, de acordo com os mitos pitagóricos, a não importa que tipo de alma entrar em não importa que tipo de corpo). Parece todavia que cada corpo tem forma e configuração próprias. Dizem algo parecido a alguém que declarasse que a arte do carpinteiro entra nas flautas. Pois a arte deve se servir dos instrumentos e a alma, do corpo.

Capítulo 4

407b27. Há também uma outra opinião a respeito da alma, persuasiva para muitos e não inferior a qualquer uma das outras opiniões mencionadas. É um discurso que apresentou as suas razões, como quem presta contas, em discussões proferidas em público: alguns dizem que a alma é uma espécie de harmonia, que a harmonia é mistura e composição de contrários e que o corpo é constituído a partir de contrários.

407b32. Todavia, a harmonia é uma certa razão ou composição dos mistos, mas a alma não pode ser nem uma coisa, nem outra. Além disso, o mover não é fruto da harmonia, e é, por assim dizer, particularmente isso que todos atribuem à alma. Convém mais falar de harmonia em relação à saúde — e às virtudes corporais em geral — do que em relação à alma. Isso ainda seria mais evidente se alguém tentasse atribuir as afecções e funções da alma a alguma harmonia; pois seria difícil conciliá-las.

408a5. Além disso, ao falarmos em harmonia podemos ter em vista duas coisas — por um lado e principalmente, a composição das magnitudes naquilo que tem movimento e posição, quando se ajustam uma à outra, de maneira a não admitir nada congênere entre elas; e, por outro lado e em sentido derivado, a razão dos mistos — então, nem de um modo nem de outro é razoável que a alma seja harmonia. E é demasiadamente fácil verificá-lo no caso da composição das partes do corpo. Pois as composições das partes são muitas e de muitas maneiras. De que e como, então, considerar o intelecto ser a necessária composição? E a parte que pode perceber ou a que pode desejar? De maneira similar é absurdo que a razão da mistura seja a alma. Pois a mistura dos elementos não tem a mesma razão no caso da carne e no caso do osso. Disso se segue, então, que haverá também muitas almas por todo o corpo, se de fato tudo provém da mistura dos elementos e se a razão da mistura é harmonia e alma.

408a18. Alguém poderia perguntar precisamente isto a Empédocles — pois ele declara que cada uma das partes do corpo obedece a uma certa razão: a alma é realmente a razão ou, antes, é algo diverso e que sobrevém às partes? E ainda: a amizade é causa da mistura fortuita ou da mistura segundo a razão? E a amizade é a razão ou algo distinto, à parte da razão? Isto sem dúvida apresenta tais dificuldades. Mas, por outro lado, se a alma é algo distinto da mistura, então por que o ser das outras partes dos animais desaparece simultaneamente com o desaparecimento do que é carne? Além disso, se é falso que cada uma das partes tem alma — a alma não sendo a razão da mistura —, o que é que perece quando a alma se vai?

408a29. Que a alma não pode ser harmonia, nem locomover-se em círculo, fica claro a partir do que foi dito. Mas é possível, como dissemos, que a alma se mova por acidente, e que mova a si mesma — é possível, por exemplo, que aquilo em que ela está seja movido, e seja movido justamente pela alma —, mas não é possível, de nenhuma outra maneira, que a alma se mova quanto ao lugar.

408a34. E seria mais razoável alguém ter certa dificuldade em relação à alma como movida, tendo em vista o que se segue: dizemos que a alma se magoa, se alegra, ousa, teme, e ainda que se irrita, percebe e raciocina, e há a opinião de que todas estas coisas são movimentos, donde alguém poderia pensar que a alma se move. Isso, contudo, não é necessário. Pois, mesmo que o magoar-se, o alegrar-se ou o raciocinar sejam especialmente movimentos, e que cada um deles o seja pela alma — por exemplo, que o irritar-se ou temer seja um tipo de movimento do coração, e que o raciocinar seja um tipo de movimento desse órgão ou talvez de outro diverso; e que, dentre estes, uns ocorram segundo a locomoção de certas partes movidas, outros segundo a alteração das mesmas (quais e como, é outra questão) — dizer que a alma se irrita é como dizer que a alma tece ou edifica. Talvez seja melhor dizer não que a alma se apieda ou apreende ou raciocina, mas que o homem o faz com a alma. E isso não porque o movimento existe nela, mas porque o movimento ora chega até ela, ora parte dela: na percepção sensível, por exemplo, ele parte de fora, e na reminiscência, parte dela até chegar aos movimentos e às estabilizações nos órgãos da percepção.

408b18. E o intelecto parece surgir em nós como uma certa substância e não ser corruptível. Pois seria corrompido especialmente pela debilidade da velhice, como ocorre, de fato, com os órgãos da percepção; pois, se o ancião recebesse um olho igual ao do jovem, veria tão bem quanto ele. Por conseguinte, a velhice não acontece porque a alma sofre algo, e sim o corpo em que ela está, tal como no caso das bebedeiras e das doenças. O pensar e o inquirir certamente se deterioram quando algum outro órgão interno se corrompe, mas eles mesmos são impassíveis. O raciocinar, o amar ou o odiar não são afecções do intelecto, mas daquele que possui intelecto e enquanto o possui. É por isso também que, quando o possuidor do intelecto se deteriora, não tem nem memória, nem ama, pois não eram afecções do intelecto, mas do conjunto que pereceu. No que diz respeito ao intelecto, talvez ele seja algo mais divino e impassível. É evidente a partir disso tudo que não é possível que a alma se mova. E se de todo não se move, é claro também que não se move por si mesma.

408b32. Das coisas que se dizem, a menos razoável é que a alma é um número que move a si mesmo. Pois há duas impossibilidades: primeiro, aquelas decorrentes de dizer que a alma se move, e depois, em particular, aquelas de dizê-la número. Como compreender que uma unidade se mova — por qual agente e como —, se ela é sem partes e indiferenciada? Pois, na medida em que pode mover e é móvel, é necessário que tenha diferenças. Além disso, ao afirmar que a linha em movimento produz a superfície e que o ponto movido produz a linha, então os movimentos das unidades serão linhas; pois o ponto é unidade que ocupa uma posição, e o número da alma está num lugar e ocupa uma posição. E mais: se de um número é subtraído um número ou unidade, o resto é um número diverso; mas as plantas e muitos animais, quando seccionados, continuam a viver e parecem ter a mesma espécie de alma.

409a10. Similarmente, parece não haver diferença entre falar de unidades e de corpúsculos; pois se os átomos esféricos de Demócrito também se tornarem pontos, conservando-se somente a quantidade, haverá algo neles ora movente, ora movido, tal como no contínuo. O enunciado se cumpre não por diferir em magnitude ou em pequenez, mas por ser uma quantidade. Por isso é necessário haver algo que faça mover as unidades. E, se no animal o que faz mover é a alma, também o será no número; por conseguinte, a alma não será ambos — o que faz mover e o que é movido —, mas somente o que faz mover. E como, então, isso que faz mover pode ser unidade? É preciso haver nela alguma diferença em relação às outras unidades. Mas, qual seria a diferença do ponto unitário, senão a posição?

409a21. Se, por um lado, essas unidades dentro do corpo são diferentes dos pontos do corpo, serão dois conjuntos de unidades ocupando o mesmo lugar; cada unidade ocupará o espaço de um ponto. E agora, se duas coisas podem estar no mesmo espaço, o que impede de estar um número ilimitado? Pois aquilo que ocupa um lugar indivisível, também é indivisível. Se, por outro lado, o número da alma consiste nos pontos do corpo ou se o número dos pontos no corpo é a alma, por que nem todos os corpos têm alma? Pois em todos parece haver pontos ou mesmo pontos ilimitados. Por fim: como é possível serem os pontos separados e desligados dos corpos, se as linhas não são divididas em pontos?

Capítulo 5

409a31. Como dissemos, a isso se apresenta, em primeiro lugar, a dificuldade de dizer algo idêntico àqueles que supõem que a alma é um corpo composto de partículas sutis e, em segundo lugar, o absurdo peculiar de dizer, como Demócrito, que ele se move pela alma. Pois, se a alma está de fato por todo o corpo que sente, é necessário estarem no mesmo lugar dois corpos, supondo-se que a alma é um certo corpo. Quanto àqueles que dizem que ela é um número, ou é necessário estarem em um único ponto muitos pontos, ou todo e qualquer corpo terá alma, supondo-se que nenhum número diferente e diverso do número de pontos subsistentes no corpo sobrevém.

409b7. E apresenta-se a dificuldade de que o animal seria movido pelo número da mesma maneira como dissemos que Demócrito fazia com que ele se movesse. Em que difere dizer pequenas esferas ou grandes unidades ou, em geral, unidades em locomoção? Pois, de uma maneira ou de outra, é necessário que o animal seja movido porque elas se movem. Aqueles que combinaram em um único princípio movimento e número enfrentam essas e muitas outras dificuldades do tipo. Pois é impossível não somente que essa seja a definição de alma, como também que seja um acidente. E isso se tornaria claro se alguém tentasse, a partir dessa formulação, explicar as afecções e as funções da alma — por exemplo, os raciocínios, percepções, prazeres, dores e assim por diante —, pois, como já dissemos, nem mesmo adivinhar seria fácil a partir dos aspectos de número e de movimento.

409b18. E três são os modos que chegaram até nós segundo os quais se define a alma — uns dizem que ela é o que mais pode mover por mover a si mesma; outros, que ela é um corpo composto de partes mais sutis ou que ela é o mais incorpóreo de todos os corpos (já discorremos mais ou menos sobre as dificuldades e oposições que tais opiniões enfrentam) — resta examinar a definição que afirma ser a alma composta a partir dos elementos. Pois seus defensores dizem que tem de ser desse modo a fim de que ela tenha percepção sensível dos seres e conheça cada um deles. Mas também se apresentam a essa formulação necessariamente muitas impossibilidades.

409b26. Eles sustentam que ela conhece o semelhante pelo semelhante, como se afirmassem que a alma é idêntica àquilo que conhece. Mas não se conhecem somente os elementos, e sim muitas outras coisas — ou melhor, talvez elas sejam infinitas em número a partir dos elementos. A alma conhece e percebe do que cada uma das coisas é composta: que seja! Mas por meio de quê conhecerá e perceberá o conjunto — por exemplo, o que é divindade, homem, carne ou osso, bem como qualquer outro composto? Pois cada um dos compostos contém os elementos não de uma maneira qualquer, mas segundo uma certa razão e composição, assim como Empédocles diz do osso:

> e a terra amável, em seus vales de amplos peitos
> duas das oito partes recebeu da radiosa Nestis,
> quatro de Hefestos; e os ossos nasceram brancos.

Então, não resulta em vantagem alguma estarem os elementos na alma, se não estiverem também as razões e a composição; pois cada elemento conhecerá o semelhante, mas nada conhecerá o osso ou o homem, a menos que estes também estejam na alma. Que isto é impossível, nem é preciso dizer. Quem teria dúvida a respeito de estar na alma uma pedra ou um homem? O mesmo ocorre com o bem e o não bem, e da mesma maneira em todos os demais casos.

410a13. Além disso, uma vez que de muitos modos se diz o ser (pois pode significar, por um lado, algo determinado e, por outro, quantidade ou qualidade ou ainda alguma outra das diversas categorias), seria a alma composta de todos ou não? Mas não parece haver elementos comuns a todas elas. Ora, será a alma composta somente daqueles elementos que são comuns às substâncias? Como, então, conhece ainda cada um dos outros? Ou se dirá que há elementos e princípios particulares a cada gênero e que a alma é constituída de todos eles? A alma seria, então, quantidade, qualidade e substância. Mas é impossível que a substância seja composta dos elementos da quantidade e não seja quantidade ela mesma. Estas e outras dificuldades do tipo se colocam, então, para aqueles que dizem que a alma é composta de todos os elementos.

410a23. É também absurdo afirmar, por um lado, que o semelhante é impassível ao semelhante e, por outro, que percebe o semelhante e conhece o semelhante pelo semelhante. Sustenta-se a partir disto que o perceber é sofrer algo e ser movido e, de maneira similar, também no que diz respeito ao pensar e ao conhecer. Há muitas dificuldades e impropriedades em afirmar, como Empédocles, que pelos elementos corpóreos e pela referência ao semelhante cada coisa é conhecida. E o que é dito agora fornece um testemunho disso: pois quantas partes simplesmente de terra existem nos corpos dos seres vivos — por exemplo, ossos, nervos, cabelos — que nada parecem sentir, tampouco o que é semelhante? Todavia, segundo tal tese conviria que sentissem.

410b2. Além disso, em cada um dos princípios subsistirá mais ignorância do que compreensão, pois cada um conhecerá um único e ignorará muitos, isto é, todos os demais. A Empédocles apresenta-se pelo menos também a dificuldade de ser a divindade o ser mais carente de discernimento: pois somente ela não conhecerá um dos elementos — o ódio —, enquanto os mortais conhecerão todos, uma vez que cada mortal é composto de todos os elementos. E, em geral, qual é a causa de nem todos os seres terem alma, já que tudo ou é um elemento, ou é composto de um só, de mais de um ou de todos os elementos? Seria necessário conhecerem um, vários ou todos os elementos.

410b10. Haveria também impasse em relação àquilo que afinal unifica os elementos da alma. Pois os elementos pelo menos se assemelham à matéria, mas aquilo que os mantém juntos — seja lá o que for — é superior. E é impossível algo ser mais forte e governar a alma; e ainda mais impossível ser mais forte e governar o intelecto. É muito mais razoável ser ele o mais primordial e o superior por natureza, mas eles dizem que são os elementos os primeiros dentre os seres. Todos, tanto os que dizem que a alma é composta dos elementos por conhecer e perceber os seres, como os que dizem que a alma é por excelência aquilo que pode mover, não tratam de toda e qualquer alma. Pois nem tudo o que sente se move (é manifesto que existe, entre os animais, um que permanece parado no mesmo lugar; todavia há a opinião de que a alma move o animal neste único movimento). E todos aqueles que concebem o intelecto e a capacidade perceptiva como compostos de elementos também não tratam de toda e qualquer alma. Pois é manifesto que as plantas vivem sem participar [da locomoção nem] da percepção, e que muitos animais não têm raciocínio.

410b24. Ainda que se conceda isto e que se sustente ser o intelecto uma parte da alma — e de modo similar a capacidade perceptiva — desse modo não se trataria universalmente de toda e qualquer alma, nem de uma única alma inteira. Deste mal padeceu também a doutrina dos assim chamados versos órficos. Pois neles se afirma que a alma dos que respiram penetra-lhes a partir do todo exterior, conduzida pelos ventos. Mas não há como isso acontecer às plantas, nem a certos animais, pois de fato nem todos respiram. Disto se esquecem os que assim supuseram.

411a2. Se fosse preciso, de fato, constituir a alma a partir dos elementos, nada obrigaria a constituí-la a partir de todos os elementos. Pois basta um dos termos da oposição para discernir a si mesmo e a seu correlato; e é pelo reto que conhecemos tanto ele mesmo como a curva: a régua é critério de ambos (e a curva não é critério nem de si, nem do reto).

411a7. Alguns afirmam que ela está misturada ao todo, motivo talvez pelo qual Tales julgou que tudo está pleno de divindades. Isto, porém, apresenta algumas dificuldades. Por que, estando no ar ou no fogo, a alma não faz deles um animal, mas o faz nos corpos mistos, embora pareça inclusive ser melhor naqueles? (Alguém precisaria investigar o motivo pelo qual a alma seria melhor — e mais imortal — no ar do que nos animais.) Há, em ambos os modos, absurdo e paradoxo. Pois dizer que o fogo ou o ar é um animal está entre as coisas mais paradoxais, mas não dizê-los animais, existindo neles alma, resulta em absurdo. Eles parecem supor que existe alma nesses elementos, uma vez que o todo é da mesma espécie que as partes. Assim, é necessário afirmarem também que a alma é da mesma espécie que as partes, se supõem que é por existir algo do ambiente nos animais que os fazem animados. E se, por um lado, o ar separado é de mesma forma, mas a alma, por outro lado, é não homeômera, é claro que, ora algo dela subsistirá, ora não subsistirá. É necessário, então, ou ela ser homeômera, ou não subsistir em qualquer das partes do todo. É manifesto, então, a partir do que foi dito, que nem o conhecer subsiste na alma por ela ser composta dos elementos, nem é uma maneira certa ou verdadeira dizer que a alma é movida.

411a26. Já que o conhecer é algo da alma — bem como o perceber, o opinar e ainda o ter apetite, o deliberar e os desejos em geral — e já que também da alma advém o movimento local, e também o crescimento, maturidade e decaimento, é preciso perguntar se cada uma dessas coisas subsiste na alma inteira — e se pensamos, percebemos, somos movidos, afetados e fazemos cada uma das demais coisas com a alma inteira — ou se, com partes diversas, fazemos coisas diversas. O viver, então, estaria numa única parte, na maioria ou mesmo em todas as partes, ou a sua causa estaria em outro lugar?

411b5. Alguns dizem ainda que a alma é partível, e que uma parte é o pensar, outra o ter apetite. Pois bem, o que mantém afinal a alma junta, se ela é por natureza partível? Certamente não é o corpo. Ao contrário, parece mais que é a alma que mantém junto o corpo, pois, quando ela o abandona, ele se dissipa e corrompe. Se algo diverso a faz então uma única, isso especialmente seria a alma, e seria preciso investigar novamente também isto, se é uno ou em muitas partes. Sendo uno, por que não seria também correto dizer que a alma é una? Sendo partível, por outro lado, a discussão teria de investigar novamente o que é aquilo que o mantém unido, mas assim haveria, de fato, uma progressão ao infinito.

411b14. Há também uma certa dificuldade no que diz respeito às partes da alma: que potência cada uma possui no corpo? Pois, se a alma inteira mantém unido todo o corpo, convém também que cada uma das partes da alma mantenha unida alguma parte do corpo. Mas isso parece impossível, pois que parte o intelecto manterá unida e como? É difícil até imaginar.

411b19. É manifesto ainda que as plantas — e dentre os animais, alguns insetos —, quando secionadas, continuam a viver como se tivessem a mesma alma especificamente, ainda que não numericamente; pois cada uma das partes tem sensação e move-se localmente por algum tempo. Se não sobrevivem, não resulta em absurdo algum, pois não mantêm órgãos a ponto de conservar a sua natureza. Em cada uma das partes, porém, estão todas as partes da alma e nenhuma a menos. E elas são da mesma espécie entre si e em relação à alma inteira — as diversas partes são inseparáveis umas das outras, embora a alma inteira seja divisível.[5] Pa-

[5] Omitindo οὐ na linha 27.

rece que o princípio encontrado nas plantas é também um certo tipo de alma, pois apenas ela é compartilhada por animais e plantas: e ela existe separada do princípio perceptivo, embora sem ela nada possa ter percepção.

Livro II

Capítulo 1

412a1. Tendo dito o suficiente sobre as opiniões a respeito da alma fornecidas por nossos predecessores, retomemos como que do começo, e tentemos definir o que é a alma e qual seria seu enunciado mais geral.

412a6. Dizemos que um dos gêneros dos seres é a substância. E substância, primeiro, no sentido de matéria — que por si mesmo não é algo determinado —, e ainda no sentido de figura e forma — em virtude do que já se diz que é algo determinado — e, por fim, no sentido do composto de ambas. A matéria, por sua vez, é potência, ao passo que a forma é atualidade, e isto de dois modos: seja como ciência, seja como o inquirir.

412a11. E há a opinião de que sobretudo os corpos são substância, entre os quais se encontram os corpos naturais, que são princípios dos demais. Dos corpos naturais, alguns têm vida, outros não, e dizemos que a vida é a nutrição por si mesmo, o crescimento e o decaimento. Assim, todo corpo natural que participa da vida é substância, no sentido de substância composta.

412a16. E uma vez que essa substância também é um corpo de tal tipo — que tem vida —, a alma não é corpo, pois o corpo não é um dos predicados *do* substrato, antes, ele é *o* substrato e a matéria. É necessário, então, que a alma seja substância como forma do corpo natural que em potência tem vida. E a substância é atualidade. Portanto, é de um corpo de tal tipo que a alma é atualidade. Mas esta se diz de dois modos — primeiro como ciência, segundo como o inquirir. É claro, então, que a alma é atualidade como ciência; pois ao subsistir a alma há tanto o sono como a vigília; e a vigília é algo análogo ao inquirir, o sono, a possuir a ciência mas não estar a exercê-la; e, no que concerne a um mesmo indivíduo, a ciência é anterior quanto ao devir. E por isso a alma é a primeira atualidade de um corpo natural que tem em potência vida.

412a28. E será de tal tipo o corpo orgânico. E inclusive as partes das plantas são órgãos, mas totalmente simples — por exemplo, a folha é abrigo do pericarpo e o pericarpo, do fruto; e as raízes são análogas à boca, pois ambas absorvem o alimento. Se é preciso enunciar algo comum a toda e qualquer alma, seria que é a primeira atualidade do corpo natural orgânico. E por isso inclusive não é preciso investigar se alma e corpo são uma unidade — tampouco se a cera e a figura o são e, em suma, nem se a matéria de cada coisa e aquilo de que é matéria — pois, já que se diz unidade e ser de muitos modos, o mais apropriado deles é a atualidade.

412b10. Está, então, enunciado em geral o que é a alma. Pois ela é a substância segundo a determinação, ou seja, o que é, para um corpo de tal tipo, ser o que é. Se um instrumento fosse um corpo natural — por exemplo, o machado —, a sua substância seria o que é ser para o machado, e isto seria a sua alma. Separado disso, ele não seria mais um machado, exceto por homonímia. Mas, na verdade, é um machado, pois a alma não é a determinação e o que é ser o que é para um corpo desse tipo, mas sim de um corpo natural tal que tenha em si mesmo um princípio de movimento e repouso.

412b17. É preciso considerar o que foi enunciado também no que diz respeito às partes. Pois, se o olho fosse um animal, a alma dele seria a visão, pois esta é a substância do olho segundo a determinação. Mas o olho é a matéria para a visão e, ausente a visão, não é mais olho, exceto por homonímia — assim como um olho de pedra ou desenhado. Ora, é preciso compreender, no caso do corpo vivo inteiro, o que foi compreendido no caso da parte, pois ambos são análogos: tal como a parte está para a parte, assim a totalidade da percepção sensível está para a totalidade do corpo perceptivo como tal.

412b25. E o ser em potência prestes a viver não é o ser desprovido de alma, mas aquele que a possui. Sementes e frutos são em potência corpos desse tipo.

412b27. Assim como a ação de cortar e a ação de ver, também a vigília é atualidade. A alma, por sua vez, é como a potência do instrumento e como a visão; e o corpo é o ser em potência. Mas, assim como a pupila e a visão constituem o olho, também neste caso, o corpo e a alma constituem o animal.

413a4. Portanto, está bastante claro que a alma — ou algumas partes dela, se ela for por natureza partível — não é separada do corpo; pois em alguns casos a atualidade é das partes elas mesmas. Não obstante, por não serem atualidade de corpo algum, nada impede que pelo menos algumas partes sejam separadas. Mas ainda não está claro se a alma é atualidade do mesmo modo que o navegador é a atualidade do navio. E isto basta como um esquema do esboço e da definição de alma.

Capítulo 2

413a11. E já que, a partir de coisas não claras, embora mais manifestas, advêm clareza e maior inteligibilidade segundo o enunciado, deve-se tentar desta maneira novamente discorrer sobre a alma; pois não somente é preciso que o enunciado definidor esclareça o fato — como o faz a maioria das definições — mas ainda conter e expressar a causa. Os enunciados das definições, na verdade, são como conclusões. O que é, por exemplo, a quadratura? É fazer equivaler um retângulo equilátero a um retângulo qualquer. Mas tal definição é o enunciado da conclusão; e o que diz, por sua vez, que a quadratura é a descoberta de uma média proporcional enuncia a causa.

413a20. Retomando o princípio da investigação, digamos então que o animado se distingue do inanimado pelo viver. E de muitos modos diz-se o viver, pois dizemos que algo vive se nele subsiste pelo menos um destes — intelecto, percepção sensível, movimento local e repouso, e ainda o movimento segundo a nutrição, o decaimento e o crescimento. Por isso, parece inclusive que todas as plantas vivem; pois é manifesto que têm em si mesmas uma potência e um princípio deste tipo, por meio do qual ganham crescimento e decaimento segundo direções contrárias; pois não crescem apenas para cima e não para baixo, mas similarmente em ambas e em todas as direções, e assim é para as que se nutrem constantemente e vivem até o fim, enquanto puderem obter alimento. E é possível separar este princípio dos outros, mas impossível, nos mortais, separar os demais deste. E isso é evidente no caso das plantas, pois nelas nenhuma outra potência da alma subsiste.

413b1. O viver subsiste nos seres vivos por conta deste princípio, e o animal constitui-se primordialmente pela percepção sensível. Pois dizemos que são animais — e não apenas que vivem — também os que não se movem nem mudam de lugar, mas possuem percepção. E, da percepção, é o tato que em todos subsiste primeiro. E, assim como a capacidade nutritiva pode estar separada do tato e de toda e qualquer percepção sensível, também o tato pode estar separado dos demais sentidos. Denominamos nutritiva tal parte da alma, da qual participam também as plantas. Todos os animais, por outro lado, revelam possuir o sentido do tato — e diremos posteriormente por meio de que causa ocorre cada uma dessas coisas. Por ora, é suficiente dizer apenas isto: que a alma é princípio das capacidades mencionadas — nutritiva, perceptiva, raciocinativa e de movimento — e que por elas é definida.

413b13. Se cada uma destas capacidades é uma alma ou uma parte da alma — e, na medida em que é parte, se é parte de modo a ser separada somente quanto à definição ou também quanto ao lugar —, em alguns casos não é difícil perceber, mas em outros há dificuldade. Pois, assim como no caso das plantas, revela-se que algumas vivem mesmo que segmentadas e separada uma parte da outra — como se, no caso delas, a alma em atualidade fosse só uma em cada planta, mas potencialmente várias —, vemos também em outras variedades da alma ocorrer o mesmo, como no caso dos insetos que são fragmentados; pois cada uma das partes conserva sensação e movimento local; e, se é assim com a sensação, também o será com a imaginação e o desejo; pois onde existe sensação, existe dor e prazer; e, onde eles existem, necessariamente também existe desejo.

413b24. No que diz respeito ao intelecto e à capacidade de inquirir, nada ainda é evidente, mas parece ser um outro gênero de alma, e apenas isso admite ser separado, tal como o eterno é separado do corruptível. Contudo, a partir das coisas tratadas, é evidente que as demais partes da alma não são separáveis, como dizem alguns, embora seja evidente que são distintas quanto ao enunciado. Pois, a capacidade perceptiva é distinta da opinativa, caso o perceber seja, de fato, diferente do opinar; e assim também em relação a cada um dos outros casos mencionados. Além disso, em alguns dos animais todas as capacidades subsistem; em outros, somente algumas; e em outros, por fim, uma única (e é isso que produz diferenças entre os animais), mas deve-se examinar posteriomente por meio de qual causa. Algo muito parecido ocorre no caso dos sentidos; pois alguns animais têm todos; outros, alguns; e outros, por fim, um único e o mais necessário: o tato.

414a4. E uma vez que aquilo por meio de que vivemos e percebemos se diz de dois modos — assim como aquilo por meio de que conhecemos (dizemos, por um lado, que é a ciência e, por outro, que é a alma, pois tanto por meio de uma como de outra dizemos conhecer) —, de modo similar também [aquilo por meio de que] ficamos saudáveis tanto por meio da saúde como de alguma parte do corpo ou mesmo do corpo inteiro. E destes, a ciência e a saúde são configurações e uma certa forma ou determinação — e como uma atividade — do capaz de recebê-las (num caso, do que é capaz de conhecer e, no outro, do que é capaz de ter saúde); pois a atividade dos que são capazes de produzir parece subsistir naquele que sofre a ação e está disposto. E a alma é isto por meio de que primordialmente vivemos, percebemos e raciocinamos. Por conseguinte, a alma será uma certa determinação e forma, e não matéria ou substrato.

414a14. Pois, dizendo-se a substância de três modos, como já mencionado, dos quais um é a forma, outro a matéria e, por fim, o composto de ambas — e, destes, a matéria é potência e a forma, por sua vez, atualidade —, e já que o composto de ambas é animado, não é o corpo a atualidade da alma, ao contrário, ela que é a atualidade de um certo corpo. E por isso supõem corretamente aqueles que têm a opinião de não existir alma sem corpo e tampouco ser a alma um certo corpo; pois ela não é corpo, mas algo *do* corpo, e por isso subsiste no corpo e num corpo de tal tipo, e não da maneira como supunham os predecessores, que a adaptavam ao corpo, sem nada mais determinar sobre em que e qual tipo de corpo, mesmo sendo evidente que o fortuito não recebe o fortuito. E também isto ocorre segundo a determinação: pois a atualidade de cada coisa ocorre por natureza na matéria apropriada e em sua potência subsistente. É evidente, então, a partir das coisas tratadas, que a alma é uma certa atualidade e determinação daquele que tem a potência de ser tal.

CAPÍTULO 3

414a29. Dentre as potências da alma, como dissemos, todas as mencionadas subsistem em alguns seres; em outros, só algumas delas e, em alguns, apenas uma. E mencionamos como potências a nutritiva, a perceptiva, a desiderativa, a locomotiva e a raciocinativa. Ora, nas plantas subsiste somente a nutritiva, mas, em outros seres, tanto esta como a perceptiva. E, se subsiste a perceptiva, também subsiste a desiderativa, pois desejo é apetite, impulso e aspiração; e todos os animais têm ao menos um dos sentidos — o tato — e, naquele em que subsiste percepção sensível, também subsiste prazer e dor, percebendo o prazeroso e o doloroso; e, nos que eles subsistem, também subsiste o apetite, pois este é o desejo do prazeroso.

414b6. Além disso, eles têm a percepção do alimento, pois o tato é percepção do alimento, e todos os seres vivos se alimentam de coisas secas e úmidas, quentes e frias, das quais a percepção é tato, e apenas acidentalmente a de outras qualidades sensíveis; pois o ruído, a cor e o cheiro nada acrescentam ao alimento, e o sabor não deixa de ser um objeto do tato. Apetite é fome e sede — a fome, o apetite do que é seco e quente; a sede, do que é úmido e frio —, enquanto o sabor é como um tempero destas qualidades. Mas devemos esclarecer posteriormente esse assunto. Por ora, é suficiente dizer isto: que entre os seres vivos que possuem tato também subsiste desejo. No que se refere à imaginação, não está claro e devemos examiná-la posteriormente. Em alguns seres vivos, além disso, subsiste também a capacidade de se locomover, e em outros, ainda, a de raciocinar e o intelecto — por exemplo, nos homens e em algum outro, se houver, de tal qualidade ou mais valioso.

414b20. É claro que poderia da mesma maneira haver, então, um enunciado único tanto de figura como de alma. Pois nem no primeiro caso existe figura além do triângulo e daquelas que o sucedem, nem neste caso existe alma além das mencionadas. A respeito das figuras também é possível formular um enunciado comum que se aplique a todas, sem ser próprio a nenhuma. E o mesmo ocorre com as almas mencionadas. Por isso, tanto neste como em outros casos, é ridículo procurar um enunciado comum — pois a nenhum dos seres será um enunciado próprio, nem estará de acordo com a forma apropriada e indivisível —, deixando-se de lado o enunciado deste tipo. (E as coisas concernentes à alma estão em situação parecida àquela das figuras; pois tanto no caso das figuras como no caso dos seres animados, o anterior sempre subsiste em potência naquilo que o sucede: por exemplo, o triângulo no quadrado, o poder de nutrir-se no de perceber.) Assim, deve ser investigado, de acordo com cada caso, o que é a alma de cada um — por exemplo, o que é a alma da planta, do homem ou da besta.

414b33. E deve ser examinada a causa de serem dispostas assim, em sucessão. Pois, sem a nutritiva, não existe a capacidade perceptiva, embora nas plantas a nutritiva exista separada da perceptiva. E, novamente, sem o tato, nenhum dos outros sentidos subsiste, embora o tato subsista sem os outros, pois diversos animais não têm nem visão, nem audição, nem percepção de odor. E, dentre os que têm a capacidade perceptiva, uns têm a locomotiva e outros não. Por fim, pouquíssimos têm cálculo e raciocínio. Pois, entre os seres perecíveis, naqueles em que subsiste cálculo também subsistem todas as demais capacidades. Mas entre aqueles em que subsiste cada uma das outras, nem todos têm cálculo (e alguns nem sequer imaginação, ao passo que outros vivem unicamente por meio dela). O intelecto capaz de inquirir requer uma outra discussão. É claro, então, que o enunciado de cada uma destas capacidades é também o mais apropriado a respeito da alma.

Capítulo 4

415a14. É necessário, a quem pretende fazer um exame dessas coisas, compreender o que é cada uma das capacidades e, em seguida, proceder de maneira a investigar o que disso se segue e todo o restante. Mas se é necessário dizer algo sobre cada uma delas — por exemplo, o que é a capacidade de pensar, ou de perceber, ou de nutrir-se —, é preciso primeiro dizer o que é o pensar e o que é o perceber; pois as atividades e as ações segundo a determinação são anteriores às potências. Sendo assim, antes ainda é preciso ter inquirido sobre seus objetos correlatos, e pela mesma razão ter definido primeiramente o que é o alimento, o perceptível e o inteligível.

415a22. Por conseguinte, deve-se primeiro tratar do alimento e da geração; pois a alma nutritiva subsiste também com as outras, sendo a primeira e a mais comum potência da alma, segundo a qual subsiste em todos o viver. E as suas funções são o gerar e o servir-se de alimento. Pois, para os que vivem — isto é, todos aqueles que forem perfeitos e não mutilados nem gerados espontaneamente —, o mais natural dos atos é produzir outro ser igual a si mesmo; o animal, um animal, a planta, uma planta, a fim de que participem do eterno e do divino como podem; pois todos desejam isto e em vista disto fazem tudo o que fazem por natureza (e o *em vista de* tem dois aspectos: por um lado, o *de que* é em vista e, por outro, o *em quê*). Ora, uma vez que é impossível compartilhar do eterno e do divino de maneira contínua — porque nada perecível admite perdurar uno em número e o mesmo —, no que cada um pode participar é compartilhando desta maneira, uns mais, outros menos, e perdura não *o* mesmo, mas *como* mesmo; uno não em número, mas uno em forma.

415b8. A alma é causa e princípio do corpo que vive. Mas estas coisas se dizem de muitos modos, e a alma é similarmente causa conforme três dos modos definidos, pois a alma é de onde e em vista de que parte este movimento, sendo ainda causa como substância dos corpos animados. Ora, que é causa como substância, é claro. Pois, para todas as coisas, a causa de ser é a substância, e o ser para os que vivem é o viver, e disto a alma é causa e princípio. Além do mais, a atualidade é uma determinação do que é em potência.

415b15. É evidente que a alma é causa também como o *em vista de* algo; pois, assim como o intelecto produz em vista de algo, da mesma maneira também a natureza o faz, e este algo é seu fim. E nos seres vivos a alma é, por natureza, algo deste tipo; pois todos os corpos naturais são órgãos da alma — tanto os órgãos dos animais como os das plantas — como se existissem *em vista* da alma. E o *em vista de* tem dois aspectos: o *de que* e o *em quê*.

415b21. Mas, de fato, a alma é também de onde primeiro parte o movimento local, embora esta potência não subsista em todos os seres vivos. Mas inclusive a alteração e o crescimento existem segundo a alma; pois há a opinião de que a percepção sensível é uma certa alteração, e aquele que não participa da alma nada percebe; de maneira similar ocorre também em relação ao crescimento e decaimento, pois nem decai nem cresce naturalmente aquele que não é nutrido, e nada que não compartilhe da vida se nutre.

415b28. Empédocles não se expressou bem ao acrescentar que, nas plantas, o crescimento ocorre para baixo, por elas lançarem raízes, porque a terra assim conduz por natureza, e igualmente para cima por causa do fogo. Pois nem o *acima* nem o *abaixo* ele compreende (já que *acima* e *abaixo* não são o mesmo para todas as coisas e para o universo, pelo contrário: as raízes das plantas são como a cabeça dos animais, se é que convém tratar os órgãos como diversos ou idênticos conforme suas funções). Além disso, o que mantém unidos o fogo e a terra, que são levados para direções opostas? Pois se dispersariam, se não houvesse algo que os impedisse; e se há algo, então isto é a alma, o causador do crescer e do nutrir-se.

416a9. Na opinião de alguns, é simplesmente a natureza do fogo que causa a nutrição e o crescimento, pois só o fogo, dentre os corpos [ou elementos], revela-se como algo nutrido e crescente. E por isso alguém poderia supor que é também o fogo que opera nas plantas e nos animais. De certa maneira, ele é *um* causador coadjuvante, mas não *o* causador simplesmente, o qual é antes a alma. Pois o crescimento do fogo é em direção ao ilimitado e até o ponto em que existir o combustível, mas em tudo o que é constituído por natureza há um limite e uma proporção para o tamanho e para o crescimento, e essas são coisas da alma e não do fogo, e da determinação mais do que da matéria.

416a18. Já que a mesma potência da alma é nutritiva e reprodutiva, também é necessário estar inicialmente definida a nutrição, pois se destaca das outras potências por esta função. Há a opinião de que uma coisa é alimento para o seu contrário, porém não em todos os casos, mas sempre que os contrários não apenas são gerados como também têm crescimento um a partir do outro; pois muitas coisas vêm a ser umas das outras, mas nem todas são quantidades — por exemplo, o saudável a partir do doentio. Tampouco aqueles contrários revelam-se uns aos outros da mesma maneira como alimento, e é o líquido que nutre o fogo, mas não é o fogo que nutre o líquido. E especialmente no caso dos corpos simples parece ser assim: um é o alimento, outro, o alimentado.

416a29. Mas há aqui uma dificuldade. Pois alguns dizem que o semelhante se nutre do semelhante, bem como cresce dele; mas a outros parece o inverso, como dissemos: que o contrário se nutre do contrário — como se o semelhante fosse impassível à ação do semelhante — e que o alimento se transforma e é digerido, sendo a mudança para tudo em direção ao oposto ou ao intermediário. Além disso, o alimento sofre algo por parte daquele que se alimenta, mas não este por parte do alimento, e tampouco o carpinteiro por parte da matéria, pelo contrário: esta é que sofre algo por parte dele, apenas passando o carpinteiro da inatividade à atividade.

416b3. Faz diferença saber se o alimento é o que se acrescenta por último ou primeiro. Pois, se for ambos, mas um não digerido e outro digerido, caberia falar do alimento dos dois modos: como não digerido, é o contrário que se nutre do contrário; mas como digerido, é o semelhante que se nutre do semelhante. Assim, é evidente que, de certa maneira, ambos os modos são ditos correta e incorretamente.

416b9. Uma vez que nada se nutre sem participar da vida, é o corpo animado, como animado, que é nutrido; por conseguinte também a nutrição diz respeito ao animado e não por acidente.

416b11. Mas, para o alimento e para o produtor de crescimento, o ser é diverso. Enquanto o animado é uma certa quantidade, o digerido é produtor de crescimento; enquanto o animado é algo determinado e substância, ele é alimento, pois conserva a substância e o animado existirá durante o tempo em que se nutrir. E é produtor de geração — não a desse que se nutre, mas de outro *como* o que se nutre, pois a substância deste já existe e nada gera a si mesmo, apenas se conserva. Por conseguinte, esse princípio da alma é uma potência tal que conserva, como tal, o que a recebe; o alimento, por sua vez, é o que o prepara para a atividade. É por isso que, privado de alimento, não pode existir.

416b20. E visto que há três coisas — o que é nutrido, aquilo com que se nutre e o que nutre — a primeira alma é o que nutre; o nutrido é o corpo que a possui; e aquilo com que se nutre é o alimento.

416b23. Uma vez que é justo designar todas as coisas a partir de seu fim — e uma vez que o fim consiste em gerar outro como si mesmo —, a primeira alma seria a capacidade de gerar outro como si mesmo. E aquilo *com que* se nutre é duplo, assim como aquilo *com que* se dirige um navio tanto é a mão como o leme (ela, movente e movida, ele, somente movido). É necessário que todo e qualquer alimento possa ser digerido, e é o calor que processa a digestão; por isso, todo animado tem calor. Com este esquema, então, está dito o que é a nutrição, mas isso deve ser esclarecido posteriormente nas discussões apropriadas.

Capítulo 5

416b32. Definidos estes pontos, passemos ao que é comum a toda e qualquer percepção sensível. A percepção sensível consiste em ser movido e ser afetado, como dissemos, pois há a opinião de que ela é uma certa alteração. Porém, dizem também que o semelhante é afetado pelo semelhante. Mas como isso é possível ou impossível, dissemos nos tratados gerais sobre o atuar e o ser afetado.

417a2. Mas há uma dificuldade: por que não ocorre percepção inclusive dos próprios sentidos? Ou seja, por que sem objetos externos os sentidos não produzem percepção, já que existe neles fogo, terra e os outros elementos — de que há percepção por eles mesmos ou por seus acidentes? É claro que a capacidade de perceber, então, não existe em atividade, mas só em potência, e por isso não percebe a si mesma; assim como o inflamável não queima por si mesmo sem aquilo que o faz inflamar (do contrário, queimaria a si próprio, e não careceria de que o fogo existisse em atualidade).

417a9. E uma vez que dizemos o perceber de dois modos (pois, dizemos ouvir e ver tanto daquele que em potência ouve e vê —

ainda que esteja dormindo — como daquele que ouve e vê já em atividade), também se poderia dizer de dois modos a percepção: como em potência e como em atividade. E de maneira similar o objeto da percepção sensível também será um em potência e outro em atividade.

417a14. Primeiro, então, tratemos como sendo a mesma coisa o ser afetado, o ser movido e o entrar em atividade. Pois o movimento é uma certa atividade, todavia imperfeita, como foi dito alhures. E tudo é afetado e movido por um poder eficiente e em atividade. Por isso existe, conforme dissemos, em um sentido, o ser afetado pelo semelhante e, em outro sentido, o ser afetado pelo dessemelhante. Pois é o dessemelhante que é afetado, mas, tendo sido afetado, é semelhante.

417a21. É preciso ainda fazer distinções no que diz respeito à potência e à atualidade. Pois até agora falávamos disso de maneira simples. Por um lado, há aquele que conhece no sentido em que diríamos ser o homem conhecedor, por estar entre os que conhecem e possuem conhecimento; e há, em outro sentido, aquele que dizemos ser conhecedor por já saber a gramática (e cada um deles é em potência, mas não da mesma maneira: o primeiro, porque é de tal gênero e matéria, o outro, porque, se quiser, pode inquirir, nada externo o impedindo). E há, por fim, aquele que está inquirindo e em atualidade, conhecendo em sentido próprio este "A" determinado. Os dois primeiros são conhecedores em potência: um, por ter-se alterado via aprendizagem e por passar várias vezes de uma das disposições contrárias a outra; o outro, de outro modo, por passar do ter a percepção sensível ou a gramática[6] sem exercitá-lo ao estar em exercício.

---

[6] Lendo o texto sem a frase ὄντες, ἐνεργείᾳ γίνονται ἐπιστήμονες, acrescentada por Ross na linha 30a e αἴσθησιν no lugar de ἀριθμητικὴν na linha 32.

417b2. Mas nem o ser afetado é um termo simples: em um sentido, é uma certa corrupção pelo contrário e, em outro, é antes a conservação do ser em potência pelo ser em atualidade, e semelhante à maneira como a potência o é em face da atualidade; pois é inquirindo que se torna possuidor de conhecimento — o que, por certo, ou não é um alterar-se (pois o progresso é em sua própria direção e à atualidade), ou é um outro gênero de alteração. Por isso não é correto dizer que quem pensa, quando pensa, se altera. Assim como não é correto dizê-lo do construtor quando constrói. Por um lado, então, conduzir o que pensa e entende do ser em potência à atualidade, é justo que tenha uma outra denominação que não instrução. Por outro lado, sendo em potência, quem aprende e compreende uma ciência por parte de quem, tendo-a em atualidade, pode ensinar, ou não se deve dizer que é afetado (como foi mencionado), ou deve-se dizer que existem dois modos de alteração: a mudança quanto às condições privativas e a mudança quanto às disposições e à natureza.

417b16. No que é capaz de perceber, a primeira mudança é produzida pelo progenitor. E, quando nasce, ele já dispõe do perceber, tal como um conhecimento. E a atividade de perceber se diz de modo similar à de inquirir; mas com uma diferença, porque as coisas que têm o poder eficiente da atividade são externas — o visível e o audível e de maneira similar os demais objetos da percepção sensível — e a causa é que a atividade da percepção concerne a particulares, ao passo que o conhecimento concerne a universais — e estes de algum modo estão na própria alma. Por isso pensar depende de si mesmo, quando se quer, mas perceber não depende de si mesmo, pois é necessário subsistir o objeto da percepção sensível. E isto é similar para as ciências que tratam dos objetos da percepção, e pela mesma razão: porque os objetos da percepção são particulares e externos.

417b29. Mas ainda teremos a oportunidade de esclarecer essas questões mais tarde. Por ora, é suficiente dizer isto: que não sendo simples aquilo que se diz em potência — por um lado, como falaríamos da criança podendo ser um general e, por outro, como falaríamos daquele que já está na idade adulta — deste último modo é o capaz de perceber. E uma vez que esta diferença não tem denominação, e a respeito disso estando determinado que são coisas distintas e de que modo o são, é necessário servir-se dos termos ser afetado e alterar-se como próprios. E a capacidade perceptiva é, conforme dissemos, potencialmente tal como seu objeto o é já em atualidade. Portanto, ela é afetada enquanto não semelhante, mas, uma vez que tenha sido afetada, ela se assemelha e torna-se tal como ele.

Capítulo 6

418a7. É preciso tratar primeiro dos sensíveis segundo cada um dos sentidos. O sensível se diz de três modos, dos quais dois afirmamos que são percebidos por si mesmos e um, por acidente. E dos dois, um é próprio a cada sentido; outro, comum a todos.

418a11. Denomino próprio aquilo que não pode ser percebido por um outro sentido, e a respeito de que não cabe enganar-se — por exemplo, visão de cor, audição de som, gustação de sabor, ao passo que o tato comporta um maior número de diferenças. E, a respeito destes, cada sentido discerne, e não há engano de que é cor ou som, mas sim sobre o que é e onde está o colorido, ou sobre o que é e onde está o sonante.

418a17. De tal tipo são aqueles denominados próprios a cada sentido, ao passo que são denominados comuns o movimento, o repouso, o número, a figura e a magnitude, pois os deste tipo não são próprios a nenhum sentido, mas comuns a todos. Pois um certo movimento é perceptível tanto pelo tato como pela visão.

418a21. É denominado sensível por acidente quando, por exemplo, o branco é o filho de Diares. Pois percebe-se isto por acidente, e porque calha de estar associado ao branco que é percebido. Por isso também, sob a ação do sensível enquanto tal, não se é afetado.

418a24. Dentre os objetos perceptíveis por si mesmos, os próprios é que são propriamente perceptíveis, e é para os quais se volta naturalmente a substância de cada sentido.

Capítulo 7

418a26. Isto de que existe a visão é o visível. Visível é a cor, e também o que pode ser designado por palavras, embora encontre-se anônimo — e ficará mais claro do que falamos à medida que avançarmos. Pois o visível é a cor, e esta é o que recobre o visível por si mesmo (por si mesmo não quanto à definição, mas porque tem em si a causa de ser visível). Toda e qualquer cor é aquilo que pode mover o transparente em atualidade, e esta é a natureza da cor. Por isso não existe visível sem luz, e toda cor de cada coisa é vista na luz.

418b3. Assim, primeiro é preciso dizer o que é a luz. Existe, de fato, algo transparente, e chamo de transparente o que é visível, mas não visível por si mesmo, falando de maneira simples, mas por meio de cor alheia. Deste tipo são o ar, a água e muitos sólidos. Pois eles são transparentes não como água, nem como ar, mas porque existe neles uma certa natureza imanente que é em ambos a mesma, bem como no corpo superior eterno. Luz é a atividade disto, do transparente como transparente. E onde ele está em potência há também a treva. Luz é como que a cor do transparente, quando se torna transparente em atualidade pelo fogo ou por algo do tipo, como o corpo superior, pois nele subsiste algo que é uno e o mesmo.

418b13. Está dito, então, o que é o transparente e o que é a luz: que ela nem é fogo, nem é de todo um corpo, tampouco é emanação de algum corpo (pois seria um certo corpo ainda neste caso), mas é a presença de fogo ou de algo semelhante no transparente. Pois não é possível para dois corpos estarem ao mesmo tempo no mesmo lugar, e a luz parece ser o contrário da treva. Mas a treva é a privação de uma certa disposição do transparente e, por conseguinte, é claro também que a presença dela é luz.

418b20. Nem Empédocles nem outros que afirmaram de modo semelhante se expressaram corretamente ao dizer que a luz se transporta e se estende em um tempo determinado no intermediário entre a abóbada celeste e a terra, embora nos passe despercebido. Pois isso é contrário à evidência da formulação e contrário ao que se revela. Em um pequeno intervalo, poderia passar despercebido. Mas passar despercebido do levante ao poente, é pedir demais.

418b26. E da cor é receptivo o privado de cor; do som, o privado de som. E privado de cor é o transparente, o invisível ou o visto a custo, como o obscuro parece ser. E deste tipo é o transparente, e não quando transparente em atualidade, mas quando em potência; pois a mesma natureza ora é treva, ora é luz.

419a1. E não é tudo que é visível na luz, mas somente a própria cor de cada coisa; pois algumas coisas não são vistas na luz, mas produzem sensação na treva — como o que se revela ígneo e luminoso (e estas coisas não são designadas por um único termo), por exemplo, fungo, chifres, cabeças e escamas e olhos de peixes —, mas de nenhuma delas vê-se a cor própria. Por que causa então estas coisas são vistas, é uma outra discussão.

419a7. Por ora, está claro isto: o que é visto na luz é a cor e por isso também não se vê sem luz. Pois isto é o que é ser para a cor: ser aquilo que é capaz de mover o transparente em atualidade, e a atualidade do transparente é a luz. Há um sinal evidente disso: se alguém colocar o que tem cor bem diante da própria vista, não o verá. Mas a cor, por um lado, move o transparente (por exemplo, o ar), e o órgão sensível, por sua vez, é movido pelo transparente, quando ele é contínuo.

419a15. Demócrito não se expressou bem ao supor que, caso o intermediário se tornasse vazio, tudo poderia ser visto com exatidão ainda que fosse uma formiga no céu. Pois isso é impossível. O ato de ver ocorre quando o capaz de perceber é afetado por algo; mas é impossível que o seja pela própria cor que é vista; resta então que o seja pelo intermediário. É necessário, portanto, que exista algo intermediário, e tornando-se vazio, não com exatidão, mas nada de todo será visto.

419a22. Está dita então a causa pela qual a cor necessariamente é vista na luz. E o fogo é visto em ambos os casos — tanto na treva, como na luz — e isso por necessidade; pois o transparente torna-se transparente pelo fogo. E, a respeito do som e do odor, a discussão é a mesma, pois nenhum deles produz percepção sensível ao tocar no órgão sensível, e sim quando o intermediário é movido pelo odor e pelo som; e pelo intermediário, por sua vez, cada um dos órgãos sensíveis. E, quando alguém coloca sobre o órgão sensível o próprio soante ou exalante, nenhuma percepção será produzida. E, a respeito do tato e da gustação, o caso é similar, mas não é evidente, e a causa será esclarecida depois. O intermediário do som é o ar, mas o do odor não tem nome, pois existe uma certa afecção comum ao ar e à água — e esta, que é subsistente em ambos, está para o odor assim como o transparente está para a cor —, pois os animais aquáticos também revelam que têm o sentido do olfato. Mas o homem — e todos aqueles, dentre os animais terrestres, que respiram — não pode sentir o odor, se não respirar. E a causa disto também será explicada depois.

Capítulo 8

419b4. Comecemos agora por definir primeiro o som e a audição. O som é de dois modos: um é certa atividade, outro é em potência. Pois dizemos que certas coisas não têm som (por exemplo, a esponja e a lã), mas que outras têm (por exemplo, o bronze e tudo o que for sólido e liso), porque podem soar, isto é, podem produzir som em atividade naquilo que é intermediário entre elas e a audição.

419b9. E sempre que surge um som em atividade é de algo *contra* algo e *em* algo; pois é um golpe que produz o som. Por isso é impossível que, existindo uma coisa só, ocorra som; pois o que golpeia é diverso do que é golpeado. O que produz som soa *contra* algo, não surgindo o golpe sem um movimento local. Mas, conforme dissemos, o som não é o golpear de coisas fortuitas, pois as lãs não produzem nenhum som se forem golpeadas, mas sim o bronze e tudo o que for liso e oco: o bronze porque é liso, e as coisas ocas por reverberação produzem muitos golpes após o primeiro, ficando aquilo que foi movido impossibilitado de escapar.

419b18. Além disso, o som é ouvido tanto no ar como na água, mas menos nesta última. E o responsável pelo som nem é o ar, nem é a água, mas precisa ocorrer o golpe dos sólidos, *um* contra o *outro* e contra o *ar*, e isto surge quando o ar permanece depois de golpeado e não se dissipa. Por isso ele soa se é golpeado rápida e violentamente, pois é preciso que o movimento do golpe preceda a dispersão do ar, como se algo golpeasse um monte ou um remoinho de areia deslocando-se rapidamente.

419b25. O eco ocorre quando o ar em bloco, limitado pelo recipiente e impedido de dispersar-se, é rebatido tal como uma bola. Parece que um eco sempre ocorre, embora não seja sempre distinto, já que no caso do som acontece o mesmo que no caso da luz. Pois também a luz é sempre refletida (do contrário não surgiria luz em toda parte, mas treva fora do ensolarado), embora não do modo como é refletida a partir da água ou do bronze ou ainda de alguma outra superfície lisa, mas de modo a fazer sombra, pela qual delimitamos a luz.

419b33. Diz-se corretamente que o responsável pelo ouvir é o vazio. Pois há a opinião de que o vazio é o ar, e é este o que faz ouvir, quando é movido em bloco e de maneira contínua. Mas por ser fragmentário o ar não soa alto, a não ser que seja liso o que for golpeado. Neste caso, o ar torna-se simultaneamente um bloco por causa da superfície, pois una é a superfície do que é liso. Sonoro, então, é o que pode mover o ar continuamente e em bloco até o ouvido.

420a4. O ar está naturalmente adaptado à audição e, uma vez que ela está no ar, ao mover-se o ar de fora move-se também o de dentro. Por isso não é por toda e qualquer parte do animal que se ouve, assim como não é por toda e qualquer parte que o ar entra, pois o animado e a parte que será movida não são completamente constituídos de ar. E o próprio ar, de fato, não é sonoro, porque é facilmente dispersado; mas quando é impedido de dispersar-se o seu movimento produz som. O ar retido nos ouvidos deve estar imóvel, para que sejam percebidas com exatidão todas as variações do movimento. Por isso ouvimos também na água: porque a água não penetra no ar próprio e naturalmente unido ao ouvido, nem no ouvido, por causa dos labirintos. E se isto ocorre, ele não ouve; tampouco se a membrana do tímpano e a pele sobre a pupila forem lesadas. E é também sinal do ouvir ou não o ecoar constante do ouvido, tal como um corno; pois o ar contido nos ouvidos está sempre se movendo por um movimento peculiar. Mas o som é algo alheio a ele e não próprio. Por isso se diz que ouvimos por meio de algo vazio e que ecoa, porque ouvimos por meio daquilo que tem ar confinado.

420a19. E qual dos dois soa: o que é golpeado ou o que golpeia? Ou são ambos, mas de maneiras diversas? Pois o som é o movimento do que pode ser movido da maneira como as coisas que rebatem em superfícies lisas, quando alguém bate contra elas. Não é, então, toda coisa golpeada e golpeante que soa, conforme foi dito — por exemplo, se uma agulha bater em uma agulha —, mas é preciso que o golpeado seja plano a ponto de que o ar compacto salte e vibre.

420a26. As diferenças entre as coisas soantes se fazem claras no som em atividade. Pois, assim como não se veem as cores sem a luz, da mesma maneira não se ouvem o agudo e o grave sem som. Estes termos são empregados por metáfora das qualidades táteis. O agudo é o que move muito o sentido por pouco tempo, e o grave, pouco por muito tempo. Não que o agudo seja rápido e o grave, lento. Mas o movimento em um caso se deve à rapidez e no outro à lentidão. E isso parece ser análogo ao agudo e ao obtuso no caso do tato: pois o agudo como que pica e o obtuso como que empurra, um por mover num tempo curto e o outro num tempo longo, de modo que um ocorre com rapidez e outro com lentidão.

420b5. E isto é suficiente no que diz respeito ao som. A voz é um certo som de algo animado, pois nenhum dos inanimados tem voz, embora por semelhança se diga que eles têm voz — por exemplo, a flauta e a lira e todas as outras coisas inanimadas que tiverem extensão, melodia e som articulado. Pois parece que também a voz dispõe destas qualidades. Mas muitos animais não têm voz — por exemplo, os não sanguíneos e, dentre os sanguíneos, os peixes. Isso é bem razoável, pois de fato o som é um certo movimento do ar. E os peixes que dizemos emitirem som — por exemplo, <os peixes> do Aqueloo — emitem som com as guelras ou com alguma outra parte deste tipo, mas a voz é o som de um animal, e não é produzida por qualquer parte do seu corpo.

420b14. Já que tudo soa quando algo golpeia algo em algo — e este último é ar —, é razoável que só aqueles que inspiram o ar emitam som. Pois a natureza serve-se do que é respirado para duas funções — assim como se serve da língua tanto para a gustação como para a articulação, sendo que a gustação é o necessário (e por isso subsiste na maioria) e a expressão, por sua vez, é em vista do bem. A natureza se serve igualmente do ar respirado tanto para o calor interno, necessário <ao ser> (e a causa será dada alhures), como para a voz e de maneira a que subsista o bem.

420b22. O órgão para a respiração é a faringe, e aquele em vista de que esta parte existe é o pulmão, pois nesta parte os animais terrestres têm mais calor do que nas outras. E é também primordialmente a região em torno do coração que precisa da respiração. Por isso é necessário que o ar penetre ao ser respirado.

420b27. Por conseguinte, a voz é o golpe do ar respirado pela ação da alma nas partes deste tipo e contra a chamada traqueia. Pois não é todo som de animal que é voz, como dissemos (pois existe também o som emitido com a língua e como no tossir). Mas é preciso que aquele que provoca o golpe seja dotado de alma e, mesmo, que tenha alguma imaginação (pois a voz é um certo som significativo, e não som do ar respirado, como a tosse), e que com o ar respirado bata o da traqueia contra ela. Isso é indicado pelo fato de não ser possível emitir voz nem inspirando nem expirando, e sim retendo o ar; pois o movimento é produzido com o ar que é retido. É evidente também por que os peixes são afônicos, pois não têm faringe; e eles não têm essa parte porque, não recebendo o ar, não respiram. A causa disto, contudo, é outra discussão.

Capítulo 9

421a7. Em relação ao olfato e ao odorífero é menos fácil definir do que aquilo de que já tratamos; pois não está claro, da mesma maneira que o som, a luz e a cor, que qualidade é o olfato. E a causa é que não temos acurado este sentido, mas inferior a muitos animais, pois o homem cheira parcamente, não percebendo nenhum dos odores a menos que seja doloroso ou prazeroso, porque o órgão sensível não é acurado. Por isso é razoável supor que também é dessa maneira que os animais de olhos duros percebem as cores, não sendo claras para eles as suas diferenças, exceto por serem temíveis ou não temíveis. Assim também é o gênero humano em relação aos odores.

421a18. Pois o olfato parece análogo à gustação e, similarmente, as espécies dos sabores são análogas às dos odores. Mas temos a gustação mais acurada, por ser uma espécie de tato, e por ser este o mais acurado sentido do homem; pois, quanto aos outros, ele é inferior a muitos animais, mas, quanto ao tato, em muito se distingue dos outros em acuidade. Por isso também é o de melhor entendimento entre os animais. E indica-o também o fato de existir no gênero humano, quanto a esse órgão sensível e não a outro, os bem-dotados e os maldotados; pois os de carne dura são maldotados de raciocínio e os de carne mole, bem-dotados.

421a26. Tal como o sabor — este doce, aquele amargo —, assim também são os odores. Mas algumas coisas têm o cheiro análogo ao sabor (quero dizer, por exemplo, odor doce e sabor doce) enquanto outras, o contrário. Similarmente existem também os odores acre, seco, picante e gorduroso. Mas, pelo fato de que os odores não são tão claramente distintos quanto os sabores, como dissemos, tomou-se destes a denominação em virtude da semelhança das coisas; pois o odor doce é o do açafrão e do mel, e o picante é o do tomilho e de coisas semelhantes, e assim também nos demais casos.

421b3. E assim como a audição e cada um dos sentidos concernem ao audível e inaudível, ao visível e invisível, também a olfação concerne ao odorífero e inodoro. E é inodoro seja o inteiramente incapaz de ter odor, seja o que o tem pouco ou escasso. Similarmente também se diz o insípido.

421b8. E também a olfação ocorre através de um intermediário, a saber, do ar ou da água, pois parece que os animais aquáticos também sentem cheiro, sejam sanguíneos ou não sanguíneos, bem como os animais que vivem no ar; pois destes alguns de longe vão ao encontro do alimento guiados pelo efeito dos odores.

421b13. Por isso ainda se mostra dificultoso saber se todos os animais sentem cheiro da mesma maneira, enquanto o homem, por sua vez, sente cheiro respirando, e quando não respira (mas expira ou prende a respiração) não o sente nem de longe, nem de perto, nem mesmo se puser o objeto na narina e em contato com ela (a todos os animais é comum que, ao serem colocados em contato com o próprio órgão sensível, os objetos sejam imperceptíveis, embora aos homens seja próprio o não sentir sem respirar, o que é claro a quem tentar). Por conseguinte, os animais não sanguíneos, já que não respiram, teriam um outro sentido além dos mencionados. Mas isto é impossível, se de fato percebem odor: pois a percepção do odorífero — seja fedor, seja aroma — é olfação. Além disso, percebe-se também que são destruídos pelo efeito dos mesmos odores fortes que destroem o homem, como, por exemplo, o do betume, do enxofre e de outros deste tipo. É necessário, então, que farejem ainda que não seja ao respirar.

421b26. Parece que, nos homens, este órgão sensível difere em relação aos outros animais, assim como seus olhos diferem dos de animais de olhos duros, pois os homens têm pálpebras como envoltório e proteção e, sem movê-las e afastá-las, não podem ver. Mas os de olhos duros, por sua vez, nada têm deste tipo e veem os acontecimentos diretamente no transparente. Assim, tal como o olho, também o órgão olfativo em alguns animais é descoberto, mas tem uma cobertura para os que aspiram o ar, que é removida quando respiram ao dilatarem-se as veias e os poros. É por isso que os animais que respiram não sentem cheiro na água; pois para farejar é necessário respirar, mas é impossível fazê-lo na água. E o odor pertence ao seco, tal como o sabor ao úmido, e o órgão olfativo é em potência desse tipo.

Capítulo 10

422a8. O palatável é um certo tangível, e esta é a causa de não ser perceptível através de um corpo extrínseco e intermediário. Tampouco o tato é percebido dessa maneira. E o corpo em que subsiste o sabor — o palatável — está no úmido como sua matéria, e isso é algo tangível. Assim, mesmo se vivêssemos na água, perceberíamos o doce imiscuído, e para nós a sensação não ocorreria pelo intermediário, mas por misturar-se ao úmido, tal como no que é potável. A cor, por sua vez, não é vista dessa maneira — por estar misturada —, tampouco por meio de emanações. Por conseguinte, nada no palatável corresponde ao intermediário; e, tal como o visível é a cor, assim também o palatável é o sabor. Nada produz sensação de sabor sem ter umidade, e ter umidade ou em ato ou em potência, tal como o salgado; pois ele próprio é facilmente dissolvido e age como um solvente na língua.

422a20. A visão é tanto do visível como do invisível (pois embora a treva seja invisível, é também a visão que a discerne) e, ainda, do demasiado brilhante (e esse é de fato invisível, mas de maneira diferente da treva). Similarmente também a audição é do som e do silêncio — e destes, um é audível e outro inaudível — e, ainda, do muito ruidoso, tal como a visão é do muito brilhante (pois, assim como o som baixo é inaudível, de certa maneira também o alto e o violento). Uma coisa é dita invisível não só quando o é inteiramente (assim como o que não é capaz nos outros casos), mas também quando, sendo de natureza visível, não está visível ou está pouco visível (tal como a falta de um pé ou de um caroço). Assim também a gustação é do palatável e do não palatável, e este é o que tem pequeno e escasso sabor ou o que é destrutivo da gustação. E parece que o princípio é o potável e o não potável; pois ambos são tipos de gustação: este é escasso e destrutivo [da gustação], aquele é dela por natureza. O potável, por conseguinte, é comum ao tato e à gustação.

422a34. Uma vez que o palatável é úmido, é necessário também que o órgão sensível dele nem seja efetivamente úmido, nem incapaz de umedecer. Pois a gustação altera-se pelo efeito do palatável como palatável. Portanto, é necessário umedecer o que pode ser umedecido, conservando-se, mas não sendo úmido o órgão sensível gustativo. E indica-o o fato de a língua não perceber nem estando seca, nem demasiadamente úmida; pois neste caso o tato surge do primeiro úmido, como quando alguém, depois de provar um sabor violento, degusta um outro — por exemplo, aos doentes todos os gostos parecem amargos, por serem sentidos com a língua cheia de uma umidade deste tipo.

422b11. As espécies de sabor, tal como no caso das cores, são, quando simples, contrárias: o doce e o amargo, derivando de um o gorduroso e de outro o salino e, intermediando estes, o acre e o rude e o ácido e o picante; pois estas parecem ser aproximadamente as diferenças dos sabores. Assim, o que pode sentir gosto é deste tipo em potência, e o palatável é o que pode produzir isso em ato.

Capítulo 11

422b17. No que concerne ao tangível e ao tato, o discurso é o mesmo. Pois se o tato não é uma única sensação, mas diversas, então é necessário também que os objetos perceptíveis pelo toque sejam diversos. Mas há, na verdade, dificuldade quanto a serem diversos ou um único e quanto ao que é o órgão da capacidade táctil — se é a carne (e o análogo a ela nos outros casos) ou se não é a carne, sendo ela apenas um intermediário, enquanto o órgão sensorial primeiro é algo diverso e interno. Pois toda e qualquer percepção sensível parece ser de um único par de contrários (por exemplo, a visão, do branco e do preto, a audição, do agudo e do grave, e a gustação, do amargo e do doce). Mas no caso do tangível, são muitos os pares de contrários: quente e frio, seco e úmido, duro e mole, e quantos outros houver desse tipo. Há uma maneira de sair deste impasse: que também no caso dos outros sentidos são diversos os pares de contrários (em relação à voz, por exemplo, não somente a agudez e a gravidade, mas também a magnitude e a pequenez, a suavidade e a aspereza, e outros tais; e também acerca da cor existem tais outras diferenças). Contudo, não está claro o que é o substrato singular do tato, assim como o som é o substrato da audição.

422b34. Se o órgão sensorial está dentro ou não, ou se ele é diretamente a carne, não parece ser explicado pelo fato de a percepção sensível ocorrer simultaneamente ao toque. Pois, de fato, se alguém recobrir a carne com uma membrana artificial e tocar algo, a sensação a nós comunicada será tal como a de tocar diretamente. É claro, todavia, que o órgão sensorial não está nesta membrana e que, se ela fosse congênita, mais rapidamente ainda seria atingida a sensação. Por isso tal parte do corpo parece estar assim como estaria o ar que nos cerca, se fosse naturalmente unido a nós, envolvendo-nos. Teríamos então a opinião de que percebemos o som, a cor e o odor por um único intermediário unido a nós, e de que a visão, a audição e a olfação são um único e mesmo sentido. Na verdade, por ser separado de nós aquilo através de que ocorrem os movimentos, os órgãos sensoriais mencionados são evidentemente diferentes. Mas, no caso do tato, por enquanto isto não está claro. Pois é impossível que o corpo animado tenha consistência se for composto apenas de ar ou de água, uma vez que tem de ser sólido. Resta a alternativa de que seja algo misto, composto destes e de terra. Assim, é necessário que o corpo seja um intermediário intrínseco e natural do capaz de percepção tátil, através do qual ocorrem as percepções, que são diversas. É claro que são diversas no caso do tato da língua, pois ela percebe todos os tangíveis com a mesma parte com que percebe também o sabor. Se a outra carne, então, percebesse também o sabor, pareceriam ser um único e mesmo sentido a gustação e o tato. Mas são dois, de fato, por não se intercambiarem.

423a22. Poderia também haver o seguinte impasse: todo corpo tem profundidade, e esta é a terceira dimensão; assim, se entre dois corpos existe algum corpo intermediário, então não seria possível que eles tocassem um ao outro. O úmido ou o molhado não existem sem um corpo, mas devem ter ou ser água. Os corpos que se tocam uns aos outros na água, já que suas extremidades não estão secas, devem ter água entre eles, da qual as suas extremidades ficam cheias. Se isto é verdadeiro, é impossível então um corpo tocar o outro na água e também no ar (pois o ar, em relação aos que estão no ar, é tal como a água em relação ao que está na água, embora isto nos passe despercebido, do mesmo modo que aos animais na água se o molhado toca o molhado). Portanto, a questão é: a percepção sensível de tudo é semelhante ou ela é diferente para coisas diferentes, tal como agora parece que o paladar e o tato são pelo tocar e as demais pela ação a distância?

423b4. Mas não é este o caso; antes, o duro e o mole são percebidos por meio de um outro, da mesma maneira que o sonoro, o visível e o odorífero, embora estes de longe e os outros de perto, por isso passando despercebido. Uma vez que tudo é percebido através de um intermediário, ele não é notado naqueles que percebemos de perto. Todavia, como já dissemos, se através de uma membrana sentíssemos todos os tangíveis — passando despercebido que ela é separada —, estaríamos tal como quando estamos na água ou no ar, e nos parece que tocamos nas coisas mesmas, sem nenhum intermediário.

423b12. Mas a diferença entre o tangível e o visível ou o que é capaz de soar reside em que percebemos estes últimos graças à ação do intermediário, enquanto percebemos os tangíveis não pela ação do intermediário, mas *simultaneamente* ao intermediário, tal como alguém que é golpeado através de um escudo. Pois não é o escudo golpeado que se lança contra o homem, senão que ambos são golpeados simultaneamente. Em geral, parece que, tal como o ar e a água estão para a visão, a audição e a olfação, assim também estão a carne e a língua para o órgão sensorial, como cada um daqueles. E, tocado o próprio órgão sensorial, nem neste caso, nem naqueles, seria produzida qualquer percepção sensível, por exemplo, se alguém colocasse na superfície do olho um corpo branco qualquer. Pelo que também está claro que a capacidade perceptiva do tangível está dentro. Pois então aconteceria precisamente o que ocorre nos outros casos, pois não percebemos o que é colocado sobre o órgão sensorial, e percebemos o que é colocado sobre a carne.

423b27. Tangíveis, então, são as diferenças do corpo como corpo, quer dizer, as diferenças que distinguem os elementos quente, frio, seco e úmido, e a respeito das quais já discorremos nos tratados sobre os elementos. E o órgão sensorial destes é o capaz de tocar, e em que primeiro subsiste o sentido do assim chamado tato, a parte que é tal em potência. Pois o perceber é ser afetado por algo; de maneira que o agente torna como si mesmo em atividade aquele que é tal em potência. Por isso o similarmente quente ou frio, e duro ou mole a nós, não percebemos, mas só os excedentes, sendo os sentidos como que uma certa média do par de contrários nos objetos perceptíveis. E é por isso que discerne os objetos perceptíveis. Pois o médio é capaz de discernir, já que se torna o outro em relação a cada um dos extremos. E é preciso, assim como o que está para perceber o branco ou o preto, não ser nenhum dos dois em atividade mas ambos em potência (e da mesma maneira nos outros casos), também, no caso do tato, nem ser quente, nem frio. Além disso, tal como a visão era de certa maneira do visível e do invisível, e similarmente também os objetos correlatos restantes, assim também o tato é do tangível e do intangível. E intangível é tanto o que tem uma de todo pequena diferença dos tangíveis, por exemplo, o ar afetado, como os que a têm em excesso, tal como os deletérios. Segundo cada um dos sentidos, então, está dito esquematicamente.

Capítulo 12

424a16. No geral e em relação a toda percepção sensível, é preciso compreender que o sentido é o receptivo das formas sensíveis sem a matéria, assim como a cera recebe o sinal do sinete sem o ferro ou o ouro, e capta o sinal áureo ou férreo, mas não como ouro ou ferro. E da mesma maneira ainda o sentido é afetado pela ação de cada um: do que tem cor, sabor ou som; e não como se diz ser cada um deles, mas na medida em que é tal qualidade e segundo a sua determinação. O órgão sensorial primeiro é aquele em que subsiste tal potência. E são, por um lado, o mesmo, mas o ser para cada um é diverso. Pois, por um lado, o órgão que percebe seria uma certa magnitude. Mas, por outro, tanto a percepção sensível como o ser para o capaz de perceber não são magnitudes, e sim uma certa determinação e potência daquele.

424a28. É evidente também, a partir disso, por que os excessos nos objetos perceptíveis destroem os órgãos sensoriais (pois, se o movimento for mais forte que o órgão sensorial, a determinação se rompe — e esta seria a percepção sensível —, assim como a afinação e o tom das cordas quando fortemente tocadas). É evidente também por que as plantas não têm percepção sensível, mesmo tendo uma parte da alma e sendo afetadas pela ação dos tangíveis, uma vez que esquentam e esfriam. A causa disso é não terem nem a média, nem o princípio próprio para receber as formas sensíveis, mas serem afetadas pela matéria como tal.

424b3. Alguém poderia levantar a questão de se o incapaz de perceber odor é afetado de alguma maneira pelo odor, e o incapaz de ver, pela cor, e da mesma maneira nos outros casos. Contudo, se o odorífero é o odor, caso ele produza algo, produzirá a olfação. De maneira que nada incapaz de perceber odor pode ser afetado pelo odor (e o mesmo enunciado serve para os outros casos). E nenhum dos capazes, exceto a parte perceptiva de cada um deles. Isso se torna claro também da seguinte maneira: nem a luz e a treva, nem o som e o odor fazem algo aos corpos, mas antes as coisas em que estão é que o fazem, como, por exemplo, é o ar acompanhado do trovão que fende a madeira da árvore. Mas os tangíveis e os sabores afetam os corpos. Do contrário, pela ação de quê seriam afetados e alterados os seres inanimados? Ora, então aqueles produzirão? Ou não é todo e qualquer corpo capaz de ser afetado pelo odor e som, e os afetados são os indeterminados e inconstantes, tal como o ar (pois o ar cheira como tendo sido de certa maneira afetado)? Que é, então, o cheirar além de ser afetado de uma certa maneira? Ou o cheirar é perceber, e o ar quando é afetado rapidamente se torna perceptível?

Livro III

Capítulo 1

424b22. De que não há outra percepção sensível além das cinco (refiro-me à visão, audição, olfação, gustação e tato), podemos nos convencer a partir do seguinte. Se efetivamente temos percepção sensível de tudo aquilo cujo sentido é o tato (pois todas as afecções do tangível como tangível nos são perceptíveis pelo tato), e se de fato nos faltar alguma percepção sensível, é necessário que nos falte também algum órgão sensorial. E, por um lado, tudo o que percebemos tocando é percebido pelo tato, do qual dispomos; por outro lado, tudo o que percebemos através de um intermediário e não tocando é percebido por meio dos corpos simples, quer dizer, pelo ar e pela água, por exemplo. E as coisas são de tal maneira que, se através de um único intermediário percebe-se dois sensíveis diferentes um do outro em gênero, é necessário então que aquele que possui tal órgão seja capaz de perceber ambos (por exemplo, o órgão sensorial que é composto de ar, e o ar que é intermediário da cor e do som). Ao passo que, se há intermediários em maior número do que o sensível (por exemplo, para a cor tanto o ar como a água, pois ambos são transparentes), também aquele que possui apenas um dos dois terá a percepção sensível que se dá através de ambos. E dentre os corpos simples, somente estes dois compõem os órgãos sensoriais, a saber, o ar e a água (pois a pupila é de água, o ouvido é de ar e o olfato de algum desses); mas o fogo ou é comum a nenhum ou é comum a todos (pois nada é capaz de perceber sem calor); e a terra, por fim, ou não entra em órgão algum ou mistura-se propriamente ao tato; por isso, não há qualquer órgão sensorial além destes de água e ar, e são estes efetivamente os que alguns animais possuem. Nessas condições, estarão em posse de todos os sentidos aqueles animais que não são imperfeitos nem mutilados (pois revela-se que também a toupeira tem olhos sob a pele); de modo que, a não ser que haja um outro corpo simples ou uma afecção que não seja de um dos existentes aqui, não é possível que nos falte algum sentido.

425a14. Tampouco é possível existir um órgão sensorial próprio aos sensíveis comuns — dos quais teríamos percepção sensível acidentalmente por cada sentido —, como, por exemplo, movimento, repouso, formato, magnitude, número e unidade. Pois tudo isso percebemos por meio do movimento; por exemplo, a magnitude por meio do movimento (e assim também o formato, pois o formato é uma magnitude); o que repousa, por não se mover; o número, por negação do contínuo e por meio dos sensíveis próprios, pois cada sentido percebe um único. Assim, é claro que é impossível haver um sentido próprio para qualquer um deles, como, por exemplo, para o movimento. Pois seria tal como quando percebemos pela visão o doce, e neste caso temos percepção sensível de ambos, enquanto simultaneamente tomamos conhecimento de que coincidem (do contrário, de nenhuma outra maneira teríamos percebido, a não ser acidentalmente, isto é, assim como percebemos o filho de Cléon não porque é o filho de Cléon, mas porque é branco, embora seja um acidente para o branco ser o filho de Cléon). E dos sensíveis comuns temos uma percepção comum, e não por acidente, embora não haja sentidos próprios. Pois de nenhuma maneira os teríamos percebido, a não ser do modo que foi mencionado [que nós vemos o filho de Cléon]. Mas os sentidos percebem por acidente os sensíveis próprios em relação aos demais, mas não como tais, porém na medida em que formam unidade, como quando ocorre uma percepção sensível conjunta no caso de um mesmo, como, por exemplo, no caso da bile, que é amarga e amarela (pois a nenhum órgão sensível particular cabe dizer que ambas as percepções são de um único objeto), e é de igual maneira que ocorre um engano, quando, ao ver amarelo, supõe-se que é bile.

425b4. Alguém poderia questionar em vista de quê possuímos vários sentidos e não um único: acaso seria a fim de que não nos passem despercebidos os sensíveis comuns e concomitantes, como, por exemplo, o movimento, a magnitude e o número? Pois se houvesse somente a visão, e sendo esta do branco, menos facilmente perceberíamos o sensível comum e pareceria que todos são o mesmo, por serem concomitantes um e outro, a cor e a magnitude. Mas, já que os sensíveis comuns subsistem também em um outro perceptível, fica claro que cada um desses é diverso.

Capítulo 2

425b12. Já que percebemos que vemos e ouvimos, é necessário que seja ou pela visão ou por outro sentido que se percebe que se vê. Mas, naquele caso, a mesma percepção sensível seria tanto da visão como da cor subjacente; e assim ou haveria dois sentidos para o mesmo objeto perceptível ou o mesmo seria objeto perceptível de si mesmo. Além disso, se o sentido que percebe a visão for um outro, ou a série iria ao infinito ou um mesmo sentido teria percepção sensível de si mesmo; de modo que devemos admitir isso para o primeiro na série. Mas isto gera um impasse: pois se perceber pela visão é ver, e como o que se vê é cor ou aquilo que tem cor, então, se alguém vê o ato de ver, também o primeiro ato de ver teria cor. Todavia é evidente que perceber pela visão não é algo uno, pois, mesmo quando não estamos vendo, é pela visão que discernimos luz e treva, embora não da mesma maneira. Além disso, o que vê é em certo sentido colorido; pois cada órgão sensorial é receptivo do perceptível sem a matéria dele. E por isso também percepções sensíveis e imagens permanecem nos órgãos sensoriais mesmo quando desapareceram os objetos perceptíveis.

425b26. A atividade do objeto perceptível e da percepção sensível são uma e a mesma, embora para elas o ser não seja o mesmo (quer dizer, o som em atividade e a audição em atividade, por exemplo). Pois é possível o que tem audição não estar ouvindo, e o que tem som nem sempre soa. Mas quando o que pode ouvir está em atividade e o que pode soar soa, então a audição em atividade ocorre simultaneamente ao som em atividade (e uma delas poderia ser chamada de ato de ouvir e a outra de sonância). Se o movimento — a saber, a produção [e a afecção] — se dá naquele em que é produzido, há necessidade de dar-se na audição em potência tanto o som como a audição em atividade. Pois a atividade do capaz de produzir e de mover ocorre naquele que é afetado, pelo que não há necessidade de mover-se o que faz mover. A atividade do capaz de soar, então, é som ou sonância, e a do capaz de ouvir é audição ou ato de ouvir; pois há a audição de dois modos, bem como o som. O mesmo argumento se aplica no caso dos demais sentidos e objetos perceptíveis. Pois tal como a produção e a afecção ocorrem no que é afetado e não no que produz, assim também a atividade do objeto perceptível e do capaz de perceber dá-se no capaz de perceber. Mas, em alguns casos, há denominação própria (por exemplo, sonância e audição), em outros não há denominação; pois a atividade dos olhos é chamada de visão, ao passo que a da cor não tem nome; e é chamada de gustação a do que é capaz de degustar, mas tampouco tem nome a atividade do sabor.

426a15. Já que a atividade do perceptível e a do capaz de perceber são uma única, embora o ser seja diverso, há necessidade de simultaneamente destruírem-se ou conservarem-se o som e a audição ditos daquele modo, o sabor e a gustação e assim por diante. Mas enquanto ditos em potência, não há necessidade. Os antigos fisiólogos não enunciaram isso bem ao supor que não há nada — nem branco, nem preto — sem a visão, tampouco sabor sem a gustação. Por um lado, enunciaram corretamente, mas, por outro, não. Pois como de dois modos se diz a percepção sensível e o objeto perceptível — em potência e em atividade —, o enunciado procede no segundo caso, mas não no primeiro. Eles enunciaram de maneira simples o que não se enuncia de maneira simples.

426a27. Se a voz é uma certa consonância, e se a voz e a audição em certo sentido são unas [mas, em outro, nem unas e nem o mesmo], e se a consonância é uma razão, então há necessidade de que a audição seja também uma certa razão. Por isso, qualquer excesso — ou de agudo, ou de grave — destrói a audição, bem como o excesso nos sabores destrói a gustação, e, no caso das cores, o demasiado brilhante ou tenebroso destrói a visão, e o odor forte, tanto o doce como o amargo, destrói o olfato; visto que a percepção sensível é uma certa razão. Por isso, também as coisas são agradáveis quando, puras e sem mistura, tendem à razão, como, por exemplo, o agudo, o doce ou o salgado, que são agradáveis nesse caso. Em geral, o misturado é mais consonância do que o agudo e o grave [e para o tato, o passível de esquentar e o de esfriar]. A percepção sensível é uma razão; e o excessivo ou a desfaz ou a destrói.

426b8. Cada sentido, portanto, concerne ao objeto perceptível subjacente, subsistindo no órgão sensorial como órgão sensorial, e discerne as diferenças do objeto perceptível subjacente (por exemplo, a visão discerne o branco e o preto, e a gustação, o doce e o amargo). E da mesma maneira nos outros casos. Já que também discernimos o branco e o doce, e cada objeto perceptível um do outro, por meio do que percebemos que eles diferem? É necessário que seja pela percepção sensível, pois eles são objetos perceptíveis. Pelo que também é claro que a carne não é o órgão sensorial último, pois se fosse, haveria necessidade de que o que discerne discernisse ao ser tocado.

426b17. Tampouco é possível discernir por meios separados que o doce é diferente do branco, mas ambos devem ser evidentes para algo único — do contrário, se eu percebesse um e tu, outro, ficaria evidente que um é diferente do outro. Contudo, é preciso um único afirmar que são diferentes; pois o doce é diferente do branco. Ora, é um mesmo que o afirma. E, tal como afirma, assim também pensa e percebe. É evidente, portanto, que não é possível discernir coisas separadas por meios separados.

426b23. Que tampouco é possível fazê-lo em tempos separados, fica evidente a partir do que se segue. Pois, tal como é o mesmo que afirma que o bom é diferente do mau, assim também, quando afirma de um dos dois que é diferente, o afirma do outro; e o "quando" não é acidental (quer dizer, agora afirma que são diferentes, e não que são diferentes agora, por exemplo), mas deste modo: tanto afirma ambos agora, como afirma que são diferentes agora, e os dois ao mesmo tempo. Assim, é algo não separado que o afirma num tempo não separado.

426b29. É impossível, contudo, que uma mesma coisa, como indivisível, seja movida ao mesmo tempo por movimentos contrários e num tempo indivisível. Pois, se o objeto é o doce, ele move assim a percepção sensível e o pensamento; o amargo, por sua vez, move de maneira contrária, e o branco move de maneira diversa. Seria, então, aquele que discerne ao mesmo tempo indivisível numericamente e não separável, embora separável quanto ao ser? De fato, em certo sentido é como dividido que ele percebe objetos divididos, e, em outro sentido, como indivisível; pois quanto ao ser é divisível, embora numérica e localmente indivisível. Ou isso não é possível? Pois a mesma coisa indivisível pode ser em potência ambos os contrários, embora não quanto ao ser; por meio da atividade, ela é todavia divisível, não sendo possível nem que ela seja ao mesmo tempo branca e preta, nem que seja afetada ao mesmo tempo por estas duas formas, se tal é a percepção sensível e o pensamento.

427a9. Mas isso é tal como aquilo que alguns chamam de ponto — enquanto ele é um e dois, também por isso ele é <indivisível>

e divisível. Portanto, como indivisível, o que discerne é uno e simultâneo, mas enquanto subsiste divisível, serve-se simultaneamente duas vezes do mesmo signo. E, enquanto se serve do limite duas vezes, discerne duas coisas [separadas] e em certo sentido separadamente; mas, enquanto se serve do limite uma vez, discerne algo único e simultaneamente.

427a14. O que determinamos é suficiente no que diz respeito ao princípio segundo o qual dizemos que o animal é perceptivo.

Capítulo 3

427a17. Uma vez que definem a alma sobretudo a partir de duas diferenças, isto é, pelo movimento local e pelo pensar, entender e perceber, e como o pensar e entender parecem ser um certo perceber (pois em ambos os casos a alma discerne e toma conhecimento de seres), os antigos, ao menos, disseram que entender é o mesmo que perceber — assim como Empédocles, que disse: "diante do que se apresenta, a astúcia dos homens cresce", e alhures: "donde o entender sempre lhes propicia coisas diferentes"; e o seguinte verso de Homero pretende o mesmo: "pois tal é o intelecto"; pois todos eles supõem que o pensar é tão corpóreo como o perceber e que se percebe e se entende o semelhante pelo semelhante, tal como foi explicado no início do nosso tratado (todavia, seria necessário que eles tratassem, ao mesmo tempo, do enganar-se; pois ele é mais próprio aos animais, e a alma passa a maior parte do tempo nele; deste ponto de vista, há a necessidade ou de que todas as aparências sejam verdadeiras, como dizem alguns, ou de que o engano seja uma espécie de contato com o dessemelhante, o que seria o contrário de tomar conhecimento do semelhante pelo semelhante; mas engano e ciência parecem ser o mesmo para os contrários) — é evidente, então, que o perceber não é o mesmo que o entender. Pois do primeiro compartilham todos os animais e do segundo, apenas poucos. Tampouco o pensar — do qual há o modo correto e o incorreto, pois o correto é o entendimento, a ciência e a opinião verdadeira, e o incorreto, o contrário deles — é o mesmo que o perceber, pois a percepção sensível dos sensíveis próprios é sempre verdadeira e subsiste em todos os animais, ao passo que o raciocinar admite ainda o modo falso, não subsistindo naquele que não tem razão. Pois a imaginação é algo diverso tanto da percepção sensível como do raciocínio; mas a imaginação não ocorre sem percepção sensível e tampouco sem a imaginação ocorrem suposições.

427b16. É evidente que a imaginação não é pensamento e suposição. Pois essa afecção depende de nós e do nosso querer (pois é possível que produzamos algo diante dos nossos olhos, tal como aqueles que, apoiando-se na memória, produzem imagens), e ter opinião não depende somente de nós, pois há necessidade de que ela seja falsa ou verdadeira. Além disso, quando temos a opinião de que algo é terrível ou pavoroso, de imediato compartilhamos a emoção, ocorrendo o mesmo quando é encorajador. Porém, se é pela imaginação, permanecemos como que contemplando em uma pintura coisas terríveis e encorajadoras.

427b24. E há, aliás, as diferenças da própria suposição — ciência, opinião e entendimento, e os seus contrários —, mas devemos tratar disso num outro tratado.

427b27. E a respeito do pensar, visto que ele é diverso do perceber, e como ele parece ser por um lado imaginação, mas por outro concepção, devemos tratar desta após termos definido a imaginação. Se a imaginação é aquilo segundo o que dizemos que nos ocorre uma imagem — e não no sentido em que o dizemos por metáfora —, seria ela então alguma daquelas potências ou disposições segundo as quais discernimos ou expressamos o verdadeiro ou o falso? Deste tipo são a percepção sensível, a opinião, a ciência e o intelecto.

428a5. Que a imaginação não é percepção sensível, é evidente a partir disto: pois a percepção sensível é ou uma potência como a visão ou uma atividade como o ato de ver; mas algo pode aparecer para nós mesmo quando nenhuma delas subsiste — como, por exemplo, as coisas em sonhos. Além disso, a percepção sensível está sempre presente, mas não a imaginação. E se ela fosse o mesmo que a percepção sensível em atividade, então seria possível subsistir imaginação em todas as feras; mas não parece ser assim, por exemplo, nas formigas, abelhas e vermes. Depois, as percepções sensíveis são sempre verdadeiras e a maioria das imaginações é falsa. Além disso, quando estamos em atividade acurada no que concerne a um objeto perceptível, não dizemos que ele aparenta ser um homem, mas antes quando não o percebemos claramente. É neste caso que a percepção seria verdadeira ou falsa.[7] E, como já dissemos, imagens aparecem para nós mesmo de olhos fechados.

428a16. A imaginação tampouco poderia ser uma das disposições que são sempre verdadeiras, tal como, por exemplo, a ciência e o intelecto, pois também há a imaginação falsa. Resta então ver se ela é opinião; pois ocorre opinião tanto verdadeira como falsa. Mas a opinião é acompanhada de convicção (pois não é possível que aquele que opina não acredite naquilo que opina); mas em nenhuma das feras subsiste convicção, embora em muitas subsista imaginação. [Além disso, toda opinião é acompanhada de convicção, e a convicção é acompanhada do estar persuadido, e a persuasão é acompanhada de razão; em algumas feras, porém, subsiste imaginação, mas não razão.]

428a24. É evidente, todavia, que a imaginação não pode ser nem opinião com percepção sensível, nem opinião através de percep-

[7] Lendo τότε καὶ ἡ ἀληθὴς καὶ ἡ ψευδής, na linha 15.

ção sensível, tampouco uma combinação de opinião e percepção sensível, pelas razões apresentadas e também porque a opinião — se é que ela existe — não seria de qualquer outra coisa senão daquilo de que há percepção sensível; o que quero dizer é que a combinação da opinião de que é branco e da percepção sensível do branco seria imaginação, e certamente não a combinação da opinião de que é bom, por um lado, e da percepção sensível do branco, por outro; o imaginar seria, então, ter opinião daquilo que se percebe e não acidentalmente. Contudo, também podem aparecer imagens falsas, das quais temos ao mesmo tempo uma suposição verdadeira; como, por exemplo, o sol, que aparece medindo um pé, embora acreditemos que seja maior do que a terra habitada. Disso se segue, então, ou que se desistiu de que é verdadeira a opinião que se tinha — embora conservadas as circunstâncias e sem que se tenha esquecido ou persuadido do contrário —, ou, se ainda conservarmos a opinião, há a necessidade de que ela seja tanto verdadeira como falsa. Ora, algo se torna falso apenas quando a circunstância muda sem ser percebida. Portanto, a imaginação nem é uma dessas coisas, nem é composta delas.

428b10. Mas, uma vez que é possível que, uma coisa tendo se movido, outra coisa seja movida por ela, e já que a imaginação parece ser um certo movimento e não ocorrer sem percepção sensível — mas apenas naqueles que têm percepção sensível e a respeito daquilo de que há percepção sensível —, e já que é possível que o movimento ocorra pela atividade da percepção sensível e há a necessidade de ele ser semelhante à percepção sensível, este movimento não poderia ocorrer sem percepção sensível, tampouco subsistir naqueles que não percebem, mas aquele que o possui poderá fazer e sofrer muitas coisas de acordo com ele, que pode ser tanto verdadeiro como falso.

428b17. Isso ocorre pelo seguinte: primeiro, há a percepção dos objetos sensíveis próprios, que é verdadeira ou contém minimamente o falso; em segundo lugar, há percepção do incidir também essas coisas que são incidentais aos objetos perceptíveis,[8] e neste caso já se admite cometer erro; pois que é branco, não admite erro, mas pode-se errar quanto ao branco ser isso ou alguma outra coisa. Em terceiro lugar, há a percepção dos sensíveis comuns que acompanham os incidentais em que subsistem os sensíveis próprios, isto é, por exemplo o movimento e a magnitude, a respeito dos quais já é possível estar enganado segundo a percepção sensível.

428b25. O movimento que ocorre pela atividade da percepção sensível terá diferença em função dessas três percepções sensíveis. O primeiro é verdadeiro, desde que esteja presente a percepção sensível. Os outros, por sua vez, quer esteja presente quer ausente a percepção sensível, podem ser falsos, sobretudo quando estiver distante o objeto perceptível.

428b30. Portanto, se nada mais tem os atributos mencionados, exceto a imaginação, e isto é o que foi dito, a imaginação será o movimento que ocorre pela atividade da percepção sensível. Já que a visão é, por excelência, percepção sensível, também o nome "imaginação" deriva da palavra "luz", porque sem luz não há o ato de ver. E porque perduram e são semelhantes às percepções sensíveis, os animais fazem muitas coisas de acordo com elas: alguns, como as bestas, por não terem intelecto; outros, como os homens, por terem o intelecto algumas vezes obscurecido pela doença ou pelo sono. No que diz respeito ao que é a imaginação e por que ela é, basta o que foi dito.

Capítulo 4

429a10. A respeito da parte da alma pela qual a alma conhece e entende, seja ela separada ou não separada segundo a magnitu-

---

[8] Trazendo ἃ συμβέβηκε τοῖς αἰσθητοῖς para a linha 20.

de, mas apenas segundo o enunciado, deve-se examinar que diferença tem e de que maneira ocorre o pensar.

429a13. Ora, se o pensar é como o perceber, ele seria ou um certo modo de ser afetado pelo inteligível ou alguma outra coisa desse tipo. É preciso então que esta parte da alma seja impassível, e que seja capaz de receber a forma e seja em potência tal qual mas não o próprio objeto; e que, assim como o perceptivo está para os objetos perceptíveis, do mesmo modo o intelecto está para os inteligíveis. Há necessidade então, já que ele pensa tudo, de que seja sem mistura — como diz Anaxágoras —, a fim de que domine, isto é, a fim de que tome conhecimento: pois a interferência de algo alheio impede e atrapalha. De modo que dele tampouco há outra natureza, senão esta: que é capaz. Logo, o assim chamado intelecto da alma (e chamo de intelecto isto pelo qual a alma raciocina e supõe) não é em atividade nenhum dos seres antes de pensar. Por isso, é razoável que tampouco ele seja misturado ao corpo, do contrário se tornaria alguma qualidade — ou frio ou quente — e haveria um órgão, tal como há para a parte perceptiva, mas efetivamente não há nenhum órgão. E, na verdade, dizem bem aqueles que afirmam que a alma é o lugar das formas. Só que não é a alma inteira, mas a parte intelectiva, e nem as formas em atualidade, e sim em potência.

429a29. Que não são semelhantes a impassibilidade da parte perceptiva e a da intelectiva, é evidente no caso dos órgãos sensoriais e da percepção sensível. Pois a percepção sensível não é capaz de perceber após um objeto perceptível intenso — um som, por exemplo, após sons altíssimos, tampouco ver ou cheirar depois de cores e cheiros muito fortes. Mas o intelecto, quando pensa algo intensamente inteligível, nem por isso pensa menos os mais fracos, pelo contrário: pensa ainda melhor. Pois a capacidade perceptiva não é sem corpo, ao passo que o intelecto é separado. Assim, quando o intelecto se torna cada um dos objetos inteligíveis no sentido em que isso se diz daquele que tem a ciência em ato (e isso ocorre quando ele pode atuar por si mesmo), ainda nesta circunstância o intelecto está de certo modo em potência, embora não como antes de aprender ou descobrir; e agora ele mesmo é capaz de pensar a si próprio.[9]

429b10. Já que são coisas diversas a magnitude e o que é ser para a magnitude, bem como a água e o que é ser para a água (e assim ainda em diversos outros casos, embora não em todos, pois em alguns são a mesma coisa), discerne-se a carne e o que é ser para a carne, ou bem por outra capacidade da alma, ou pela mesma disposta de outro modo. Pois a carne não é sem matéria, mas antes é como o adunco: isto nisto. É pela capacidade perceptiva, por conseguinte, que se discerne o quente e o frio, bem como aquilo de que a carne constitui uma certa razão; mas é por outra capacidade — ou separada, ou como a linha dobrada dispõe de si mesma quando estendida — que se discerne o que é ser para a carne.

429b18. E do mesmo modo, no caso daquilo que é por abstração, o reto é como o adunco, pois existe no contínuo. Mas se são diversos o reto e o que é ser para o reto, outro é o que é ser o que é: que este seja a díade. Discerne-se, então, ou por uma parte diversa ou por uma mesma disposta de outro modo. Em geral, então, assim como as coisas que são separadas da matéria, do mesmo modo são aquelas concernentes ao intelecto.

429b22. Se, como diz Anaxágoras, o intelecto é simples, impassível e nada tem em comum com nada, alguém poderia questionar então: como o intelecto pensará, se pensar é ser de algum modo afetado? (Pois é na medida em que algo comum subsiste em duas coisas, que uma parece fazer e a outra sofrer.) Além disso, seria o próprio intelecto um objeto inteligível? Pois ou subsistirá o intelecto nas outras coisas, se não é por outro que ele próprio se faz

---

[9] Lendo δὲ αὑτόν, na linha 9.

inteligível e se o inteligível é uno quanto à forma, ou haverá algo misturado e que o faz inteligível tal como o resto.

429b29. Ou então aceita-se o que anteriormente foi distinguido como ser afetado segundo algo comum, e que o intelecto é de certa maneira em potência os objetos inteligíveis, mas antes de pensar nada é em atualidade; e em potência é assim como uma tabuleta em que nada subsiste atualmente escrito, e é precisamente isto o que ocorre no caso do intelecto. E ele próprio é inteligível tal como os objetos inteligíveis, pois no tocante ao que é sem matéria, o que pensa é o mesmo que o pensado. E, de fato, a ciência teórica e o assim cognoscível são o mesmo. Mas é preciso ainda examinar a causa de nem sempre pensar-se. E no caso dos objetos que têm matéria, cada um dos inteligíveis existe somente em potência.[10] De modo que neles não subsistirá intelecto (pois o intelecto de coisas deste tipo é uma capacidade sem matéria), mas no intelecto, por sua vez, o inteligível subsistirá.

Capítulo 5

430a10. E assim, tal como em toda a natureza há, por um lado, algo que é matéria para cada gênero (e isso é o que é em potência todas as coisas) e, por outro, algo diverso que é a causa e fator produtivo, por produzir tudo, como a técnica em relação à matéria que modifica, é necessário que também na alma ocorram tais diferenças. E tal é o intelecto, de um lado, por tornar-se todas as coisas e, de outro, por produzir todas as coisas, como uma certa disposição, por exemplo, como a luz. Pois de certo modo a luz faz de cores em potência cores em atividade. E este intelecto é separado, impassível e sem mistura, sendo por substância atividade.

---

[10] Lendo μόνον antes de ἕκαστόν, na linha 6, conforme o texto de Jannone.

430a18. Pois o agente é sempre mais valioso do que o paciente, e o princípio mais valioso do que a matéria. E a ciência em atividade é o mesmo que o seu objeto, ao passo que a ciência em potência é temporalmente anterior em cada indivíduo, embora em geral nem mesmo quanto ao tempo seja anterior, pois não é o caso de que ora pensa, ora não pensa. Somente isto quando separado é propriamente o que é, e somente isto é imortal e eterno (mas não nos lembramos, porque isto é impassível, ao passo que o intelecto passível de ser afetado é perecível), e sem isto nada se pensa.

Capítulo 6

430a26. Assim, o pensamento de objetos indivisos está entre os casos acerca dos quais não há o falso. Quanto àqueles em que há o falso e o verdadeiro, neles já ocorre uma certa composição de pensamentos, como se fossem uma unidade — tal como disse Empédocles: "por onde muitas cabeças sem pescoço cresceram" e depois foram compostas pelo amor —, assim também essas coisas que eram separadas são compostas, como, por exemplo, o incomensurável e a diagonal. E no caso de coisas que ocorreram ou que virão a ocorrer, pensando-se e compondo-se em acréscimo o tempo. Pois o falso incide sempre na composição; pois quando <se diz que> o branco é não branco, compôs-se <o branco e> o não branco. É possível ainda denominar todos esses casos como divisão. Contudo, não somente é falso ou verdadeiro dizer que Cléon é branco, mas também que era ou será. E o que produz, em cada caso, uma unidade é o intelecto.

430b6. Já que o indiviso é de dois modos — ou em potência ou em atividade — nada impede que se pense o indiviso quando se pensa o comprimento (que é não dividido em ato) e isso em um tempo indivisível. Pois o tempo é tanto divisível como indivisível, assim como o comprimento. E não é possível dizer o que pensa em cada uma das metades, pois não existem metades, se não forem divididas, exceto em potência. Mas, se pensa separadamente cada uma das metades, divide simultaneamente também o tempo; e então pensa como se fosse todo o comprimento. Se pensa, por outro lado, como um composto das duas metades, também o faz em um tempo que abarca ambas. Mas isso, por acidente — e não como sendo divididos aquilo que pensa e o tempo em que pensa, pelo contrário: como sendo indivisos. Pois há nesses casos algo indivisível, embora certamente não separado, que faz o tempo e o comprimento serem um só. E isso é similar em todo contínuo: no tempo e no comprimento.

430b20. O que é indiviso — não em quantidade, mas em forma — é pensado em um tempo indivisível e em um ato indivisível da alma.[11] O ponto, bem como toda divisão e o que é indiviso dessa maneira, mostram-se do mesmo modo que a privação. E um argumento semelhante aplica-se aos outros casos, como, por exemplo, de que maneira toma-se conhecimento do mal ou do preto; pois toma-se conhecimento, de alguma maneira, pelo que é contrário. Mas o que toma conhecimento precisa ser em potência um contrário que contém o outro, e se há algo de que não há contrário, então isso conhece a si mesmo, é em atividade[12] e separado.

430b26. A asserção, bem como a negação, é algo que se diz de algo, e em todo e qualquer caso é verdadeira ou falsa. Mas nem todo intelecto é assim, e é verdadeiro o que concerne ao que é conforme o que é ser o que é; tampouco é algo de algo. Pois, assim como o ato de ver o sensível próprio é verdadeiro — embora não seja sempre verdadeiro se o branco é ou não é um homem — o mesmo se dá com tudo o que é sem matéria.

---

[11] Lendo as linhas 14 e 15 na sequência da linha 20.

[12] Omitindo τῶν αἰτίων e lendo ἐνεργείᾳ, na linha 25.

Capítulo 7

431a1. A ciência em atividade é idêntica ao seu objeto. A ciência em potência é temporalmente anterior no indivíduo, mas, em geral, não é anterior sequer quanto ao tempo. Pois tudo vem a ser a partir do que é em atualidade. E é evidente que o objeto perceptível faz o perceptivo em potência ser em atividade, pois nem é afetado, nem é alterado. Por isso, esta é uma outra forma de movimento; pois o movimento é atividade do inacabado, ao passo que a atividade propriamente dita — a do acabado — é outra.

431a8. Sentir, então, é semelhante ao mero proferir e pensar; e quando é agradável ou doloroso, como o afirmado ou negado, isso é perseguido ou evitado; e sentir prazer ou dor consiste em estar em atividade com a média da capacidade sensitiva, em face do bem ou do mal como tais. A aversão e o desejo são a mesma coisa em atividade, e a capacidade de desejar e de evitar não são diferentes, nem entre si, nem da capacidade de sentir, embora o ser seja diverso. Para a alma capaz de pensar, as imagens subsistem como sensações percebidas. E, quando se afirma algo bom ou nega-se algo ruim, evita-o ou persegue-o. Por isso, a alma jamais pensa sem imagem.

431a17. Assim como o ar faz a pupila ficar de tal qualidade, e ela por sua vez o faz a uma outra coisa, e da mesma maneira o ouvido, mas o último da série, por sua vez, é algo único, e única a média, embora o ser para ela seja mais de um [...].[13] E já foi dito antes também por meio de que se discerne em que o doce difere do quente, mas deve-se dizê-lo ainda desta maneira: pois é algo único, e tal como um limite, e o doce e o quente, sendo um só pelo análogo e em número, estão para o respectivo par como aque-

[13] Perda provável de texto.

les entre si. Pois que diferença há em perguntar como se discernem os que não são do mesmo gênero ou como se discernem os contrários, como o branco e o preto? Ora, assim como o branco A está para o preto B, do mesmo modo também o C para o D [e tal como aqueles, um em relação ao outro]; e também quando alternado. Se o par CD for subsistente em uma única coisa — e da mesma maneira também o AB —, então haverá uma coisa idêntica e única, embora o ser não seja idêntico — e similarmente para aqueles. O mesmo argumento se aplica se o A for o doce e o B for o branco.

431b2. O capaz de pensar pensa as formas, portanto, em imagens, e como nestas está definido para ele o que deve ser perseguido e o que deve ser evitado, então, mesmo à parte da percepção sensível, ele se move quando está diante das imagens. Por exemplo, quando percebe a tocha em que está o fogo, ele reconhece — vendo-a mover-se pela percepção comum — que é um inimigo. Mas, em outro momento, com as imagens e pensamentos na alma, ele raciocina como se as estivesse vendo e delibera sobre coisas vindouras à luz das presentes. Quando ele disser que lá está o agradável ou o doloroso, então aqui o evita ou persegue — e, em suma, fará uma só coisa. E mesmo aquilo que é desprovido de ação — o verdadeiro e o falso — encontra-se no mesmo gênero que o bom e o mau, com a diferença de que um é em absoluto e o outro, relativo a alguém.

431b12. E as coisas que se dizem por abstração, pensa-se assim — se pensasse o adunco não como adunco, mas em separado e como côncavo, alguém pensaria em ato sem a carne na qual está o côncavo —; e do mesmo modo as entidades matemáticas, não separadas, quando são pensadas, pensa-se como separadas. Em suma, o intelecto em ato é os seus objetos. Mas, se é possível ou não o intelecto pensar alguns objetos separados, sem ser ele mesmo separado, isto deve ser investigado posteriormente.

Capítulo 8

431b20. Agora, resumindo o que foi dito a respeito da alma, digamos novamente que a alma de certo modo é todos os seres; pois os seres são ou perceptíveis ou inteligíveis, e a ciência de certo modo é os objetos cognoscíveis, e a percepção sensível, os perceptíveis; mas é preciso investigar de que modo isto se dá.

431b24. A ciência e a percepção sensível dividem-se em relação às coisas: em potência em relação às coisas em potência, e em atualidade em relação às coisas em atualidade. A parte perceptiva e a cognitiva da alma são em potência estes objetos: uma, o cognoscível, e outra, o perceptível. Mas há a necessidade de que sejam ou as próprias coisas ou as formas. Não são as próprias coisas, é claro: pois não é a pedra que está na alma, mas sua forma. De maneira que a alma é como a mão; pois a mão é instrumento de instrumentos, e o intelecto é forma das formas, bem como a percepção sensível é forma dos perceptíveis.

432a3. Uma vez que tampouco há, ao que parece, qualquer coisa separada e à parte de grandezas perceptíveis, os objetos inteligíveis estão nas formas perceptíveis, tanto os que são ditos por abstração como também todas as disposições e afecções dos que são perceptíveis. Por isso, se nada é percebido, nada se aprende nem se compreende, e, quando se contempla, há necessidade de se contemplar ao mesmo tempo alguma imagem, pois as imagens são como que sensações percebidas, embora desprovidas de matéria. E a imaginação é diferente da asserção e da negação: pois o verdadeiro e o falso são uma combinação de pensamentos. Em que os primeiros pensamentos seriam diferentes de imagens? Certamente nem estes e nem os outros pensamentos são imagens, embora também não existam sem imagens.

Capítulo 9

432a15. E uma vez que a alma dos animais é definida de acordo com duas potências, a de poder discernir — que é função do raciocínio e da percepção sensível — e a de poder se mover de acordo com um movimento local, basta o que já foi dito a respeito da percepção sensível e do intelecto, e é preciso investigar agora o que é que na alma faz mover: se é alguma parte dela, única e separada — ou em magnitude ou quanto ao enunciado —, ou se é a alma como um todo; e se for uma certa parte, trata-se de algo peculiar e para além das habitualmente tratadas e mencionadas ou trata-se de uma delas?

432a22. Mas de imediato se coloca um impasse: de que modo se deve falar de partes da alma e em quantas? Pois, de certa maneira, elas se apresentam como inumeráveis, e não somente aquelas que alguns dizem distinguir em calculativa, emotiva e apetitiva, mas outros em racional e irracional. Pois, de acordo com as diferenças pelas quais se separam, outras partes mostram-se tendo disparidades ainda maiores do que essas de que agora se tratou: a nutritiva, que subsiste também nas plantas e em todos os animais; e a perceptiva, que não se poria facilmente nem como dotada de razão, nem como irracional; e ainda, a imaginativa, que pelo ser é diversa das demais, embora de qual delas é diversa ou idêntica apresente grande dificuldade, caso sejam supostas partes separadas da alma; e por fim, a desiderativa, que parece ser diversa de todas quanto ao enunciado e à potência e que, de fato, seria absurdo segmentar: pois é na parte calculativa que nasce a vontade, mas o apetite e o ânimo, na parte irracional; e caso a alma seja tripartite, em cada parte haverá desejo.

432b7. E voltando agora ao ponto em que se encontra a discussão: o que é que faz mover localmente o animal? Pois o movimento que concerne ao crescimento e ao decaimento, subsistindo em todos sem exceção, há de ser produzido por aquilo que subsiste em todos: a alma reprodutiva e nutritiva. Acerca da inspiração e expiração, do sono e vigília, é preciso investigar depois, pois também apresentam grande dificuldade.

432b13. Mas agora é preciso investigar, no que concerne ao movimento local, o que é que faz o animal se mover no sentido de poder se transportar. Que não é a potência nutritiva, está claro: pois o movimento em questão é sempre em vista de algo e acompanhado de imaginação e desejo, pois nada que não deseja ou evita algo se move, exceto por coerção. Do contrário, as plantas seriam capazes de se mover e teriam alguma parte orgânica para esse movimento.

432b19. E assim, tampouco é a potência perceptiva: pois, dentre os animais, há muitos que dispõem de sensação, mas que são sedentários e completamente imóveis. Se a natureza efetivamente não faz nada em vão e nem omite algo que é necessário, exceto no caso dos seres mutilados e imperfeitos, enquanto que tais animais são perfeitos e não mutilados (sinal disso é que podem se reproduzir e têm maturidade e decaimento), então eles também teriam as partes orgânicas para o caminhar.

432b26. E também não é a parte que pode calcular e denominada de intelecto a que faz mover; pois o contemplativo nada contempla de praticável e nada diz a respeito do que deve ser evitado e buscado, ao passo que o movimento sempre é daquele que evita ou busca algo, pelo contrário: mesmo quando contempla algo desse tipo, ele não manda já evitar ou buscar. O intelecto, por exemplo, frequentemente reflete sobre algo temível ou agradável sem, contudo, comandar o temer, embora o coração seja movido (ou alguma outra parte, no caso do agradável).

433a1. Além disso, mesmo que o intelecto ordene e o raciocínio diga que se evite ou busque algo, o indivíduo não se move, mas age de acordo com o apetite, como no caso dos incontinentes. Em suma, vemos que aquele que dispõe da arte de curar não cura, de modo que é algo diverso o responsável pelo agir de acordo com a ciência, e não a própria ciência. Tampouco o desejo é responsável por esse movimento, pois os que são continentes, mesmo desejando e tendo apetite, não fazem essas coisas pelas quais têm desejo, mas seguem o intelecto.

Capítulo 10

433a9. Mostra-se, então, que há dois fatores que fazem mover: o desejo ou o intelecto, contanto que se considere a imaginação um certo pensamento. Pois muitos seguem as suas imaginações em vez da ciência, mas nos outros animais não há nem pensamento, nem raciocínio, e sim imaginação. Logo, são estes os dois capazes de fazer mover segundo o lugar: o intelecto e o desejo, mas o intelecto que raciocina em vista de algo e que é prático, o qual difere do intelecto contemplativo quanto ao fim. E todo desejo, por sua vez, é em vista de algo; pois aquilo de que há desejo é o princípio do intelecto prático, ao passo que o último item pensado é o princípio da ação.

433a17. Assim, mostra-se razoável que sejam estes dois os que fazem mover: desejo e raciocínio prático. Pois o objeto desejável move e por isso o raciocínio também move: porque o desejável é o seu princípio. E a imaginação, quando move, não move sem desejo. Há algo único, de fato, que faz mover: o desejável.[14] Pois, se dois movessem quanto ao lugar — o intelecto e o desejo —, moveriam de acordo com uma forma comum. Na verdade, mostra-se que o intelecto não faz mover sem o desejo (pois a vontade é desejo, e quando se é movido de acordo com o raciocínio, também se é movido de acordo com a vontade), mas o desejo

[14] Lendo ὀρεκτὸν, na linha 21.

move deixando de lado o raciocínio, pois o apetite é um tipo de desejo. Intelecto, então, é sempre correto; ao passo que o desejo e a imaginação, ora corretos, ora não corretos. Por isso, é sempre o desejável que move, embora este seja tanto o bem como o bem aparente; mas não todo o bem, e sim o bem prático apenas. E o praticável é o que admite ser de outro modo.

433a30. É evidente, portanto, que é uma potência da alma deste tipo a que move, o que é chamado de desejo. Para aqueles que distinguem as partes da alma, no caso de as distinguirem e separarem de acordo com as potências, elas se tornam múltiplas: nutritiva, perceptiva, intelectiva, deliberativa e ainda desiderativa, pois estas diferem mais umas das outras do que a apetitiva difere da emotiva.

433b5. Uma vez que ocorrem desejos que são contrários uns aos outros, e isso acontece quando o argumento e os apetites forem contrários, e ocorre naqueles que têm percepção de tempo (pois o intelecto, de um lado, ordena resistir por causa do futuro, mas o apetite, de outro lado, ordena agir por causa do imediato; pois o imediatamente agradável mostra-se simplesmente agradável e simplesmente bom, por não olhar o futuro), então, o que faz mover seria de uma única espécie: a capacidade de desejar enquanto tal — e antes de tudo o desejável que, mesmo não estando em movimento, move por ser pensado ou imaginado —, embora as coisas que fazem mover sejam mais numerosas.

433b13. Há, então, três envolvidos: primeiro, o que faz mover, segundo, aquilo por meio de que move, e terceiro, aquele que é movido. E de dois tipos é o que faz mover — um é o imóvel, outro é o que faz mover sendo movido —, o bem praticável, por sua vez, é imóvel; o que faz mover sendo movida é a capacidade de desejar (pois aquele que deseja move-se enquanto deseja, e o desejo é um certo movimento, quando é desejo em ato), e aquele que é movido, por fim, é o animal. O órgão por meio do qual o desejo move é, de sua parte, algo corporal — e por isso, é nas funções comuns ao corpo e à alma que se deve inquirir sobre ele.

433b21. Mas agora, resumindo: o que faz mover organicamente encontra-se em um ponto onde o princípio coincide com o fim, por exemplo, na junta. Pois ali o convexo e o côncavo são, respectivamente, o fim e o princípio (por isso, um repousa e outro se move), sendo diferentes quanto ao enunciado, mas não separados em grandeza. Pois tudo ou é movido por empurrão ou por tração. Por isso, tal como na roda, é preciso algo permanecer fixo e, a partir dele, ter início o movimento. Em suma, é isto o que foi dito: na medida em que o animal é capaz de desejar, por isso mesmo ele é capaz de se mover; e ele não é capaz de desejar sem imaginação, e toda imaginação ou é raciocinativa ou perceptiva. E desta também compartilham os outros animais.

Capítulo 11

433b31. Deve-se investigar ainda, no caso dos animais imperfeitos, isto é, naqueles em que subsiste apenas sensação pelo tato, o que é que os faz mover, bem como se é ou não possível subsistir neles imaginação e apetite. Pois revela-se que eles podem ter dor e prazer. E, sendo assim, é necessário que tenham também apetite. Mas de que modo teriam imaginação? Ou então, assim como são movidos de maneira indeterminada, também teriam tudo aquilo de maneira indeterminada?

434a5. A imaginação perceptiva, como foi dito, subsiste também nos outros animais, mas a deliberativa apenas nos capazes de calcular: pois decidir por fazer isto ou aquilo, de fato, já é uma função do cálculo; e é necessário haver um único critério de medida, pois será buscado aquilo que é superior. E assim é capaz de fazer uma imagem a partir de várias.

434a10. E isto é a causa de não se acreditar que a imaginação envolva a opinião: porque esta não é a formada por inferência, embora ela envolva aquela. Por isso, o desejo não tem capacidade deliberativa e, algumas vezes, vence e demove a vontade;[15] outras vezes, ele é vencido por ela; e, tal como uma bola em relação a outra, por vezes o desejo vence e demove algum outro desejo, no caso em que ocorre incontinência; embora, por natureza, seja sempre o superior que predomina e demove. Assim, três tipos de movimentos são possíveis.

434a16. A parte cognitiva, todavia, nunca é movida, mas permanece estática. Já que uma premissa é suposição e enunciado do universal, e a outra, do particular (pois a primeira diz que tal tipo de indivíduo deve fazer tal tipo de coisa, e a segunda, que isto agora é tal tipo de coisa e eu sou tal tipo de indivíduo), ou é esta última opinião a que move, e não a universal, ou então são ambas, embora aquela seja mais estática, enquanto a outra não.

Capítulo 12

434a22. Todo aquele que vive e tem alma, então, é necessário que tenha a alma nutritiva — do nascimento até a morte. Pois é necessário que o que nasceu tenha crescimento, maturidade e decaimento, e tais coisas são impossíveis sem nutrição. Logo, é necessário que a potência nutritiva esteja em todos aqueles que crescem e decaem.

434a27. A percepção sensível, por sua vez, não é necessária a todo e qualquer ser vivo, pois não é possível que tenha tato tudo aquilo cujo corpo é simples, tampouco os que não são capazes de receber formas sem matéria. Mas o animal, por outro lado, é necessário

[15] Lendo τὴν βούλησιν, na linha 12-3

que tenha percepção sensível [e sem isso nada pode ser um animal], se nada em vão faz a natureza.[16] Pois tudo na natureza subsiste em vista de algo, ou é concomitância acidental do que existe em vista de algo. E todo corpo capaz de caminhar, se não tiver percepção sensível, perecerá e então não alcançará seu fim, o que é a função da natureza. (Pois de que modo ele obterá nutrição? Nos seres sedentários, a nutrição provém do lugar mesmo de onde nascem; entretanto, uma vez gerado como não sedentário, não é possível que um corpo tenha alma e intelecto capaz de discernimento sem que tenha percepção sensível, nem mesmo no caso de não gerado. Pois, por que não teria? Só se isso fosse melhor ou para a alma ou para o corpo. Mas, de fato, não seria melhor nem em um caso, nem em outro, pois aquela não pensaria melhor e este em nada estaria melhor pela falta de percepção.) Portanto, nenhum corpo não sedentário tem alma sem percepção sensível.

434b9. Se o corpo tem, de fato, percepção sensível, há necessidade de que seja ou simples ou misto. Mas não é possível ser simples; pois desse modo não teria tato, e é necessário que o tenha. Isso se torna claro pelo seguinte: já que o animal é um corpo dotado de alma, e todo corpo é tangível e tangível é o perceptível pelo tato, é necessário também que o corpo do animal seja capaz de tocar, caso deva estar assegurada a sobrevivência do animal. Pois os demais sentidos — o olfato, a visão e a audição, por exemplo — têm percepção por meio de outras coisas. Mas, se aquele que percebe tocando não tiver percepção sensível, ele não poderá evitar certas coisas e apanhar outras. E se for assim, será impossível então que o animal sobreviva.

434b18. E por isso, também, a gustação é um tipo de tato: pois ela concerne ao alimento e o alimento é um corpo tangível. Som, cor

---

[16] Posicionando οὔτε ἄνευ ταύτης οἷόν τε οὐθὲν εἶναι ζῷον após ἔχειν, na linha 30.

e odor não são nutrientes, tampouco produzem crescimento ou decaimento. De maneira que é necessário também que a gustação seja um tipo de tato, porque é o sentido do tangível e nutritivo. Ambos os sentidos, então, são necessários ao animal e, evidentemente, para o animal é impossível existir sem tato. Os demais sentidos, contudo, existem em vista do bem-estar, e já não ocorrem a não importa que gênero de animal, embora subsistam necessariamente em alguns (por exemplo, naqueles capazes de caminhar). Pois, para sobreviverem, é preciso que tenham percepção não apenas tocando, mas também à distância. E isso será possível se forem capazes de perceber via um intermediário, este sendo afetado e movido pelo perceptível, e o animal movido pelo intermediário.

434b29. Pois, assim como o que produz movimento local causa a mudança até um certo ponto, e o que empurra faz com que um outro empurre de forma que o movimento atravesse o meio — o primeiro empurra sem ser empurrado; o extremo só é empurrado, sem empurrar; mas o do meio, ambas as coisas (e muitos são os do meio) —, do mesmo modo também no caso da alteração (exceto que agora se alteram ficando no mesmo lugar). Assim, se algo for mergulhado, por exemplo, na cera: o movimento vai até o ponto em que o mergulho ocorre; mas no caso da pedra nenhum movimento ocorreria, ao passo que na água o movimento iria ainda mais longe; o ar é onde até mais longe o movimento iria, ativo e passivo em mais alto grau, sempre que permanecer e conservar-se uno.

435a5. Por isso, no que concerne à reflexão da luz, em vez de dizer que a visão sai do olho e é refletida, melhor é supor que o ar é afetado pelo formato e pela cor sempre que permanecer uno. Em uma superfície lisa, o ar permanece uno e, por esse motivo também, ele move a visão, como o sinal na cera sendo transmitido até o limite.

Capítulo 13

435a11. Não é possível evidentemente que o corpo do animal seja simples, quer dizer, só de fogo, por exemplo, ou só de ar. Pois sem o tato não é possível que ele tenha qualquer outro sentido, e todo corpo dotado de alma, como foi dito, é suscetível ao toque. Todos os outros elementos, com exceção da terra, poderiam se tornar órgãos sensoriais, e todos produzem percepção sensível por perceberem através de um outro, a saber, através dos intermediários; ao passo que o tato tem esse nome por tocar as coisas mesmas. Os demais órgãos sensoriais percebem por tato, sem dúvida, só que por meio de um outro, e apenas o tato parece ter percepção por si mesmo. De maneira que nenhum daqueles elementos poderia compor o corpo do animal.

435a20. Tampouco ele poderia ser só de terra. Pois o tato é como que uma média entre todos os tangíveis, e seu órgão sensorial é capaz de receber não apenas as várias qualidades da terra, mas também o quente e o frio e todas as demais qualidades tangíveis. Por isso, não percebemos com os ossos, cabelos e tais partes, que são de terra. Por isso também as plantas não têm qualquer percepção sensível: porque são de terra. Sem o tato é impossível que subsista qualquer outro sentido, mas o órgão sensorial do tato, contudo, não é só de terra, nem só de qualquer outro elemento.

435b4. É evidente, todavia, que este é o único sentido sem o qual o animal necessariamente morre. E nem é possível tê-lo sem ser animal, nem é necessário ter outro, exceto este, se for animal. Por isso, o excesso dos outros objetos perceptíveis, por exemplo, o excesso de cor, sabor e som, corrompe apenas o órgão sensorial e não o animal (exceto acidentalmente, por exemplo, quando junto ao som ocorre um impacto e um golpe ou quando outras coisas que destroem no contato forem movidas por visões e por cheiros; e também o sabor, quando calha de simultaneamente ser capaz de entrar em contato, é destrutivo), enquanto que o excesso de tangíveis como o quente, o frio ou o duro arruína o animal. Todo excesso do objeto perceptível arruína o órgão sensorial; e, da mesma maneira, o tangível arruína o tato, que é aquele pelo qual se define o animal; pois foi mostrado que sem tato é impossível existir um animal. Por isso, o excesso dos tangíveis destrói não somente o órgão sensorial, mas também o animal, porque este é o único órgão que ele necessariamente precisa ter.

435b19. O animal possui os demais sentidos, como foi dito, não em vista do ser, mas em vista do bem-estar: por exemplo, a visão de modo que ele veja, estando no ar ou na água, em suma, por estar no transparente; a gustação, por causa do que lhe é agradável ou doloroso, e a fim de que os perceba no alimento, e que tenha apetite e seja movido; a audição, de modo a que algo lhe seja comunicado; [e a língua, por fim, de modo que comunique algo aos outros].

CAP. 3 AS CAPACIDADES DA ALMA

DISPOSIÇÃO FORMA-FIM	FORMA NA MATÉRIA	COMPOSTO	FINALIDADE		CONDIÇÕES
SUJEITO	ὑποκείμενον			μεταξύ	ἀντικείμενον
ENTELEQUIA ἐντελέχεια	POTÊNCIA CAPACIDADE δύναμις	ORGÃO ὄργανον	ATO ATIVIDADE ἐνέργεια	INTERMEDIÁRIO	O OBJETO
(I) A RAZÃO διά- ἡ νόησις A INTELIGÊNCIA	διά- τὸ νοητικόν O INTELECTIVO	ὁ νοῦς O INTELECTO	διά- τὸ νοεῖν O PENSAR		διά- τὸ νοητόν O INTELIGÍVEL
(*) ἡ φαντασία A IMAGINAÇÃO		ἡ μνήμη			
(II) ἡ αἴσθησις A SENSAÇÃO	τὸ αἰσθητικόν O SENSITIVO	ἡ καρδία O CORAÇÃO	τὸ αἰσθάνεσθαι O SENTIR		τὸ αἰσθητόν O SENSÍVEL
ἡ ὄψις A VISÃO	τὸ ὀπτικόν O CAPAZ DE VER	οἱ ὀφθαλμοί OS OLHOS	τὸ ὁρᾶν O VER		τὸ ὁρατόν = χρῶμα O VISÍVEL COR
ἡ ἀκοή A AUDIÇÃO	τὸ ἀκοητικόν O AUDITIVO	τὸ οὖς O OUVIDO	τὸ ἀκούειν O OUVIR	ὁ ἀήρ O AR	τὸ ἀκουστόν = ὁ ψόφ O AUDÍVEL O SOM
ἡ ὄσφρησις O OLFATO	τὸ ὀσφρητικόν O OLFATIVO		τὸ ὀσμᾶσθαι O CHEIRAR	τὸ ὕδωρ A ÁGUA	τὸ ὀσφραντόν = ἡ ὀσ O ODORÍFERO O ODOR
ἡ γεῦσις O GOSTO	τὸ γευστικόν O GUSTATIVO		τὸ γεύεσθαι O GUSTAR		τὸ γευστόν = ὁ χυ O GUSTÁVEL O SAB
ἡ ἁφή O TACTO	τὸ ἁπτικόν O TACTIVO		τὸ ἅπτεσθαι O TOCAR	ἡ σάρξ A CARNE	τὸ ἁπτόν = O TÁCTIL
ἡ ὄρεξις O DESEJO	τὸ ὀρεκτικόν O DESIDERATIVO		τὸ ὀρέγεσθαι O TENDER A		τὸ ὀρεκτόν O QUE EXCITA O DESEJ
A INTENÇÃO ἡ βούλησις	(τὸ βουλευτικόν O DELIBERATIVO		QUERER τὸ βούλεσθαι		τὸ βουλητόν QUE DEPENDE DA VONTADE
(iv) ὁ θυμός A VONTADE			(τὸ θυμοῦσθαι) O IRRITAR-SE		
ἡ ἐπιθυμία O APETITE			τὸ ἐπιθυμεῖν O TER FOME OU SÊDE		ἡ τροφή O ALIMENTO
(v) ἡ κίνησις O MOVIMENTO	CAPACIDADE DE LOCOMOÇÃO τὸ κινητικὸν κατὰ τόπον O CAPAZ DE MOVER QTO AO LUGAR		τὸ κινεῖσθαι O MOVER-SE		
(III) ἡ ψυχὴ θρεπτικὴ καὶ γεννητική A ALMA NUTRITIVA E REPRODUTIVA					ἡ τροφή O ALIMENTO

De An. B 4 415a16-23 (← ORDEM DE INVESTIGAÇÃO

Notas do tradutor

Sumário analítico

Livro I

1. Introdução: o valor e a relevância do objeto [402a1]. A complexidade do estudo [a10]. O problema do método e dos princípios da definição [a22]. Etapas do estudo: (a) determinar o gênero e os demais aspectos do ser, tendo em vista a unidade da alma [b9]; (b) decidir como abordar os aspectos envolvidos [b16] e se a definição e os atributos esclarecem-se mutuamente ou não [403a3]; (c) determinar a natureza dos atributos e se há realmente atributos próprios da alma. Quais parecem ser os fatos, isto é, o que parece acontecer no caso dos atributos da alma e as implicações disso para a definição [a16]. A quem cabe cada tipo de definição [a24]. O ponto de partida para o estudo da alma [b16].

2. As opiniões relevantes sustentadas. Observações metodológicas [403b20]. (a) Concordâncias entre os predecessores: o animado difere do inanimado pelo movimento e pela percepção [b24]. A alma é o que faz mover; o que não está ele próprio em movimento não pode mover outro; logo, a alma é algo em movimento: Demócrito, pitagóricos e Anaxágoras [b31-404a25]. A alma é princípio do conhecimento e da percepção; o semelhante é conhecido pelo semelhante: Empédocles e Platão [404b7]. E, já que a alma é princípio de movimento e de conhecimento, alguns misturaram ambos os princípios [b27]. (b) Discordâncias entre os predecessores sobre a natureza dos princípios: alguns os fazem corpóreos, outros, incorpóreos: Demócrito, Anaxágoras, Tales, Diógenes, Heráclito, Alcméon, Hipon e Crítias [b30-405b2]. Sobre a quantidade de princípios [b10].

3. Críticas a respeito do movimento: (a) A alma não é o que faz mover ou pode mover a si mesmo. Não subsiste movimento na alma [405b31-406a3]. (1) Não é necessário que o que faz mover também esteja ele próprio em movimento [a3-4]. (2) Tudo é movido segundo si mesmo ou segundo outro; se a alma é movida segundo si mesma, o seu movimento é por natureza; e também mover-se-ia por locomoção ou alteração ou corrupção ou crescimento e existiria no lugar [a4-22]. (3) Caso ela se mova por natureza, então também poderia ser movida por coerção; e repousaria tanto por natureza como por coerção; mas é absurdo pensar em movimentos e repousos coercitivos da alma [a22-7]. (4) Se a alma move o corpo, mover-se-ia pelos mesmos movimentos dele; ora, o corpo é movido por locomoção; se a alma admitisse locomover-se, então poderia mudar de lugar ao longo do corpo, entrar no corpo após ter saído e os animais poderiam reviver após a morte [a27-b5]. (5) Em relação ao movimento por acidente da alma, ela poderia ser movida por outro; mas algo que move a si mesmo essencialmente só se move por outro acidentalmente; há a opinião de que a alma é movida essencialmente pelos objetos da percepção (e, no caso, teríamos movimento essencial por outro) [b5-11]. (6) Se todo movimento é afastamento do movido como movido e se a alma move a si mesma, então a alma sairia fora de sua substância [b11-5]. (7) Se a alma é movida por outro — por exemplo, pelo mercúrio —, então como explicar o repouso? [b15-25]. A doutrina de Platão é similar à de Demócrito, pois afirma em termos naturais que a alma move o corpo. Breve descrição da doutrina do *Timeu* [b25-407a2]. Argumentos contra a tese da alma como magnitude. (1) Se a alma é intelecto e se os pensamentos têm uma unidade discreta e por sucessão — como os números — e não uma unidade contínua, tal como a magnitude —, então o intelecto não é uma magnitude contínua e tampouco a alma [a2-10]. (2) Se ela é magnitude, como pensará? Se pensa pelo ponto e se os pontos são infinitos, então nunca os percorrerá a todos. Se pensa pela magnitude, muitas ou infinitas vezes pensará o mesmo; mas é evidente que

pode pensar uma vez só; e se é suficiente tocar em não importa qual parte, é ocioso falar em todo, isto é, é irrelevante dizer que é parte de um todo; e se é necessário tocar com o círculo todo, qual é o contato de partes? E como pensará o que tem partes aquilo que não tem, e vice-versa? [a10-9]. (3) Se o movimento do intelecto é pensar, se o intelecto é um círculo e se o movimento do círculo é circunvolução, então o pensar é também uma circunvolução. A circunvolução é eterna, o que então pensará sempre o intelecto? Nada, pois nenhum pensamento é sem limite [a19-32]. Argumentos gerais e finais. (4) Pensar é deter-se em um objeto e fixá-lo, isto é, pensar assemelha-se mais ao repouso do que ao movimento [a32-34]. (5) Se o demiurgo impôs o movimento à reta/alma, então o seu movimento é forçado e pensar seria algo contrário à natureza da alma [a34-b5]. (6) Por que o céu locomover-se-ia em círculo? Por que o mover-se em círculos é melhor? O ponto não foi explicado e faria parte de outro tratado [b5-13]. A tese não explica adequadamente a unidade do corpo e da alma.

4. Críticas no que diz respeito ao movimento: (b) A alma não é uma harmonia [407b27]. (c) Em outras palavras, a alma nem é mistura, nem é composição [b32]. (1) O mover não é um atributo da harmonia [b34]. (2) É mais apropriado falar em harmonia quanto às virtudes corporais, pois é difícil atribuir a ela tudo o que a alma faz e sofre [408a5]. (3) A tese da alma como harmonia implicaria a existência de múltiplas almas em um só corpo [a5]. Três questões levantadas a Empédocles. Retomada das conclusões e uma ressalva: a alma pode se mover acidentalmente [a18]. A alma não sofre nenhuma alteração em sentido literal [a35]. O pensamento depende indiretamente de certas condições físicas [b18]. Críticas a respeito do movimento: (d) A alma não é um número que move a si mesmo. Duas questões levantadas e três objeções formuladas [b32]. A tese em questão é idêntica ao atomismo de Demócrito [409a10]. Novo argumento: se a alma é um número, então ela não poderia se separar do corpo e ser imortal [a21].

5. Continuação da crítica à tese da alma como número que move a si mesmo. Se a alma é uma unidade com posição, então haveria uma pluralidade de pontos em um mesmo ponto — a saber, os pontos do corpo e os da alma —, o que é absurdo [409a31]. A tese em questão não descreve adequadamente nem a substância da alma, nem os seus atributos próprios [b7]. Breve sumário das opiniões comumente aceitas. Crítica da tese que identifica a alma aos elementos que ela pode conhecer e perceber [b18]. (1) A maioria das coisas que existem não são elementos simples mas compostos, de maneira que a alma teria de ser tais compostos, o que é absurdo [b26]. (2) Não se poderia pretender que a alma fosse constituída dos elementos comuns às categorias, pois estas só compartilham o fato de serem relativas a uma mesma coisa [410a13]. (3) É absurdo sustentar ao mesmo tempo que o semelhante conhece pelo semelhante e que o semelhante é impassível ao semelhante. (4) As partes do corpo deveriam perceber e conhecer objetos constituídos como elas, mas não é o que ocorre [a23]. Duas pequenas objeções levantadas [b2]: (7) Se os elementos se assemelham à matéria, o que é afinal aquilo que os unifica? (8) A tese em questão não abrange toda e qualquer alma [b10]. (9) E não compreende adequadamente a relação que as partes da alma guardam entre si [b24]. (10) Bastaria que a alma fosse composta de um dos contrários, para que pudesse conhecer ambos [411a2]. Novas objeções às soluções para a abrangência de uma teoria da alma e um balanço dos resultados obtidos até aqui [a7]. Dois problemas sobre a unidade da alma que demandam explicação [a26]. Uma resposta possível — a alma é dividida em partes e partes distintas são responsáveis por capacidades distintas — é criticada com um argumento [b5]. Uma segunda objeção é levantada [b19]: A dificuldade de conciliar a vitalidade contínua dos seres animados com as capacidades que se manifestam de maneira descontínua [b19].

Livro II

1. Da definição: reafirmação do objetivo central do estudo [412a1-6]. Distinções preliminares relativas à essência da alma [a6-11] e relativas ao sujeito que tem alma [a11-5]. A definição: investigação dos elementos da definição [a15-b4], enunciado da definição [b4] e refutação de uma objeção [b6]. Esclarecimentos sobre a definição [b10-413a10].

2. Observação metodológica [a11-20]. Os modos de viver: das plantas [a25] e dos animais [b1]. Duas questões respondidas: (1) Cada uma das formas é uma alma ou uma parte da alma? (2) Se é parte da alma, é localmente separável ou somente por abstração? [b14-414a4]. Conclusão [a4-28].

3. As potências da alma [414a29-b19]. A característica da série e a analogia com as figuras geométricas [b19-32]. Dois pontos que requerem investigação adicional: (1) a definição própria a cada uma das potências e (2) a razão de uma tal hierarquia entre elas [b32-415a13].

4. Da alma nutritiva: observações preliminares. A ordem da investigação [415a13-22]. A reprodução é um ato da alma nutritiva [a22-b7]. A alma é princípio e causa do corpo vivo. Ela é causa formal — prova em dois argumentos [b7-15]; é causa final — prova em um argumento [b15-21]; e é causa dos movimentos de crescimento e perecimento, locomoção e alteração — prova em um argumento [b21-8]. Duas objeções respondidas: (1) o erro de Empédocles — o crescimento não é causado pelo fogo e pela terra; (2) o crescimento não é causado apenas pelo fogo [b28-416a18]. As atividades nutritivas da alma: o que parece ser verdadeiro quanto ao alimento [a18-29]. Um impasse e sua solução [a29-b9]. O alimento, a nutrição, o crescimento e a reprodução [b9-20]. Distinção dos aspectos envolvidos [b20-3]. A definição de alma reprodutiva [416b23-31].

5. De toda e qualquer percepção sensível — duas teses envolvidas: a percepção sensível é uma alteração e o semelhante é afetado pelo semelhante [416b32-417a2]. Um problema decor-

rente dessa posição e sua solução [a2-9]. Percepção sensível em potência e percepção sensível em ato [a9-21]. Potência e atualidade quanto ao intelecto [a21-b2]. Alteração e preservação [b2-16]. Potência e atualidade quanto à percepção sensível [b16-28]. Resumo do capítulo [b29-418a6].

6. Dos sensíveis. Há três tipos de sensíveis: (1) os sensíveis por si — o sensível próprio e o comum — e (2) o sensível por acidente [418a7-11]. As duas características dos sensíveis próprios: não pode ser percebido por outro sentido e não admite engano [418a11-7]. Os sensíveis comuns [a17-21]. O sensível por acidente [a21-3]. Cada sentido é relativo ao sensível que lhe é próprio [a24-5].

7. Do visível: há duas espécies de visíveis: a cor e algo que está anônimo [418a27-8]. A cor é o que cobre o visível por si [a29-31]. Da luz: condição necessária da visibilidade, ela é o transparente em ato; e a treva, o transparente em potência [a31-b11]. O agente é o fogo ou o corpo superior [b11-20]. Crítica a Empédocles [b20-6]. Observações finais sobre a cor e o transparente [b26-32]. Há o que se vê na treva; a causa disto deve ser examinada alhures [419a1-7]. Prova da necessidade de um intermediário no processo de visão e crítica a Demócrito [a7-21]. O mesmo vale para os demais sentidos [a21-b3].

8. Do som [419b4-420b4]. O som em ato e o som em potência [419b4]. A primeira origem do som em atualidade: um golpe entre corpos sólidos [b9]. O intermediário e as condições para a repercussão do som [b18]. A segunda origem do som: a reverberação do intermediário [b25]. Uma primeira conclusão [b33]. Dos efeitos do sonoro no órgão sensível [420a4]. Uma dúvida respondida [a19]. Das diferenças do som [a26]. Da voz [420b5-421a6]. Dados preliminares [b5]. Do intermediário — o ar — e suas funções [b14]. Da respiração [b22]. A definição de voz [b27].

9. Do olfato e sua menor acuidade nos seres humanos [421a7]. Analogia entre a olfação e a gustação [a18]. Do odor e suas diferenças [a26]. Dos objetos inodoros [b3]. Da maneira

como o odor afeta o olfato [b8]. Do intermediário [b13]. Do órgão olfativo [b26].

10. Do palatável em geral e de seu intermediário intrínseco [422a8]. A gustação concerne tanto ao palatável como ao não palatável [422a20]. O órgão da gustação [422a34]. As diversas espécies de sabor [422b11].

11. Do tangível e do tato. Duas questões levantadas: (1) O tato é um gênero, isto é, o tato é um sentido uno ou há diversos? (2) O seu órgão é a carne ou algo mais interno? [422b17]. Um argumento apresentado para a primeira questão: o tato seria diversos sentidos [b23]. Uma possível solução para a primeira questão é rejeitada [b27]. Segunda questão parcialmente respondida: o tato requer um intermediário [b34]. Há um intermediário externo, ainda que isso passe despercebido. Mas, então, qual a diferença entre tato (e paladar) e os demais sentidos? [a22] O tato percebe o intermediário e o tangível simultaneamente, mas no caso dos outros sensíveis há uma espécie de ação do intermediário sobre nós [b12].

12. Conclusões sobre a natureza da percepção sensível em geral e do órgão sensorial primeiro [424a16]. Alguns esclarecimentos com base nas conclusões tiradas [a28]. Algumas dúvidas sobre o modo como o objeto sensível afeta o sentido [b3].

Livro III

1. Tese (1): não há outra forma de percepção sensível além dos cinco sentidos já examinados. Primeiro argumento [424b22]. Segundo argumento [425a14]. Uma questão levantada [b4].

2. Tese (2): há, contudo, uma percepção comum aos sentidos, além de suas cinco sensações próprias; pois há duas atividades que eles realizam juntos. Primeira função comum: a percepção das atividades específicas de cada sentido (por exemplo, perceber que vê). Um dilema [425b12]. Dois argumentos e um problema levantado. A solução [b26]. Uma questão [426a15]. Ou-

tra questão levantada [a27]. Segunda função comum: fazer a distinção entre os sensíveis próprios a cada sentido (por exemplo, distinguir o doce do branco). Uma objeção [426b29].

3. Da imaginação — parte da estratégia de provar a tese (3): o intelecto é inteiramente distinto da percepção sensível. Dois argumentos contra as teorias que identificam um e outro. Uma réplica é antecipada: a imaginação não é uma espécie de pensamento, embora este se sirva dela [427a17]. A imaginação não é suposição [427b16]. A imaginação não é percepção sensível [428a5]. Nem é ciência e opinião [a16]. Tampouco uma combinação de opinião e percepção sensível [a24]. A explicação e a definição de imaginação [428b10].

4. Do aspecto passivo do intelecto. Levantamento de duas questões que precisam ser examinadas e dois argumentos sobre a separabilidade do intelecto [a13]. Terceiro argumento [a29]. A intelecção da forma de um composto é diversa da intelecção de sua essência [b10]. Dois impasses levantados [b22]. A solução [b29].

5. Do aspecto ativo do intelecto.

6. Duas operações do intelecto: a simples apreensão do objeto inteligível indiviso e a formulação de juízos. A apreensão em quantidade dos indivisos [430a26]. O indiviso em qualidade e o indiviso como limite [b20]. Considerações finais [b26].

7. Do juízo prático. A percepção sensível não é exatamente afecção e alteração [431a1]. A percepção sensível do agradável e do doloroso como afirmação ou negação do bom pela imaginação [a8]. Digressão sobre a percepção sensível comum [a17]. O papel da imaginação na motivação de nossas ações [b2]. Considerações finais [b12].

8. Da percepção sensível e do intelecto — a alma é em potência todos os objetos perceptíveis e inteligíveis [431b20-432a2]. Os inteligíveis estão nas formas perceptíveis [432a3].

9. Da locomoção dos animais. Apresentação do problema: que parte da alma é responsável pela locomoção? Um impasse a ser resolvido: em quantas partes se divide a alma e quais são elas?

[435a15]. Crítica à divisão tripartite platônica (calculativa, emotiva, apetitiva) e à dicotomia do senso comum (racional e irracional) em quatro argumentos [a22]. O mesmo problema recolocado [b7]. Não é a alma nutritiva que move o animal [b13]. Também não é a alma perceptiva [b19]. Tampouco a alma intelectiva — seja em sua função teórica, seja em sua função prática [432b26-433a1].

10. Algumas conclusões sobre a locomoção animal: há dois princípios motivadores da ação — o desejo e, sob alguns aspectos, o intelecto [433a9]. Ambos são redutíveis a algo único e comum: o desejável [a17]. Última palavra sobre a divisão da alma em partes [a30]. Uma objeção contornada e análise do ato de locomoção [b5]. A locomoção é uma função comum à alma e ao corpo [b13]. Breve enunciado sobre o órgão locomotivo [b21].

11. Locomoção e imaginação em animais imperfeitos, ou seja, dotados exclusivamente de tato [433b31]. Imaginação perceptiva e imaginação deliberativa [434a5]. O conflito entre desejo e vontade [a10]. O silogismo prático [a16].

12. A alma nutritiva é necessária à vida [434a22]. Mas a percepção sensível não é necessária a todo e qualquer ser vivo [a27]. O tato é imprescindível à percepção sensível [b9]. A gustação é um tipo de tato. Ambos os sentidos são imprescindíveis ao animal [b18]. A propagação de uma alteração [b29]. A percepção sensível é uma afecção (crítica a Empédocles e Platão) [435a5].

13. O corpo do animal não é simplesmente composto de fogo ou ar [435a11]. Tampouco de terra [a20]. A necessidade do tato para a sobrevivência do animal [b4]. Os demais sentidos existem em vista do bem [b19].

Notas ao livro I

Capítulo 1

Este capítulo é introdutório ao estudo da alma [*tên tês psykhês historian*]. Aristóteles enfatiza, primeiro, o valor e a complexidade do tema e, a seguir, refere-se tanto a uma dificuldade geral das definições como aos problemas básicos que, neste caso, precisarão ser resolvidos [402a1-402b16]. Depois de apontar para a relação entre alma e vida animal — que será corrigida posteriormente, pois, segundo ele, a alma liga-se à vida em geral —, afirma que a definição e os atributos devem se esclarecer mutuamente. Aristóteles sugere que as afecções atribuídas geralmente à alma — irritar-se, persistir, ter vontade, perceber, e até mesmo pensar, caso esteja de algum modo ligado à imaginação — parecem antes propriedades do composto, isto é, do corpo animado ou dotado de alma [402b16-403a24]. Sendo assim, há que se considerar o impacto desse fato sobre o teor da definição de alma [403a24-403b19].

402a1. A passagem, aparentemente simples, apresenta certa ambiguidade em relação ao *status* do estudo em questão. Aristóteles, por um lado, confere-lhe a qualidade que se espera ver atribuída a uma ciência teórica, a *akribeia*, isto é, exatidão, rigor demonstrativo. E ainda que, em sua classificação tripartite do saber, o conhecimento da natureza esteja incluído no saber teórico [*Top.* VI, 145a15; VIII, 157a10; *EN* I, 1139a27-8, e *Met.* VI, 1025b25, 1026a10-3], nesta passagem, o estudo da alma é, por sua vez, apresentado de maneira mais modesta, como *historia* (termo que sugere antes pesquisa e investigação do que uma ciência acabada). Aristóteles assume, ainda, seu valor instrumental — "contribui bastante para a verdade em geral e, sobretudo, no que concerne à natureza" —; ao passo que uma ciência teórica é válida por si mesma. Talvez a "exatidão" do estudo da alma diga respeito à sua prioridade sobre as demais ciências da natureza, e é provável também que Aristóteles — não sem razão — tenha em alta conta os resultados já alcançados.

Aristóteles mostra a complexidade da tarefa: inquirir e conhecer tanto a natureza da alma como a sua substância [*teôrêsai kai gnônai tên te physin autês kai tên ousian*]. O trabalho não é simples, pois uma boa teoria da alma não pode desconhecer as propriedades naturais dos seres animados, isto é, dos organismos vivos; ela requer uma definição que dê conta de tudo o que se atribui à alma, exigindo do estudioso uma formulação que envolva forma *e* matéria [403a29-b16].

402a10. Aristóteles, em seguida, apresenta uma dificuldade que parece atingir toda e qualquer investigação: a ausência de um procedimento lógico único para chegar às definições. Uma coisa é estar familiarizado com as manifestações de vida nos seres animados e especular sobre a natureza da alma. Outra é produzir uma definição a partir da qual todos os atributos sejam necessariamente demonstrados. Ele não parece estar decidido de antemão, embora o problema — como provar uma definição? — remeta claramente às teorias dos *Segundos Analíticos*. O argumento ali, em resumo, é este: não é possível demonstrar o *tí esti* — *o que é algo* —, pois o procedimento incorreria em regressão ao infinito [*S. Anal.* II, 2-5]. A *diairesis* (método platônico de divisão) pode auxiliar na descoberta, mas não é um método de prova de definições. É preciso proceder indutivamente para chegar aos primeiros princípios relevantes — etapa ascendente — e em seguida proceder demonstrativamente para mostrar que os atributos pertencem necessariamente ao objeto em questão — etapa descendente (cf. Porchat, *Ciência e dialética em Aristóteles*, cap. VI).

Aristóteles, nesta passagem, parece na verdade aludir a um terceiro método — nem demonstração, nem divisão —, no que se pode ver uma remissão ao seu próprio procedimento, do qual o *De Anima* é um exemplo magistral. Há alguma bibliografia secundária que mostra que a extensa crítica aos predecessores, cobrindo todo o restante do primeiro livro, é de grande relevância metodológica (e não meramente histórica ou retórica) para a definição de Aristóteles (oferecida como que do nada, no livro II.1), e que a apuração crítica de tudo o que se revela [*ta phainomena*] no caso da alma (tanto as evidências sensíveis como as opiniões) pode ser vista como um procedimento indutivo.

Aristóteles admite, é bem verdade, que certo silogismo pode comparecer no processo de revelar a definição; mas insiste que não se trata, *stricto sensu*, de demonstração; pois, ainda que definição e demonstração sejam procedimentos radicalmente distintos, sendo a procura pelo *ti esti*, em última instância, a busca do termo médio, então também a busca da definição será uma busca da causa, na qual pode ocorrer certo silogismo; já que, quando há conhecimento do fato [*to hoti*] e da causa [*to dioti*], é possível revelar a definição pelo emprego de um silogismo que mostra a causa a partir do efeito [*S. Anal.* II, 8-10].

402a23. Aristóteles enumera os problemas que, uma vez resolvidos, levam à definição de alma: [1] Qual é seu gênero último: seria algo particular e determinado, isto é, substância? Ou seria uma qualidade, uma quantidade ou alguma das demais categorias? Literalmente, "é necessário primeiro determinar em qual dos gêneros está e o que é — quero dizer, se um isto [*tode ti*], uma substância [*ousia*], ou um qual [*poion*], um quanto [*poson*] ou mesmo uma das outras categorias que distinguimos anteriormente".

O termo *ousia* (substantivo feminino, formado a partir do particípio presente do verbo *ser* [*ousa*]) tem duas traduções possíveis: essência e substância. Aristóteles faz dois usos distintos dele; emprega-o, muitas vezes, no plural para designar (1) realidades particulares, como homens, cavalos, árvores, referidas por intérpretes como "substâncias primeiras"; mas, outras vezes, considera como substâncias (2) os universais, isto é, o gênero e a espécie de realidades particulares — as "substâncias segundas". Sob a autoridade de Cícero, cunhou-se o termo *essentia* exclusivamente para traduzir *ousia*, a fim de que a filosofia dispusesse de uma palavra que desse conta de todas as acepções da palavra grega traduzida (o que não fazia sua antecessora, *natura*). Mas a palavra *substância*, enfatizando a ideia de subjacência, parece preferível no contexto das ciências naturais. Se, no assim chamado *Organon*, a substância identifica-se com o sujeito das predicações, aspectos mais complexos vêm à tona diante do problema do movimento: substância é o substrato da mudança, isto é, aquilo que permanece o mesmo sob as modificações; donde a forma ser considerada substância. Um exemplo simples pode ilustrar a concepção do estagirita: ao longo da existência, a matéria de uma estátua (ou de um organismo vivo) pode vir a ser totalmente substituída por outra; o que permanece conferindo identidade é a forma (ou estrutura), e, enquanto a forma for conservada, esse algo continuará sendo o que é (*viz.*, estátua ou organismo vivo).

[2] A alma é algo em potência ou, antes, uma certa atualidade? Em relação a [2], pode-se adiantar que a noção de potência [*dynamis*] liga-se à matéria (um bloco informe de ferro pode se tornar, por exemplo, um machado); e a noção de ato ou atividade [*energeia*] liga-se à forma (pois é na atividade e na função que efetivamente se expressa o que é um machado). À medida que Aristóteles detalha sua análise do movimento, entra em jogo também a noção de privação [*sterêsis*] ou ausência de forma [*Fis.* 190b23-9; 191a12-4]. Nesta passagem, contudo, Aristóteles não emprega o termo *atividade*, mas refere-se a *uma certa atualidade* [*entelekheia tis*], remetendo-se à distinção de 412a9 ss., que será de grande importância para a sua teoria da alma. *Energeia* e *entelekheia* são termos frequentemente empregados como sinô-

nimos, embora em *Met.* 1050a17-24 Aristóteles faça a sugestão de que *energeia* se associe a *ergon* (a atividade liga-se à função), enquanto a *entelekheia* se associa ao fim e à perfeição (*telos*); para isso, serve-se da seguinte imagem: "Por isso, assim como os que ensinam creem haver alcançado o fim quando mostram o aluno que atua, assim também a natureza". A expressão *entelekheia* ocorre com frequência em *Física*, *Metafísica* e *De Generatione et Corruptione*, e raramente nos outros tratados, o que sugere que aquele conjunto pertença a uma mesma fase (que alguns intérpretes situam na maturidade de Aristóteles).

[3] A alma é dividida ou sem partes?

[4] Toda alma tem a mesma forma? Em caso negativo, há diferenças de espécie ou de gênero? Em [3], levanta-se a possibilidade de a alma ter partes logicamente distinguíveis, sem que tenha o tipo de divisibilidade dos objetos extensos (sugerida, por exemplo, na concepção platônica de partes da alma sediadas em partes diversas do corpo; cf. *Timeu* 69d ss.). Por fim, em relação a [4] — se a alma é *homoeidês* (literalmente, homogênea) ou não —, talvez esteja em questão um tipo de homogeneidade que a alma exibe no sentido de estar por inteiro em todas as partes, e é por isso que podemos, por exemplo, cortar até certos limites uma parte do organismo vivo sem com isso separar uma "parte" da alma de outra (a parte racional da irracional, por exemplo, que são contudo logicamente distinguíveis); o ponto deve ser deixado em suspenso e talvez possa ser considerado um aspecto da questão já levantada em [3].

[5] Há ou não uma definição única de alma?

402b9. Aristóteles introduz mais um problema que precisa ser decidido, relativo à ordem em que devem ser examinados os aspectos envolvidos em cada uma das capacidades. É importante frisar que ele se servirá, do começo ao fim do tratado, de um vocabulário padronizado, cuja primeira ocorrência é esta. Tome-se uma das propriedades que se atribui ao ser vivo, como, por exemplo, a sensação, isto é, a *percepção sensível* [*aisthêsis*], ou seja, a passagem de um dos cinco sentidos da potência ao ato, pela atuação do objeto correlato (da cor, som, cheiro, gosto e das qualidades táteis). O jogo de termos empregado por Aristóteles é este: por um lado, há o *perceptível*, isto é, o objeto da percepção [*aisthêton*]; por outro, o *órgão da percepção* [*aisthêterion*], uma parte específica do corpo, que pode ter percepção, ou seja, que é *perceptiva* [*aisthêtikon*], termo que não raro é traduzido um tanto abstratamente por faculdade sensível, e mais adequadamente por capacidade perceptiva. Há, ainda, a função e a plena atividade, que é o próprio ato de *perceber* [*aisthanesthai*]. Um vocabulário similar será empregado para cada um dos sentidos e, com resultado menos feliz, para o intelecto.

402b16. Aristóteles, no parágrafo anterior, sugere que no estudo da alma talvez se deva proceder *a posteriori*, isto é, raciocinar dos efeitos às causas, estudando as propriedades atribuídas aos seres vivos para, então, obter a definição e saber *o que é a alma*. Nesta passagem ele, de certo modo, justifica o procedimento.

403a3. O termo *afecções* traduz *ta pathê* e tem três acepções: (1) o sentido geral de atributos ou predicados, como nesta passagem e também em 403b10 e 15; (2) o sentido de formas de passividade em oposição às atividades e, ainda, (3) o sentido de emoções, como em 403a16. Cf. *CHa*, p. 79. A maior dificuldade do estudo da alma reside em saber se ela tem realmente um atributo próprio [*idion*] e exclusivo. O capítulo deixa a impressão de que Aristóteles simplesmente expõe o que lhe parece razoável sobre o assunto. Os fatos sugerem que não existe tal atributo e que tudo o que é atribuído à alma seria uma propriedade do composto, isto é, do corpo animado. Ele ressalta, contudo, que é preciso considerar seriamente a possibilidade de o pensamento ser um atributo exclusivo da alma e independente de qualquer órgão corporal. Neste caso, seria forçoso admitir que ao menos tal "parte" da alma é separável do corpo, que ela pode existir sem ele.

403a24. A passagem é notável por sugerir certa interação entre eventos psíquicos e físicos. A expressão "determinações na matéria" traduz *logoi enyloi*. O adjetivo composto *enylos* não tem outra ocorrência em Aristóteles e designa o que é imanente à matéria ou o que contém matéria. O termo *logos*, com suas várias e complexas acepções — determinação, formulação, razão —, receberá, um tanto insatisfatoriamente, cada uma dessas traduções de acordo com a passagem, e as indicações encontram-se no glossário. Nesta passagem, ele se refere à ordenação das partes que faz algo ser o que é — isto é, a estrutura do objeto, a razão de sua forma. O *logos*, da mesma maneira que a forma, opõe-se à matéria.

A conclusão prepara para os problemas do próximo parágrafo: as afecções da alma, na medida em que são determinações de certas qualidades nos corpos, impõem definições que evoquem tais condições materiais. Como tal, o estudo da alma cabe a quem investiga a natureza. Aristóteles, mais uma vez, deixa em aberto a possibilidade de haver algum atributo exclusivo da alma — cujo estudo estaria fora do domínio demarcado aqui.

403a29. O parágrafo como um todo deve ser comparado a *PA* I, 1, 641a14 ss. O termo *dialético* refere-se àquele que, tendo em vista as crenças e opiniões correntes, formula para a pergunta "O que é a cólera?" uma resposta aceita por seus interlocutores. Seria, então, o estudioso da natureza [*physikos*] aquele que, à mesma questão, fornece como resposta somente os elementos materiais? Aristóteles parece sugerir que não há quem se ocupe exclusivamente da matéria, a qual é algo apenas relativo e nada em si mesma [*Fís.* 194b9]. Em suma, diante de três alternativas para a definição — discorrer sobre (1) a matéria, ou (2) a forma, ou (3) ambas —, ao estudioso da natureza [*physikos*] caberia o enunciado que combina ambos os aspectos.

Aristóteles pergunta-se então a quem caberiam as outras duas alternativas. A pergunta é clara; a resposta, contudo, é tortuosa, e a tradução, bastante difícil. O sentido parece ser algo como: "Ou não há alguém em particular que aborde as afecções da matéria não separáveis como sendo separáveis?". Aristóteles sugere que há dois sujeitos que atendem a essa condição: o estudioso da natureza e aqueles que dominam uma arte, isto é, os técnicos — o médico, o construtor etc. —, os quais têm por objeto propriedades inseparáveis da matéria e que não podem ser consideradas como separáveis. O estudioso da natureza ocupa-se das propriedades dos corpos como atributos de um tal gênero; o técnico, por sua vez, intervém nessas propriedades em casos singulares — e não teoriza sobre o geral. O matemático, por outro lado, tem por objeto propriedades inseparáveis — figuras, quantidades — mas abstraídas dos corpos e da matéria que os compõe. O metafísico, que se ocupa da filosofia primeira, tem por objeto propriedades que são tratadas como realmente separáveis da matéria — por exemplo, o primeiro motor imóvel. A passagem remete aos capítulos 6 a 10 do livro XII da *Metafísica*, que tratam do primeiro motor, e a uma passagem do livro VI, na mesma obra [1026a18].

403b16. A conclusão do capítulo não deixa dúvidas: linha e plano são inseparáveis dos corpos, porque as formas e as quantidades, segundo Aristóteles, existem como propriedades intrínsecas de compostos materiais, embora sejam estudadas por abstração pelos matemáticos. Já as afecções da alma — ao menos aquelas como ânimo e temor — são inseparavelmente acompanhadas de eventos fisiológicos, e ambos os aspectos devem ser abordados pelo estudioso, o que faz dessa investigação um empreendimento das ciências naturais.

Capítulo 2

O capítulo faz um levantamento das opiniões dos predecessores sobre a alma [*tas tôn proterôn doxas symperilambanein*], das concordâncias e discordâncias de pontos de vista sobre três aspectos que mais frequentemente definiram a alma: movimento, percepção e incorporeidade [405b11-2]. A *psykhê*, antes de tudo, parece ser motiva, isto é, capaz de causar movimento, mas também cognitiva, como causa e princípio de conhecimento [*kinêtikon kai gnôristikon*] [404b28]. O principal ponto de concordância é formulado assim: o animado difere do inanimado pelo movimento [*kinêsis*] e por ter percepção [*to aisthanesthai*] [403b26-7]. Qual a natureza de tal princípio de movimento e percepção? É um princípio único ou múltiplo? Nestes pontos incidem as discordâncias, que Aristóteles apresenta em seguida [404b30]. Para alguns, sua natureza é corpórea [*sômatikon*] e, para outros, mais incorpórea e sutil (já que *asômaton* não significa exatamente imaterial, mas o menos perceptível aos olhos); e as posições quanto ao número de princípios também variam. Há no capítulo uma discreta atenção às explicações que pretendem dar conta simultaneamente de mais de um desses atributos.

Em relação à *kinêsis* (literalmente, moção ou movimento), a premissa implícita na maioria dessas opiniões é: [I] o que não está em movimento não pode originar movimento em outro. Pois as opiniões concebiam que, sendo uma espécie de motor — isto é, *o que faz mover* [*to kinoun*] [b29; literalmente, o movente, o que move] e aquilo que fornece movimento aos animais [404a9] —, a alma tinha de ser efetivamente algo *que está em movimento* [*kimoumenon*] [403b31; literalmente, que se move ou que é movido]. A tradução buscou dar a devida ênfase ao fato de que se trata, ao longo de todo o capítulo, do início do movimento, o que está claro na frase em que Aristóteles se expressa da seguinte maneira: a alma é o que fornece o movimento aos seres vivos [*ten psykhên einai to parekhon tois dzois ten kinêsin*] [404a8-9]. Em suma, para a maior parte dos predecessores, a *kinêsis* ou o movimento é o atributo mais apropriado à alma [404a22], que é mobilíssima — *to kinêtikôtaton* [404b8] — e *por excelência o que é capaz de mover*. (Vê-se claramente no argumento uma vocação para um materialismo rústico: a alma, em movimento contínuo, é matéria sutil que empresta movimento idêntico ao corpo em que subsiste.)

As opiniões concernentes à alma como princípio do conhecimento e da percepção sensível [*to ginôskein kai to aisthanesthai*] [404b9] recebem um tratamento sucinto, em dois parágrafos [404b7 e b15]. A premissa de que o princípio do conhecimento precisa ter a mesma natureza que os objetos do conhecimento, formulada pelos antigos na máxima [b] "o semelhante é conhecido pelo semelhante" [b17-8], é mencionada duas vezes: vinculada aos princípios imateriais de Platão, que lhe confere uma versão inteiramente original, e, ao final do capítulo, como uma premissa comum [405b15]. Porém, ela recebe pouca ênfase em comparação com a veemência da crítica que Aristóteles lhe dirigirá posteriormente.

403b20. Aristóteles abre o capítulo com observações sobre o método que efetivamente adotará em sua busca da definição de alma. O procedimento é dialético, isto é, ele é realizado por meio da crítica das opiniões, método que pode ser incluído no que Aristóteles entende por indução (cf. nota 402a7). Se os primeiros princípios de cada ciência não podem ser inferidos de nada mais fundamental — pois uma prova direta seria inevitavelmente uma *petitio principii* —, então o método possível é mostrar as consequências paradoxais das teses em voga. Aristóteles procede em três etapas: (1) apresenta as opiniões em conjunto, (2) aponta suas incongruências, as formulações imprecisas e os pontos obscuros — em suma, os problemas; (3) e, na medida em que é possível substituir essas teses por alguma outra que dê conta das dificuldades apontadas, efetua a prova possível para uma definição. Sobre esse procedimento, ver *Fis.* 221a7-11; *EN* 1214b28.

403b24. Aristóteles apresenta o principal *endoxon* ou a opinião geralmente aceita: *to empsykhon dê tou apsykhou dusi malista diapherein dokei, kinêsei te tôi aisthanestha* —, "há a opinião de que o animado difere do inanimado especialmente em dois aspectos: o movimento e a percepção sensível". Este, de fato, é o foco geral do tratado — a distinção entre o ser dotado de alma [*empsykhon*] e o ser privado de alma [*apsykhon*]. Por movimento está subentendido, como foi dito, o início do movimento.

Vale lembrar que a ciência da natureza, segundo Aristóteles, tem por objeto "tudo aquilo que tem em si mesmo o princípio de movimento e repouso" [*Met.* 1025b19-21], ou seja, o conjunto dos seres naturais. Nesta classe estão não só os animais e as plantas, mas também os corpos elementares inanimados — terra, água, ar e fogo —, que, para Aristóteles, têm naturalmente e em si mesmos a tendência de movimento para cima ou para baixo (isto é, em direção a seu lugar natural [*Fis.* 230b13-4]). Além disso, esses corpos elementares, segundo Aristóteles, têm por natureza a possibilidade de sofrer mudança substancial, na medida em que são capazes de se transformar uns nos outros por meio da troca de suas características essenciais [*GC* II.4]. Em suma, animados *e* inanimados *têm em si mesmos o princípio de movimento e repouso*. Os dotados de alma "iniciam" o movimento, ao que parece, por alguma espécie de decisão e pensamento. Os seres inanimados, por sua vez, tão logo tenham sido retirados de seu lugar natural por algum movimento forçado, movem-se naturalmente em direção a esse lugar natural. Sobre os sentidos da prioridade em relação ao movimento, ver ainda *Fis.* 260b16-9.

Em seguida, Aristóteles acrescenta que alguns filósofos teriam declarado que a alma é *to kinoun* — o movente, o motor, ou seja, aquilo que faz mover. E, supondo (equivocadamente, segundo ele) que só é capaz de originar movimento em outro aquele que se move [*to kinoumenon*], os predecessores concebiam a alma como algo em movimento. Sobre esta premissa, ver *Fis.* 265b32-266a1. (Como veremos no próximo capítulo, Aristóteles concorda que a alma é *to kinoun*, isto é, um tipo de motor do ser vivo, mas refuta veementemente as teorias que veem esse motor como algo que, por mover-se, empresta movimento ao corpo animado — segundo ele, a alma participa do movimento apenas acidentalmente e na medida em que o corpo animado se move. A alma é um princípio *imóvel* de movimento, e a experiência mostra que a alma move o animal "por meio de alguma decisão e pensamento" [*dia proaireseôs kai noêseôs*] [406b15].

403b31. Aristóteles inicia o exame das opiniões por uma breve referência à teoria corpuscular de Demócrito de Abdera. Em *Met.* 985b4, ele se refere a Leucipo (de Mileto) como mestre de Demócrito. Sem entrar no mérito da fidelidade de Aristóteles ao pensamento dos filósofos que cita, cabe dizer que ele atribui aos atomistas duas teses: (1) "a alma é algo quente e uma espécie de fogo", "os [átomos] de forma esférica são fogo e alma" e (2) "o que define o viver é a respiração". É evidente que ele pretende refutar a concepção de que o movimento dos animais resulta da revolução contínua de "átomos" atraídos do ambiente pela respiração; a mesma doutrina é atribuída a Demócrito em *Resp.* 471b30 ss. A expressão "agregado de sementes" traduz *panespermia*, isto é, a mistura caótica de átomos que constitui a sementeira de tudo o que é composto [*Fis.* 203a19 e *GC* 314a28, onde a noção é associada a Anaxágoras]. O levantamento doxográfico dos filósofos pré-socráticos pode ser consultado em Kirk e Raven, *Os filósofos pré-socráticos*. Para uma primeira análise dos argumentos implicados na hipótese corpuscular de Demócrito, ver Barnes, *The Presocratic Philosophers*, caps. XVII e XXII, p. 474-6.

404a16. A visão dos seguidores de Pitágoras de Samos sobre a alma — a quem exatamente ela é atribuída, não está claro — é similar: a alma é o que se move continuamente no ar (as partículas suspensas que sempre se movem, mesmo quando há calmaria absoluta, e que podemos observar nos raios de luz que passam pelas frestas). O ponto ao qual Aristóteles dirigirá sua crítica é aquele que considera a moção ou movimento [*kinesis*] próprio à alma, ao entender que, (3) por mover-se, a alma move tudo o mais. A doutrina é apresentada por Platão em *Fedro* 245c5-246a2 e em *Leis* 895e10-896a4.

404a25. Anaxágoras de Clazômenes compartilha a mesma ideia: (4) o *nous* ou intelecto é o motor (cf. frags. 503 e 504, de Kirk e Raven). Aristóteles sugere que há uma diferença entre Anaxágoras e Demócrito. Este diz que há uma identidade absoluta entre intelecto e alma [*haplôs tauton psykhén kai noun*] [404a28]. Anaxágoras, contudo, algumas vezes parece distingui-los, ao afirmar que o intelecto, no sentido de *phronêsis* ou entendimento, é o primeiro princípio (ou, nos termos do próprio Aristóteles, a causa final e eficiente do universo [*Met.* 984b20-2]) e, outras vezes, parece confundi-los, atribuindo o intelecto, no sentido de alma [*pshykhê*], a todos os animais. A citação de Homero não é exata (e é repetida em *Met.* 1009b28); a passagem refere-se a Euríalo e não a Heitor (*Ilíada* XXIII, 698), e Aristóteles pode estar citando a partir de Demócrito, que teria iniciado o equívoco. A ideia, no entanto, parece-me a seguinte: um golpe desferido contra um sujeito, e que o faz desmaiar, afeta tanto sua vitalidade como seu pensamento, o que seria uma evidência da identidade entre alma e intelecto. Aristóteles, ao que tudo indica, inclui os assim chamados atomistas antigos entre os filósofos que não distinguiam pensamento e percepção sensível, explicando ambos como alteração física, e nesse sentido é possível entender as observações: "Demócrito não se serve do intelecto como uma potência relativa à verdade" e "pois o verdadeiro é o que se revela" (a mesma afirmação aparece em *GC* 315b9). Aristóteles mostra algum desapontamento com Anaxágoras, que, por um lado, teria postulado (corretamente) o princípio de movimento — o intelecto — como algo simples, puro e sem mistura, mas, por outro, não teria conseguido adequadamente prestar contas dessa concepção acertada, deixando de explicar como se dá o movimento [*Met.* 985a18-20]. Demócrito ao menos teria oferecido explicações razoáveis a partir dos princípios que adotou (o reconhecimento do valor de Demócrito é claramente expresso em *GC* 315a34-b1; 316a5 ss.; 325a1-3).

404b7. Inicia-se neste parágrafo o levantamento das opiniões daqueles que enfocam os aspectos cognitivos da alma. Empédocles de Agrigento talvez ilustre a mais notória opinião entre os que postularam múltiplos princípios, com sua difundida teoria dos quatro elementos: terra, água, ar rarefeito ou éter e fogo, além de um princípio motor de atração (*storgê*, literalmente, ternura paternal, amor) e outro de repulsão (*neikos*, isto é, discórdia). Aqui, novamente, Aristóteles faz inferências que talvez não correspondam exatamente ao pensamento do autor (há dúvidas sobre a ideia de que a alma seria, para Empédocles, composta de tais elementos). A mesma doutrina é atribuída a ele em *GC* 334a9 ss. Em relação ao fato de a alma ser o princípio da percepção sensível, Empédocles, ao que parece, deu uma explicação materialista identificando, de certo modo, pensamento e percepção com uma forma de contato e alteração pelo semelhante, ou seja, a um processo físico que envolve locomoção de matéria. A explicação de Empédocles, em linhas gerais, é: há eflúvios [*aporroai*] que emanam dos objetos existentes; os indivíduos têm poros [*poroi*] através dos quais esses eflúvios penetram; alguns eflúvios adaptam-se, outros não, pois, alguns têm o tamanho e o formato certos para preencher o poro e tocar suas paredes. Se tais eflúvios forem ainda homogêneos — semelhantes — a essas paredes, a percepção sensível ocorrerá. O pensamento também deve ter sido concebido como um processo material: os estados intelectuais como estados físicos e os processos intelectuais como operações físicas [frag. 459 de Kirk e Raven]. É difícil, contudo, reconstruir os detalhes da explicação de Empédocles com base nas fontes de que dispomos.

404b15. O segundo pensador citado que teria postulado múltiplos princípios é Platão, que "compõe a alma a partir dos elementos", uma referência à *psikhogonia* descrita em *Timeu* 34c ss; ele será alvo da crítica de Aristóteles em 406b25-407a2. Os elementos em questão são a substância [*ousia*], a identidade [*tauton*] e a diferença [*thauteron*], intermediários entre o indivisível e o divisível, ou seja, entre o que é objeto do intelecto e o que é objeto da percepção sensível. Platão não afirma explicitamente a máxima "o semelhante é conhecido pelo semelhante", mas Aristóteles pode estar inferindo a premissa de *Timeu* 37aC. A alusão às "discussões de filosofia" é polêmica; mas é a Platão que Aristóteles se refere e, provavelmente, às doutrinas sustentadas no final da vida, quando as formas inteligíveis eram concebidas como números [*Met.* 1078b9-12]. Não temos, no entanto, referências textuais primárias dessas teorias, as quais, ao que tudo indica, já estariam ligadas e misturadas às de Xenócrates da Calcedônia, segundo chefe da Academia depois da morte de Platão, cuja concepção era menos matemática e mais voltada para um tipo de numerologia mística. Em linhas gerais, está em questão o seguinte: por um lado, o próprio universo que Platão concebia como um grande organismo vivo ou "animal" é constituído do ponto ao plano e deste ao espaço, assim como o volume e os demais objetos que o universo contém; e este processo é derivado de formas/números — o Uno, a Díade e a Tríade. Da mesma maneira, por outro lado, os princípios do ato cognitivo seriam derivados dessas mesmas formas/números; e o processo de apreensão do objeto — científico, opinativo ou perceptivo — seria uma relação entre semelhantes, isto é, entre os princípios formais do conhecimento e os princípios constituintes da realidade, ambos de natureza numérica.

404b27. A referência aos que "combinaram" estes dois aspectos (os princípios de movimento e de conhecimento) se dirige à tese de Xenócrates — a alma é um número em movimento —, embora a concepção que a inspire se associe igualmente à teoria da alma do mundo, que Platão põe na boca do pitagórico Timeu em seu diálogo homônimo, e às teses de Alcméon de Crótona, segundo Burnet (cf. *Early Greek Philosophy*, p. 195), cuja crítica será formulada no próximo capítulo [406b25-407a2].

404b30. Nesta parte do capítulo, Aristóteles apresenta os pontos de discordância entre os predecessores, no que concerne à natureza mais ou menos corpórea da alma e à quantidade dos princípios, e entre esses e aqueles que postularam princípios tanto de um tipo como de outro. Ainda que alguns pré-socráticos tenham definido a alma pela incorporeidade [*asômaton*], é preciso lembrar que incorpóreo não significa imaterial, mas uma matéria sutil e quase imperceptível ao olho. Assim, o materialismo implícito ou explícito é a tônica dominante de todas as concepções de alma anteriores a Aristóteles.

405a8. Demócrito é novamente elogiado por Aristóteles por ter uma explicação que dá conta dos dois aspectos em questão: a sutileza material e a mobilidade. A superioridade de sua teoria repousaria na possibilidade de explicar, por meio de átomos, o primeiro aspecto e, por meio do formato esférico, o segundo. Era de esperar, contudo, maior ênfase ou detalhe na explicação dos atomistas no que concerne ao aspecto cognitivo da alma, que é apenas sugerido pela identidade átomo esférico = alma = intelecto, o que foi matéria de disputa entre os comentadores.

405a13. Nesta passagem, Aristóteles de certa maneira assume que Anaxágoras se serve de dois termos diferentes [*nous* e *psykhê*] para referir-se a um mesmo princípio (o que foi assumido também por Platão em *Crátilo*, 400A), ao qual corresponderia a causa final e eficiente do universo. Esta *arkhê* de natureza intelectual, separada do corpóreo — simples, pura e sem mistura —, apesar de todo o desapontamento de Aristóteles com o limitado poder explicativo que Anaxágoras lhe confere, terá grande influência sobre a sua própria concepção do intelecto [429a18-20]. Quanto à opinião atribuída a Tales, o texto literalmente afirma: "se é que disse ter a pedra alma por mover o ferro". Mas os intérpretes são unânimes em vincular a tese a uma passagem de Platão [*Íon*, 533D], em que é mencionada a pedra que Eurípedes denominou de magnética.

405a21. Diógenes de Apolônia, ridicularizado por Aristófanes na comédia *As nuvens*, escreveu *Peri physeôs*, um tratado (a que Simplício se refere e Teofrasto dirige críticas) um tanto eclético e, ao que parece, influenciado por Leucipo e Anaxágoras. O destaque que recebe de Aristóteles talvez se deva ao fato de que sua tese procura explicar tanto o poder de conhecer da alma como o poder de mover por ser constituída de ar. A menção a "alguns outros" que, como ele, julgariam que o ar é o elemento mais incorpóreo e também princípio é dirigida provavelmente a Anaxímenes e Anaximandro de Mileto, a Anaxágoras e a seu discípulo Arquelaus de Mileto, o qual teria sido professor de Sócrates, segundo Diógenes Laércio. Uma passagem do diálogo *Fédon* [96B], de Platão, é uma evidência de que a opinião, de fato, era familiar a Sócrates. Heráclito de Éfeso, por sua vez, teria afirmado, de acordo com Aristóteles, que a alma é uma exalação [*anathymiasis*, um vapor quente e úmido]. Sua concepção reúne os elementos das visões filosóficas mais rústicas (ar, fogo e água), combinando-os com a visão tradicional (a alma é o sopro de vida que escapa no instante da morte) e com uma base, digamos, científica (vivemos pela respiração). O aspecto mais conhecido do pensamento de Heráclito é a tese de que todas as coisas estão em fluxo constante [*panta khôrei*], mencionada por Platão em *Crátilo* [402a]. Sobre Alcméon de Crotona, sabe-se que concebia o cérebro como centro da percepção sensível, a produtora de conhecimento, opinião citada anonimamente em *Fédon* [96b] e atribuída explicitamente a Alcméon por Teofrasto de Éresos, discípulo e sucessor de Aristóteles na chefia do Liceu.

405b1. Ao que tudo indica, o exame de opiniões feito por Aristóteles avança das que merecem mais consideração para as que merecem menos, e o critério aqui parece ser o das teses que melhor davam conta do aspecto "incorpóreo" da alma. As posições qualificadas como as mais vulgares são atribuídas a Hipon (de quem pouco sabemos, e cuja má reputação é reiterada em *Met.* 984a3) e a Crítias, o famoso líder dos Trinta — grupo de oligarcas que governou Atenas na crise posterior à Guerra do Peloponeso (431-404 a.C.) — que participou do círculo socrático e figura em alguns diálogos platônicos.

405b10. O parágrafo é de conclusão e recapitulação. A observação "Todos [...] definem a alma [...] por três atributos [...] e cada um deles remonta aos princípios" deve ser entendida no sentido de que nenhuma teoria sobre a alma aborda nenhum aspecto além dos mencionados, e que tais teorias guardam conexão com as respectivas especulações sobre os princípios do universo. Em relação à máxima "o semelhante é conhecido pelo semelhante", a exceção é Anaxágoras, para quem o semelhante é impassível em face do semelhante. O ponto será retomado em 417a1 ss., quando Aristóteles examina a percepção sensível como um todo, mas liga-se especialmente à discussão de *GC* 323b1 ss. Anaxágoras é também explicitamente ressaltado por não ter conectado o intelecto a nenhum elemento (no que fez bem), mas é repreendido por não ter sido capaz de explicar adequadamente de que modo o *nous* conheceria seus objetos. Aristóteles distingue os filósofos que postulam como princípios as contrariedades — tal como a teoria dos quatro elementos de Empédocles, em que as qualidades opostas de seco e úmido, quente e frio estão implicadas — daqueles que postulam um único elemento (ao qual caberia um único contrário) — tal como Heráclito e Hipon, em relação, respectivamente, ao quente (ou fogo) e ao úmido. Ele trata ainda desse tópico em *Met.* 1075a28 ss., 1087a29 ss., 1004b29 ss.; e especialmente no capítulo 5 da *Física*. Aristóteles observa, por fim, que alguns predecessores (Heráclito e Hipon) se deixaram guiar por meras etimologias.

Capítulo 3

Os capítulos 3-5 formam um bloco único de crítica às opiniões dos filósofos predecessores sobre a alma. Este bloco pode ser dividido em três partes principais: [1] crítica às soluções propostas para a questão do movimento [*peri kinêseôs*] nas teses: (a) a alma é um motor em movimento, (b) a alma é uma harmonia, (c) a alma é a razão da mistura do corpo e (d) a alma é um número que move a si mesmo [3, 405b31-5, 409b18]; [2] crítica à tese de que a alma é composta dos mesmos elementos que percebe e conhece [5, 409b19-411a26]; [3] considerações sobre o problema de tratar adequadamente a unidade da alma [411a26-b30].

Em relação ao movimento, Aristóteles aceita, de fato, que a alma seja capaz de produzir movimento no corpo vivo, isto é, a alma é o princípio das mudanças dele. A alma, contudo, não é algo em movimento — em seus termos, nem em ato nem em potência. A alma é, segundo Aristóteles, um movente ou motor não movido — noção que lhe é cara, celebrizada pelos leitores do livro XII da *Metafísica* com a expressão "motor imóvel" ou "motor não movido". Com argumentação estreitamente ligada à da *Física*, Aristóteles pretende mostrar que (a) é impossível conceber a alma como um movente em movimento, ou seja, como "motor móvel". A consequência desta crítica não é menor: está implicitamente descartada a possibilidade de a alma ter uma natureza material. Neste capítulo, estarão no foco da crítica aristotélica especialmente as teses dos atomistas e a de Platão.

A refutação ocorre frequentemente por *reductio ad absurdum* ou por *reductio ad impossibile*. A redução é um caso particular do raciocínio hipotético, e seu padrão geral é: se *a* é verdadeiro, então *b* é verdadeiro; ora, *b* é falso, logo *a* é falso. A redução ao impossível é eficiente, mas é uma prova menor; recorre a uma premissa auxiliar ao lado da hipótese inicial e é suficiente inferir uma conclusão que contradiga a hipótese inicial. A redução ao absurdo, por sua vez, é uma prova mais forte, em que a conclusão é autocontraditória; o padrão exemplar é um legado dos pitagóricos e pode ser reconstruído a partir de *P. Anal.* I.23, 41a26-30: se é verdade que (a) o lado e a diagonal do quadrado são comensuráveis, então é verdade que (b) o número par é também ímpar; ora, (b) é absurdo, pois enuncia uma contradição em termos; logo, (a) é falso.

405b31. Aristóteles examinará duas proposições ligeiramente distintas: (1) a tese de que a alma é o que move a si mesmo ou o que pode mover (a si mesmo) [*to kinoun heauto ê dynamenon kinein*], o que significaria dizer que a alma move a si mesma em ato ou em potência; e (2) a tese um pouco mais geral de que a alma se move de uma outra maneira qualquer. Aristóteles concorda que a alma seja *to kinoun*, isto é, *kinetikon* — o movente, aquilo que é capaz de mover (o corpo); todavia, isso não implica concebê-la como algo que se move e está em movimento [*kinoumenon ti*]. É preciso distinguir (a) o que é movido — o corpo — (b) daquilo que faz mover — a alma; a parte movente não está propriamente em movimento, mas é movida acidentalmente, já que faz mover o corpo em que está. A alma é princípio imóvel e imaterial dos movimentos do corpo vivo.

406a3. Com o primeiro argumento, desenvolvido em *Fis.* VIII, 5, Aristóteles apenas teria mostrado que *não é necessário* que aquilo que faz mover esteja em movimento; mas o seu objetivo é provar uma tese ainda mais forte — que *é falso* conceber a alma como um motor em movimento. O que está, de fato, em questão nesta passagem não é a tese, mas sua premissa — a saber, que todo motor ativo está em movimento.

Vale reconstituir o contexto e as linhas gerais do argumento desenvolvido naquele tratado. O primeiro capítulo abre perguntando "se o movimento sempre existiu e sempre existirá, sendo uma espécie de vida de tudo o que é constituído por natureza" [250b11-6], e apresenta dois argumentos para provar que o movimento é eterno e imperecível: (1) pois, do contrário, teria de haver uma mudança anterior à primeira mudança e uma destruição posterior à última mudança — [*red. ad absurdum*] — e (2), se há sempre tempo e se o tempo é o número do movimento, então é necessário também que o movimento seja eterno. No capítulo 3, Aristóteles responde a algumas objeções; uma delas é particularmente interessante: se observamos que os animais em repouso podem iniciar movimento por si mesmos, por que isso não poderia ocorrer com o universo? Em suas palavras: "Não estando em nós nada em movimento [isto é, estamos parados — *hesykhazontes*], em certo momento nos movemos, ocorrendo em nós e a partir de nós mesmos um princípio de movimento, sem que nada externo tenha se movido" [252b17-29]. E sua resposta é a seguinte: o movimento dos animais não é iniciado a partir da imobilidade; nota-se que neles sempre há algo congênito que se move e que não é ele próprio que dá início e que causa tal movimento, mas talvez o ambiente. E mais: só no caso da locomoção parece haver início de movimento por si mesmo, mas muitos deles são produzidos pelo ambiente: algo do ambiente provoca a reflexão e o desejo, e o desejo faz o animal inteiro mover-se [253a18-20]. No capítulo 4, é enunciada a conclusão: tudo o que se move mover-se-á por algo [*hapanta an ta kinoumena hypo tinos kinoito*] [256a4-5]. No capítulo 5, contudo, Aristóteles admite que é impossível haver uma série infinita na qual aquele que faz mover também seja movido por algo idêntico (isto é, que também se move [*to kinoun kai kinoumenon hyp' allou auto*] [256a18-9]). Portanto, em tal série, há o primeiro que move e o último que é movido: "Não é necessário que aquilo que se move seja sempre movido por algo que se move [...] e assim ou (1) o primeiro que se move é movido por algo em repouso [*hypo êremountos*] ou (2) o primeiro que se move moverá a si mesmo [*auto heauto kinêsei*]" [257a26-8]. Em seguida, apresenta três argumentos para refutar a alternativa (2), concluindo que a única maneira de conceber algo que move a si mesmo é pressupondo (a) um aspecto imóvel — *akinêton* — que seja capaz de causar movimento, e (b) um aspecto movido [258a1-2]. A mesma conclusão recebe uma elaboração adicional, uma possível objeção é respondida, a conclusão final é enunciada: o primeiro agente de movimento é não movido [b3-9]; em suma: "o primeiro motor" é imóvel.

Aristóteles, na segunda frase, prepara uma nova crítica, combinando as suas próprias doutrinas com as teses que quer refutar. O primeiro passo é distinguir movimento *kath' hauta* —

segundo si mesmo — de movimento *kath' heteron* — *segundo um outro*. Na *Física*, a oposição mais frequente é entre *kath' hauta e kata symbebêkos* — *acidental*. O emprego, nesta passagem, de *kath' heteron* permitirá a Aristóteles incluir, no movimento segundo um outro, o caso do item que nem é uma parte, nem é um atributo do todo que se move (e este é exatamente o caso da alma em relação ao corpo). É interessante, contudo, rever a explicação completa dada por Aristóteles, em *Fis.* VIII, 4, para o movimento essencial [*kath' hauta*] e o movimento acidental [*kata symbebêkos*] (*e.g.*, o vermelho da bola que se move por ser inerente à bola que é movida; a foice que é movida quando seu cabo foi posto em movimento pelo ceifador). A tese geral, como foi dito anteriormente, é que tudo é movido por algum agente [*hypo tinos*], seja ele interno (e neste caso o movimento é por si mesmo), seja ele externo (isto é, por outro [*hyp' allou*]). E ainda: que tudo é movido ou por natureza [*physei*] ou por coerção e contra a natureza [*biai kai para physin*]. Há, então, quatro alternativas possíveis: [1] o movimento natural por si mesmo (caso do animal que, como um todo orgânico, tem um agente interno e natural de suas mudanças substanciais); [2] o movimento coagido por outro (quando o seu corpo é, por exemplo, empurrado por outro animal); [3] o movimento natural mediante outro (com a remoção de um obstáculo, por exemplo, a terra move-se para baixo, que é o seu lugar natural) e [4] o movimento coagido por si mesmo (um homem pode por si mesmo andar, por exemplo, sobre as mãos ou rolar pelo chão).

406a13. Feita a distinção, Aristóteles dá início ao exame crítico da primeira alternativa, analisando se é possível que a alma seja movida por si mesma [*kath' hautên*]. Este segundo argumento [a12-22] é uma redução ao absurdo, apresentado, em linhas gerais, da seguinte maneira: se a alma é movida segundo si mesma, o seu movimento é natural; há quatro espécies de movimento natural: locomoção, alteração, decaimento e crescimento; como todos são redutíveis à locomoção, então todos também implicam sua ocorrência em um lugar [*Fis.* VIII, 7, 260a26-b15]; logo, se a alma se move de acordo com alguma dessas espécies, ela existirá em um lugar e haverá um lugar próprio à alma no universo, isto é, uma região para onde ela naturalmente tenderá, o que é absurdo. Há duas observações a fazer a esse respeito. Aristóteles, em geral, admite a existência de dois tipos distintos de *metabolê*: [1] a mudança substancial, isto é, a geração e a corrupção [*genesis kai phthora*], aquela que traz uma substância à existência ou desta a expulsa (por exemplo, do ser ao não ser homem; cf. *Fis.* V. 1, 224b9-11); e [2] as *kinêseis* ou movimentos segundo uma das seguintes categorias: (a) de quantidade (o crescimento e o decaimento, que leva ao perecimento [*auxêsis kai phthisis*]); (b) de qualidade (alteração [*alloiôsis*]) e (c) de lugar (movimento local [*phora*]), em outras palavras, processos que envolvem a mudança de alguma afecção do sujeito (por exemplo, tornar-se adulto, músico e andar até o Pireu; cf. 225b6-9). Assim, a divisão costumeira do movimento, segundo Aristóteles, é tripartite. A *phthisis* é, literalmente, a diminuição relativa à quantidade; no caso dos seres vivos, ela frequentemente está associada ao perecimento que conduz à morte, isto é, a uma degeneração substancial. O termo *lugar* [*topos*] é empregado em duas acepções ligeiramente distintas: como sinônimo de *khôra* — isto é, a parte do espaço situada entre dois objetos ou ocupada por um corpo [a16] — e em referência ao lugar próprio [*topon oikeion*].

406a22. Este terceiro argumento apresentado por Aristóteles apoia-se na premissa de que todos os elementos do mundo sublunar — terra, água, fogo e ar — se movem retilineamente para o seu lugar natural e admitem um movimento por coerção em sentido contrário [*Fis.* IV. 8, 215a1-6]. O presente argumento é por redução ao absurdo e afirma que, se a alma é movida por natureza [*physei*], então também poderia sê-lo por coerção [*biai*]; da mesma maneira, a alma repousaria por natureza e por coerção; mas é de todo absurdo pensar em movimentos e repousos coagidos da alma. O problema do argumento é que o movimento circular, próprio aos corpos celestes, não admite movimento coercitivo [*DC* I, 3], e assim a premissa maior (se é movida por natureza, também por coerção poderá ser movida [*ei physsei kineitai, kan biai kinêtheiê*] [a22-3]) não é um princípio geral verdadeiro; e depende também de um argumento adicional que prove que nada no mundo sublunar pode ter a natureza dos corpos celestes. A redução ao absurdo, pelo verbo *plattein* (literalmente, fantasiar; empregado, por exemplo, em *Timeu* 26 E), parece antecipar a crítica que Aristóteles fará ao mito platônico, que afirma que a alma foi submetida ao movimento circular pela ação direta do demiurgo.

406a27. O quarto argumento é dirigido àqueles que associam a alma a algum dos quatro elementos. Aristóteles sustenta que, neste caso, a alma comunicaria ao corpo exclusivamente o movimento próprio ao elemento em questão; por exemplo, sendo fogo — como pretendem os atomistas —, a alma locomoveria o corpo somente para o alto; se o fizesse para baixo, seria necessariamente terra; e, por fim, no caso de locomovê-lo para as regiões medianas do universo, a alma seria então água ou ar, pois estes são os elementos intermediários que tendem aos lugares também intermediários [*DC* IV, 4, 311a15-b14]. O quinto argumento (literalmente, "e se é assim, também é verdadeiro dizer, convertendo [...]"), mais uma vez, é um raciocínio por redução ao absurdo; e a interpretação de sua conclusão deu margem a divergências entre os comentadores. O sentido geral parece ser este: Aristóteles, *convertendo* (isto é, invertendo, e começando pelo que é mais conhecido e primeiro para nós — e não pelo que é primeiro na ordem do conhecimento e da causalidade), examinará os efeitos observáveis (o movimento do corpo) para inferir a causa inteligível (o movimento da alma): se alma move o corpo, ela se move por movimentos idênticos ao dele; ora, o corpo move-se por locomoção [*phorai*], isto é, deslocando-se de um lugar a outro; logo, a alma também poderia mudar de lugar (conclusão que não está explicitada, causando dificuldades aos comentadores). De qualquer maneira, este parece ser o sentido: a alma poderia se locomover pelo corpo, [1] ou mudando de lugar, deslocando-se toda ou em partes [*ê holê ê kata moria methistamenê*] para uma ou outra região do corpo; ou [2] mesmo entrando novamente no corpo após ter saído [*ecselthousan eisienai palin*] [a3-4], permitindo que o ser vivo reviva após ter morrido [*to antistasthai ta tethneôta tôn zôôn*] [a5]. Tendo inferido que a alma deveria, então, deslocar-se pelo corpo, há duas espécies possíveis de locomoção em jogo: primeiro, quando algo por inteiro muda de lugar; segundo, quando uma de suas partes se desloca, embora o todo permaneça no mesmo lugar (por exemplo, quando a periferia da esfera se desloca em torno de seu eixo imóvel).

406b5. Examina-se, neste parágrafo, a segunda alternativa: se é possível que *a alma se mova segundo outro* [*kath' heteron*] [406a4]. Em outras palavras, Aristóteles ocupa-se ainda de refutar a tese de que a alma é algo em movimento, só que passa a examinar a possibilidade de tal movimento ser ocasionado por um agente externo. A alternativa não se confunde com sua própria opinião — a saber, que *a alma é imóvel* e imaterial e é *acidentalmente* movida pelo corpo, cujo movimento é originado por ela, que está nele (pelo que também é melhor dizer que o movimento, provocado pelos objetos da percepção, chega *até* a alma, e não que eles *movem* a alma [408b13-18]). Como sexto argumento, Aristóteles apresenta, em linhas gerais, o seguinte paradoxo: se a alma é movida acidentalmente, seu movimento então é por outro [*hyph' heterou*] [b6], mas, como algo que essencialmente move a si mesmo, só é movido por outro acidentalmente; é opinião corrente, contudo, que a alma é essencialmente movida pelos objetos da percepção; neste caso, teríamos paradoxalmente um movimento *essencial* por outro (e o movimento da alma, de fato, é *acidental* e por outro; o movimento dos objetos da percepção chega *até* ela, sem ser propriamente um movimento da alma). Este ponto foi levantado por Lucas Angioni. A refutação parece alcançar tanto a explicação dos atomistas [ver a nota 404a7-b15] como a explicação platônica da percepção sensível. No diálogo *Timeu* [37b ss.], que será explicitamente criticado a partir de 406b25, a alma do universo é pensamento em atividade contínua e é comparada ao movimento de rotação de dois círculos — a revolução do mesmo [*tauton*] e a revolução do outro [*thateron*]. As almas humanas particulares, unidas a um corpo, estão em atividade discreta e, de tempos em tempos, sofrem um distúrbio cuja interferência resulta em percepção [cf. 43a-c], e teria sido por isso que todos esses movimentos depois se chamaram — e até hoje se chamam — percepções sensíveis [*aisthêsis*, sensação, termo relativo ao verbo *aissô*, ser agitado].

406b11. O sétimo argumento é uma redução ao absurdo. Se a alma não é movida por outro, mas move-se a si mesma, e se todo movimento é deslocamento ([*ekstasis*, literalmente, pôr fora] por exemplo, na alteração, o branco tornando-se preto, põe-se fora do branco), então a alma, ao mover-se, também sairia de sua própria substância. Em outras palavras, se ser, para a alma, é mover a si mesma, então, após o movimento, logicamente a alma não seria mais o que era antes do movimento.

406b15. O oitavo argumento, por sua vez, é uma redução ao impossível: se a alma move-se e comunica este movimento ao corpo, como pretendem os que dizem que os átomos esféricos em movimento são alma (que comunicam este movimento ao corpo, assim como o mercúrio — literalmente, prata fundida — teria comunicado movimento à Afrodite de madeira), seria impossível, então, que a alma comunicasse ao corpo o repouso. Ora, é manifesto que o corpo tanto se move como repousa; logo, é impossível que o movimento seja comunicado daquela maneira, isto é, por estar a própria alma em movimento.

406b25. Neste parágrafo tem início a segunda parte, em que Aristóteles faz críticas à doutrina da alma do universo exposta por meio de um mito, no *Timeu*. Depois de afirmar que a posição de

Platão é semelhante à de Demócrito — pois explica em termos físicos (ou naturais) o movimento que a alma imprime no corpo [b28] —, Aristóteles faz uma apresentação tão sucinta quanto literal da doutrina platônica.

Cabe, em primeiro lugar, fazer a ressalva de que tomar o mito literalmente é uma licença que, de certa forma, desconsidera o fato de Platão recorrer a este tipo de imagem justamente quando percebe que o discurso racional se torna demasiado estreito para expressar ideias tão abstratas como a da imortalidade da alma e a da origem divina do mundo. O mito, por certo, é parte orgânica e não ornamental dos diálogos; mas convém ter cautela com interpretações ao pé da letra. Os estudiosos, por exemplo, são unânimes quanto a entender a narrativa não como sucessão cronológica, e sim como descrição da dependência ontológica que o universo guarda em face de uma causa inteligente — portanto, não se trataria de "criação" em sentido estrito, mas da planificação racional que se manifesta constantemente em um universo que sempre existiu. O mito sugere, ainda, que para Platão — bem como para Aristóteles — os princípios dos filósofos materialistas não podem ter um papel diretor na ordem do universo.

De qualquer modo, uma breve exposição da narrativa de Platão colabora para o entendimento das críticas de Aristóteles. O diálogo de *Timeu* retoma o tema da *República*: a constituição do Estado perfeito. E, em vista disso, retrocede ao passado glorioso de Atenas e, ainda mais, ao princípio de todos os tempos para chegar ao modelo do que pode ter sido a humanidade em seu estado de inocência original. Com a finalidade de mostrar a natureza do homem a partir da origem do cosmos, Timeu é chamado a discursar na qualidade de astrônomo. O mito narrado descreve a ação cosmogônica do demiurgo (*dêmiourgos*, isto é, artesão, que é também referido como magistrado, legislador, governante; ver 42d2-3, 48a2) ou causa eficiente da ordem universal. Platão recorre a esta imagem para expressar uma concepção racional da melhor causa ordenadora e conservadora, cuja ação e presença é permanente e eterna no universo como um todo. O demiurgo é, como todo artesão, orientado pela intelecção de uma finalidade; sua arte não é *ex nihilo*, mas limita-se tanto por um estado inicial de desordem como por um padrão ideal que guia sua obra. Já que as formas em si carecem de verdadeiro poder produtivo, constituindo paradigmas transcendentes, o caráter de causa motriz [*arkhê kinêseôs*] [ver *Fedro* 245c; *Leis* X, 896b] é desempenhado pela alma (ou, mais especificamente, pelo *nous*), a qual é representada, na narrativa mítica, pelo demiurgo — instância dependente e inferior às formas na estrutura do real. O demiurgo é, portanto, a imagem do aspecto intelectual imanente à alma do universo; é o elo mediador que permite conectar dois níveis ontológicos completamente heterogêneos: o inteligível imutável e o perceptível mutável. Em suma, segundo a *psykhogonia* narrada por Timeu, o demiurgo, inspirado pelo modelo inteligível, criou a alma do universo, misturando três elementos originais: substância [*ousia*], identidade [*tauton*] e diferença [*thauteron*], que, por sua vez, são intermediários entre o indivisível [*ameriston*] e o divisível [*meriston*], isto é, entre o inteligível e o perceptível [*Timeu* 35a]. Em seguida, dividiu essa substância intermediária segundo regras de harmonia, criando uma série de números — 1, 2, 3, 4, 8, 9 e 27 — que organizou em duas progressões geométricas: (a) uma de intervalo duplo — 1, 2, 4 e 8 — e (b) outra de intervalo triplo — 1, 3, 9, 27. Preencheu, ainda, os intervalos destas séries com o auxílio de dois tipos de médias: [1] a média aritmética — 2:3:4 (em que a média é a soma do primeiro e do segundo números, dividida por dois) e [2] a média harmônica — 3:4:6 (em que a média ultrapassa os termos da progressão de intervalo duplo em uma fração de 1/3 e a de intervalo triplo em uma fração de 1/2). Criou, assim, uma série de números com intervalos proporcionais, que dividiu em dois no sentido do comprimento, cruzando as duas partes, curvando-as em círculos, imprimindo nelas um movimento de rotação uniforme e fazendo um dos círculos interior (subdividido, por sua vez, em sete círculos concêntricos correspondentes às órbitas "planetares" — Lua, Mercúrio, Vênus, Sol, Marte, Júpiter e Saturno) e o outro exterior (correspondente à órbita das estrelas fixas). Da composição e partição da mistura original e formal, o demiurgo, portanto, criou algo visível e concreto: a abóbada celeste. Criou, enfim, certa imitação móvel da eternidade — o tempo, isto é, uma imagem eterna que progride segundo a lei dos números [*Timeu* 35b-38c]. O demiurgo criou, também, o corpo do universo: se o mundo é extenso, tangível e visível, então as medidas do mundo material têm de ser medidas cúbicas; a matéria do mundo é matéria na forma de sólidos (isto é, tangível, b^3 ou terra) e na forma de radiação de luz (isto é, visível, a^3 ou fogo). Entre esses dois elementos — a^3 e b^3 — podem ser encontradas duas médias proporcionais, dois termos que, junto aos termos originais, formam uma progressão geométrica: a^3, a^2b, ab^2, b^3, ou seja, fogo, água, ar e terra. A matéria recorta-se em lâminas delgadas triangulares; há dois tipos de triângulos ou elementos construtores invariáveis: (1) o triângulo isósceles de ângulo reto e (2) o de ângulos de trinta e de sessenta graus, de forma que 24 triângulos do tipo (1) formam o corpúsculo cúbico do elemento terra; 24 triângulos do tipo (2) formam o corpúsculo tetraédrico do elemento fogo; 48 triângulos do tipo (2) formam o corpúsculo octaédrico do elemento ar; e 120 triângulos do tipo (2) formam o corpúsculo icosaédrico do elemento água [ver *Timeu* 53c-55e]. A *psykhogonia*, portanto, concerne à alma e ao corpo do universo [*kosmos*, isto é, *ouranos*, *to pan*]; assim, para Platão, o próprio universo seria um animal ou ser vivo [*zoon*] inteligente em virtude de seu intelecto, o qual reside na alma, e de sua alma, que reside no corpo [30b], incluindo, por sua vez, todos os demais seres compostos de corpo e alma. Uma observação final: segundo a exposição de Platão, a alma é originariamente em linha reta e torna-se circular pela ação do demiurgo; logo, o movimento circular — apontará Aristóteles — não seria essencial à alma.

407a2. Aristóteles prepara seus argumentos contra a tese da alma como magnitude [*megethos*], que implicaria assumir tanto que a alma é uma entre três espécies de grandeza — linha, superfície, sólido (e, assim, os dois círculos da *psykhogonia* platônica que se cruzam em um ponto seriam grandezas no sentido de linhas) —, como que a alma-magnitude pode ser subdividida, por sua vez, em magnitudes também contínuas [*synekhes*] [cf. *Fis.* IV, 11, 219a11]. De acordo com Aristóteles, contudo, aquilo que primordialmente faz mover (o assim chamado primeiro motor) é necessariamente sem partes e não dimensional [*Fis.* VIII, 10, 266a10]; em outras palavras, o *nous* é *ameres*. Cabe lembrar também que, se para Platão as entidades matemáticas são objetivas e mais reais que os objetos perceptíveis, para Aristóteles elas são entidades inseparáveis desses objetos e só podem ser isoladas por meio de abstração. A premissa em questão, para todas as críticas de Aristóteles, é a de que Platão pretende que a alma do universo seja exclusivamente *nous*, isto é, intelecto (a interpretação é razoável, na medida em que Platão introduz percepção sensível e desejo somente quando narra a criação das almas particulares, tratando-as como perturbações da atividade intelectual).

Em linhas gerais, estas são as objeções de Aristóteles: a alma não é uma magnitude; se fosse, seria impossível explicar o pensamento — pois ele teria de ser eterno e infinito, enquanto, de fato, todo pensamento é finito; teria de ser, ainda, uma locomoção circular recorrente, mas o pensamento parece mais um repouso. O primeiro argumento é o seguinte: se a alma é intelecto, e se a unidade do intelecto é como a continuidade dos pensamentos — que é como a continuidade dos números, ou seja, em sucessão, se é que se deve chamar isso de continuidade —, então o intelecto não é uma magnitude contínua como a grandeza extensa e mensurável — tampouco a alma — e sua unidade é a da sucessão. Aristóteles está antecipando, neste argumento, a sua própria teoria do intelecto, quando assume a identidade entre os pensamentos e o *nous* (que ele, em 429a22-24, define como intelecto em ato).

407a10. Segundo argumento: se a alma for uma magnitude, como ela pensará? Trata-se de uma preparação para o argumento: pensará ou (1) por inteiro ou (2) em partes. Mas, nesse caso, pensará ou (a) de acordo com a magnitude [*kata megethos*] ou (b) de acordo com o ponto [*kata stigmên*]. O ponto é definido como a unidade que tem posição. E Aristóteles expressa sua própria convicção de que a linha é potencialmente, mas não em ato, divisível em pontos, quando acrescenta "se é que se deve chamar de parte o ponto"; e isso significa que o ponto não é o constituinte real da reta — tampouco o instante, relativamente ao tempo [*Fís.* IV, 11, 220a18] — mas é apenas limite da divisão possível de uma reta. O argumento pressupõe que se entenda o movimento do intelecto como pensamento, e pensamento como o contato com o objeto. Ora, se Platão concebe o intelecto como círculo, seu movimento seria necessariamente uma locomoção circular; nessas condições, como se daria o processo de intelecção? [a13] Se o pensamento é, durante a locomoção circular, o contato de cada um dos pontos do círculo com o objeto, então será um movimento sem fim, pois os pontos são infinitos e ele nunca os percorrerá a todos. Em outras palavras, o pensamento levaria um tempo infinito para pensar o seu objeto. [a14] Se pensar o objeto for um contato de partes sucessivas do círculo, o pensamento não seria um ato singular e instantâneo, pois diversas partes do intelecto entrariam sucessivamente em contato com o objeto, de maneira que se pensaria o objeto diversas ou repetidas vezes — ou melhor, infinitas vezes, já que a circunvolução é eterna. Mas isso contradiz a experiência, pois é evidente que se pode pensá-lo uma só vez. E ainda: sendo suficiente tocar apenas com alguma parte, seria ocioso ser uma locomoção circular inteira, ou seja, seria irrelevante dizer que é uma parte do todo, bastaria mencionar que o pensamento é o contato da parte. O pensamento poderia ser o movimento de tocar com o círculo todo e de uma só vez; mas, neste caso, o que seria o contato das partes? Em outras palavras, a que serviria o contato das partes? e como o todo, constituído de partes que não pensam, poderia pensar? [a18] E ainda: se o intelecto toca em um ponto, não poderia apreender aquilo que é divisível, pois é impossível o indivisível adaptar-se ao divisível; e, inversamente, se o faz de acordo com uma grandeza divisível, como poderia tocar o indivisível? A experiência mostra que, de fato, o intelecto pensa objetos tanto divisíveis como indivisíveis.

407a19. Aristóteles prepara o seu terceiro argumento: se a atividade do *nous* é *noêsis* e se a atividade do círculo é locomoção circular [*periphora*]; e já que a atividade do círculo é expressamente pensamento — então, segundo Platão, o intelecto é idêntico a tal círculo, posto que aquelas coisas que têm atividades idênticas são essencialmente idênticas em natureza. O raciocínio é o seguinte: se o pensar é uma locomoção circular, qual seria o pensamento eterno do *nous*? [a22] Pois é preciso pensar algo sempre, se é que a locomoção circular é eterna e o pensamento é tal movimento. Aristóteles prova que não há pensamento sem limite: [a23] cada um dos pensamentos práticos é limitado pelo fim que persegue e, para que este possa de fato ser realizado, a série de meios em vista de tal fim tem de ser igualmente finita; [a24] os pensamentos teóricos, por sua vez, ou são enunciados de definição — que é essencialmente uma formulação delimitada — ou são deduções e demonstrações — as quais procedem invariavelmente das premissas às conclusões; e há como provar que as séries dedutivas e demonstrativas são necessariamente finitas [*S. Anal.* I, 3 e 19-23]. Anexo ao mesmo argumento, ele acrescenta: a locomoção circular poderia não ser eterna, mas repetir-se diversas vezes; mas, ainda neste caso, o que o intelecto poderia pensar repetidamente?

407a32. Aristóteles apresenta agora argumentos finais, de caráter mais geral. Este quarto raciocínio parece recorrer à intuição do homem comum: pensar é deter-se no objeto e fixá-lo, de modo que o pensamento guarda mais analogia com o repouso do que com o movimento. Esta é expressamente a opinião de Aristóteles em *Fis.* VII, 3, 247b10-14; e parece ainda estar sugerida em sua doutrina de que o universal é um certo repouso na alma [*S. Anal.* II, 19, 100a6-7].

Aristóteles alega que, se sua alma estiver em movimento, o universo não será um ser feliz como pretende Platão [*Timeu* 34b]. O texto da passagem apresenta dificuldade; a frase literalmente diz: "Se o movimento é não substância [*mê ousia*] dela (a saber, da alma do universo, isto é, do intelecto)", e pode significar (a) que o movimento do intelecto não é essencial ou (b) que o movimento é a negação de sua substância. O contexto sugere que a segunda alternativa é melhor. Em outras palavras, Aristóteles não somente diz que a alma do universo (o intelecto) não está essencialmente em movimento, mas também que o movimento é a negação de sua substância. Pois, ainda que não se mova essencialmente, disso não decorre que seu movimento seja forçado (da mesma maneira que, se a essência do homem não é andar, não se pode inferir que o andar para o homem seja um movimento forçado). A conclusão pede que se interprete o quinto argumento da seguinte maneira: se o repouso é a substância do intelecto, o movimento seria contrário a sua natureza e, consequentemente, seria algo penoso que tornaria impossível a felicidade que Platão lhe atribui. Seria igualmente penoso não poder libertar-se do corpo, como o próprio Platão já expressou em *Fédon* 66 B.

407b5. O sexto argumento levanta um ponto que não teria sido explicado. Se a locomoção circular não é uma propriedade essencial da alma do universo, não há uma boa razão para que ele se mova em círculo. Pois a causa de tal movimento certamente não seria o corpo, visto que ele é o movido e não o motor. Examinar qual é essa razão, contudo, seria assunto de um outro tratado, a saber, o *De Caelo*.

407b13. Aristóteles fecha o capítulo apontando a falha mais grave desta e de outras explicações: não esclarecem como se dá a unidade entre um dado corpo e sua alma, em outras palavras, quais as condições necessárias para que determinado corpo seja um corpo vivo. De acordo com a doutrina do próprio Aristóteles, a alma precisa de um corpo orgânico para que ele possa realizar suas funções [*DA* 412a28]. Para que algo atue sobre outro — e para que este possa sofrer tal ato —, é preciso que haja entre ambos certa relação: é necessário que o segundo tenha em potência a forma que o primeiro tem em ato, pois não é qualquer matéria que está apta a receber qualquer forma. A comparação entre a arte do carpinteiro e a alma não é exata — pois a habilidade do artesão é separada do instrumento e a capacidade que a alma inscreve é imanente ao corpo — e significa simplesmente que, em geral, a forma só pode se realizar em uma matéria qualificada, pois, se uma finalidade deve realizar-se plenamente, seu instrumento deve estar adaptado àquele fim. A passagem serviu como referência textual para a interpretação da psicologia aristotélica em termos de dualismo substancial; contudo, a análise do contexto parece limitar bastante tal alternativa.

Capítulo 4

O tema central do capítulo é a crítica (b) da tese da alma como uma harmonia, que parece expressar uma forma heterodoxa de pitagorismo, atribuída a Filolau de Crotona (e defendida por seu discípulo Símias no *Fédon* de Platão); tese que Aristóteles assimilou àquela de Empédocles, a (c) tese da alma como razão da mistura que compõe o corpo. A crítica (d) da tese da alma como um número que move a si mesmo — atribuída a Xenócrates, segundo sucessor, depois da morte de Platão, na liderança da Academia — avança até o quinto capítulo, de modo a tornar confusa a atual divisão dos capítulos. Aristóteles continua, assim, o exame crítico das opiniões que atribuem movimento à alma, dando início ao segundo momento do *peri knêseôs*. Da mesma maneira que no capítulo anterior, ele se serviu de sua própria teoria do movimento para deduzir das teses em exame consequências impossíveis ou inconsistentes; na discussão da alma como harmonia ou como razão da mistura, ele assume sua doutrina sobre a composição dos corpos simples, exposta em *De Generatione et Corruptione* I, 10.

Tendo mostrado (a) que a alma não é um motor em movimento — mediante a refutação da tese atomista e da tese platônica de que a alma é uma harmonia numérica em movimento —, Aristóteles agora criticará outras formas de harmonia: a composição e a mistura de qualidades contrárias. Ele aponta, em suma, que a teoria em questão não é boa, mas alguns dos seus aspectos sim: a organização proporcionada da matéria — isto é, a harmonia das partes do corpo — é de fato condição necessária para a vida, mas não condição suficiente. Ele intercala, também, algumas observações para provar que as afecções da alma são, de fato, afecções do ser vivo, ou seja, do composto, reduzindo ainda mais a possibilidade de conceber movimentos da própria alma.

407b27. Neste primeiro parágrafo, Aristóteles faz considerações preliminares sobre a opinião em questão. Diz que ela "apresentou as suas razões, como quem presta contas, em discussões proferidas em público", referindo-se provavelmente às disputas dialéticas tão em voga na Atenas do século IV a.C. A expressão, contudo, pode ser tomada no sentido de que esta teoria faz alegações que já foram condenadas publicamente, o que é fato: a tese é alvo das críticas de Platão em *Fédon* [85 E-86 D, 91 C-95 A] e no diálogo *Eudemo*, do próprio Aristóteles, do qual chegaram até nós apenas fragmentos. Para uma análise dos dois argumentos levantados por Sócrates no diálogo de Platão, cf. Bostock, *Plato's Phaedo*, cap. VI.

Ao enunciar a tese, Aristóteles especifica ainda duas espécies de harmonia. (1) *Krasis* é a *mistura* que resulta em algo homogêneo pela fusão de ingredientes, que são, portanto, preservados apenas em potência (por exemplo, a diluição do açúcar na água). Na mistura, as qualidades resultantes frequentemente são diferentes daquelas apresentadas pelos constituintes originais e podem ser observadas nas menores partículas do produto, o qual é assim qualificado de *homoiomeres* — homeômero (literalmente, formado de partículas semelhantes). (2) *Synthesis* é *composição*, que resulta da combinação em que os ingredientes são preservados em ato (como a composição de pão e queijo em um sanduíche). Os dois tipos de harmonia aqui distinguidos correspondem a dois tipos de "partes" que, segundo Aristóteles, compõem os corpos dos animais: as partes homeômeras — ossos, carnes, sangue e outros tecidos —, que servem de matéria-prima para as partes não homeômeras — membros, órgãos etc. Os componentes básicos de toda e qualquer combinação são os corpos elementares (terra, água, ar e fogo), ou melhor, suas qualidades primárias e opostas (seco e úmido, frio e quente) [*PA* II, 646a12-25]. Estes elementos, combinados em diferentes proporções, produzirão resultados diferentes. As partes constituintes dos corpos animais são combinações de tais elementos básicos, e podem ser definidas pela fórmula que determina a razão [*logos*] deles no composto. Pode-se dizer que a fórmula química moderna expressa exatamente aquilo que Aristóteles está designando como *logos* da mistura.

407b32. Tendo definido harmonia como "uma certa razão dos mistos" [*logos tis tôn mikhthentôn*], isto é, a expressão da relação que os elementos combinados guardam entre si, ou como composição dos elementos como partes de um todo, Aristóteles afirma categoricamente que a alma não é nem uma coisa nem outra. O primeiro argumento sustenta que o mover [*kinein*] não é atributo da harmonia, e é dele, sobretudo, que todos acreditam ser a alma o princípio. A alegação parece insuficiente ante as considerações de Aristóteles de que a alma é movente não movido, isto é, algo que faz mover embora não esteja em movimento. Ora, ainda não é possível ver claramente por que razão a harmonia não poderia ser um repouso capaz de suscitar o movimento do corpo.

O segundo argumento afirma, em outras palavras, que, se a substância deve explicar seus atributos e se é difícil explicar tudo o que a alma faz e sofre por conta de certa harmonia, então a alma não é harmonia, sendo mais apropriado referir-se às virtudes do corpo — por exemplo, saúde, beleza, condicionamento físico — como harmonias. O texto diz, literalmente: "se alguém tentasse atribuir a alguma harmonia as afecções e funções da alma, [...] seria difícil harmonizá-las", isto é, teria dificuldades em ajustar os fatos à teoria. De fato, os gregos entendiam a doença, a fraqueza e mesmo a feiura como resultantes de uma assimetria ou uma ausência de equilíbrio entre as partes componentes, no sentido de quebra das proporções ideais. Contudo, esta desarmonia das partes no composto não compromete a vida do indivíduo, pois até o sujeito cujo físico é profundamente desarmonioso (a ponto de ser doente, fraco ou feio) tem alma.

408a5. Aristóteles prepara, em seguida, o terceiro argumento, retomando a conclusão do argumento anterior para estabelecer uma premissa que confere uma nova definição para a noção de harmonia nos termos a seguir (adiantando que a alma não é harmonia em nenhum dos dois sentidos). A harmonia, mais propriamente, (1) é o arranjo de magnitudes físicas (dotadas de movimento e posição) e não de magnitudes matemáticas; e, neste caso, é um tipo de composição ajustada de maneira precisa, a ponto de qualquer acréscimo, mesmo de um elemento congênere, adulterá-la e destruí-la. Por exemplo, as pedras que formam um arco, que são magnitudes físicas ajustadas no contato umas com as outras, não podem receber nenhuma nova pedra sem que o arranjo e a estrutura do arco se quebrem. Isso inclui magnitudes físicas que não estão em contato, mas formam todavia um padrão — por exemplo, a fileira de árvores em uma alameda, em cujos intervalos não se pode introduzir uma nova árvore sem quebrar o arranjo da sucessão (ainda que as pessoas possam passar por entre esses intervalos sem nenhum dano para a harmonia do conjunto). A harmonia, em sentido derivado, (2) é a razão dos mistos nas misturas, ou seja, a razão entre as quantidades dos respectivos elementos. O terceiro argumento afirma que, em relação à definição (1), a tese da alma como harmonia acarretaria a existência de uma multiplicidade de almas, uma para cada parte, isto é, uma alma diferente para cada capacidade vital do animal. Ainda que isso fosse possível para a capacidade de perceber ou de desejar, pois é concebível que cada uma delas fosse decorrente do arranjo deste ou daquele outro órgão, isso parece de todo inconcebível em relação ao intelecto, que, segundo a opinião corrente, não depende de nenhum órgão corporal. Em relação à definição (2), diz ele ainda, há o mesmo argumento: a tese da alma como harmonia implicaria uma multiplicidade de almas. E mais: que haja uma multiplicidade de almas em um único corpo — a alma de minha carne, a alma de meus nervos, a alma de meu sangue etc. — é algo contrário às evidências, pois falamos em alma como unidade.

408a18. Empédocles, que sustentava a tese de que as chamadas partes homeômeras são determinadas por diferentes combinações de seus quatro elementos, é alvo de três questionamentos, que Aristóteles levanta sem desenvolver: (1) Qual a relação que existe entre a razão da mistura dos elementos e a alma? (2) O princípio de tais combinações, que Empédocles designava por "amor" [*philia*], é o responsável por toda e qualquer mistura ou somente pelas misturas próprias aos compostos? (3) São idênticos o princípio que combina os elementos e a fórmula que determina a razão em que eles são combinados?

Colocadas essas dúvidas, com a frase "isto [...] apresenta tais dificuldades", que encerra todas as objeções levantadas até este ponto, Aristóteles admite que, embora a teoria não possa ser aceita, por outro lado, rejeitá-la acarreta também dificuldades. Em suma, a tese da alma como relação proporcional das misturas leva a uma antinomia e, apresentada a série de objeções, Aristóteles aponta o que ela tem a seu favor, sem que nenhum partido seja tomado. Se a alma não tem nada a ver com a relação proporcional das misturas que compõem as partes homeômeras do corpo, por que então a própria alma deixa de existir quando a forma da carne, por exemplo, é destruída? (A expressão "o que é carne" [*to sarki einai*, literalmente "o ser para carne", "o que é ser para a carne"] é uma maneira reduzida de expressar o *to ti ên einai* da *sarx*, isto é, a noção e a forma da carne.) A questão assim colocada pressupõe que a alma pereça efetivamente com a morte. Ela sugere que, com a destruição da carne, a alma também deixa de existir e, inversamente, que quando a alma deixa o corpo também a carne começa a se decompor. Em suma, a teoria da alma como razão da mistura tem a seu favor estabelecer certa conexão entre o corpo e a alma, conexão esta que é evidente com a morte e os fatos decorrentes dela.

408a29. Aristóteles enuncia novamente as conclusões a que levam suas críticas até o presente momento: (a) a alma não se move segundo a locomoção circular [406b26-407b11] e (b) a alma não é uma harmonia [407b27-408a24]. Afirma, mais uma vez, que só é possível o movimento acidental da alma, isto é, a alma pode mover a si mesma apenas acidentalmente e à medida que é causa eficiente dos movimentos do corpo em que reside [406a4 ss.]. A mesma ideia é apresentada em *Fis.* VIII, 6, 259b16-20.

408a34. Tendo refutado a tese que atribui locomoção à alma, Aristóteles nega, a seguir, que a alma sofra qualquer espécie de alteração em sentido literal — opinião que lhe parece menos absurda que a anterior —, expondo e criticando uma visão corrente sobre as afecções da alma.

Algumas opiniões, de fato, tomam as emoções (mágoa, alegria, ousadia, temor, irritação) e as funções da alma (percepção e raciocínio) por movimentos, os quais elas atribuem à própria alma. Aristóteles, contudo, faz as seguintes considerações: ainda que todas essas afecções fossem movimentos, e movimentos provocados pela alma como agente — sendo alguns deles locomoção (por exemplo, na irritação, o bater do coração que acelera o fluxo do sangue) e outros, alteração ou mudança de qualidade (por exemplo, o esfriamento do sangue no medo) —, atribuir tais movimentos à alma é mera imprecisão da linguagem (como se dissésemos que a alma tece ou constrói casas, quando o correto seria dizer que isso é feito pelo homem, por meio de sua alma). A alma não é algo que se move, mesmo atuando nos movimentos físicos envolvidos naquelas afecções e funções. Tais movimentos ocorrem no animal, isto é, na substância composta de corpo *e* alma. Na percepção sensível, por exemplo, o movimento, que parte dos objetos perceptíveis, chega *até* a alma (e a própria alma, entendida como a capacidade de perceber, apenas passa da potência ao ato, o que não configura propriamente movimento [*kinêsis*], mas atividade [*energeia*]). Na reminiscência, que Aristóteles distingue da memória (esta se segue imediatamente à experiência original, enquanto aquela requer um lapso de tempo [*Mem.* 451a31 ss.]), a alma provoca um movimento em direção aos órgãos da percepção, isto é, a alma desencadeia uma busca em nossas percepções ou imagens passadas, busca que segue seu curso independentemente da nossa vontade, até encontrar o que procura (a evidência disso é que algumas vezes nos recordamos subitamente de algo com o que já não estávamos mais preocupados).

Cabe comentar, por fim, a passagem em que o raciocinar, isto é, o pensamento discursivo [*dianoiesthai*] é associado a um movimento orgânico, ao que tudo indica, do coração. É preciso dizer, antes de tudo, que Aristóteles se refere à opinião corrente e não à sua própria maneira de explicar tais fatos. Em *Met.* 1035b25-7, ele não toma posição relativamente a atribuir seja ao coração, seja ao cérebro, o papel de órgão central da vida, embora em *Parva Naturalia* o coração tenha um papel bem maior, como órgão central da percepção, do que o que lhe é conferido neste tratado [*Sens.* 456a4; *Juv.* 478a29; cf. os comentários de Ross em sua edição de *Parva Naturalia*, p. 6-12, 54-5, 294-302]. De qualquer modo, a sua própria posição quanto aos movimentos orgânicos ligados ao pensamento seria a de associá-lo a imagens produzidas por nossa capacidade de representação ou imaginação [*phantasia*], fato a que ele já fez e voltará a fazer alusão [403a8-10; 431a14-7; 432a3-10].

408b18. Neste momento, Aristóteles é levado a uma primeira abordagem das características do intelecto. A passagem apresenta algumas dificuldades interpretativas. Cabe perguntar, em primeiro lugar: por que tratar da imaterialidade do intelecto no bojo de uma discussão sobre a imobilidade da alma? Ao que tudo indica, Aristóteles entende que as duas coisas estejam implicadas uma na outra, e que a alma, não estando essencialmente sujeita aos movimentos físicos, não poderia ser, por sua vez, de natureza material.

Não é tão simples, porém, estabelecer o sentido exato da primeira afirmação: "O intelecto parece surgir em nós como uma certa substância, e não ser corruptível" [*hô de nous eoiken egginesthai ousia tis ousa, kai ou phtheiresthai*]. A declaração poderia estar associada à célebre passagem sobre o intelecto *thurathen* — "vindo de fora"— em *De Generatione Animalium* II, 3, 736b27, que tanta polêmica causou. Mas, no *De Anima*, Aristóteles não se mostra particularmente interessado pelo problema da preexistência e pós-existência da alma e de suas partes, exceto incidentalmente. E, nesta passagem em particular, embora esteja sugerido que o *nous* é imortal, a ênfase não está no verbo *sobrevir* [*egginesthai*, que pode ser interpretado no sentido de "o intelecto surgir", ou "formar-se" nos seres humanos, sem maiores esclarecimentos], mas no que é dito em seguida, a saber, "ser certa substância, e não se corromper". Ainda assim, cabe indagar que tipo de relação guardaria esta substância-intelecto, surgida não se sabe bem como, e a substância-alma já existente, se é que devemos entender os indivíduos animados como um composto de corpo (matéria orgânica) e alma (forma e substância). E sobre isso, mais uma vez, nada pode ser inferido apenas de suas palavras.

Está bem claro que Aristóteles pretende estabelecer uma analogia entre percepção sensível e intelecto, mas também aqui há problemas. O sentido geral parece ser que a degeneração das capacidades psíquicas não deve ser creditada à alma, mas ao corpo no qual ela está; de modo que o enfraquecimento da vista, por exemplo, se liga à degeneração do olho com a velhice, da mesma maneira que o obscurecimento do intelecto. Ora, o argumento parece levar à conclusão de que também a parte perceptiva da alma, nessas condições, deveria ser dita incorruptível e imortal.

A restrição a essa conclusão indesejada parece advir do grau de comprometimento que cada uma das "partes" da alma guarda com os órgãos corporais. A capacidade de ver é essencialmente ligada ao olho, e sem ele não se pode sequer pensar em visão. O intelecto, por outro lado, não tem nenhum órgão corporal próprio, e depende apenas indiretamente das imagens fornecidas pela nossa capacidade de representação ou imaginação [*phantasia*], as quais, em última instância, surgem da atividade da percepção. É esta dependência indireta do órgão central da percepção — provavelmente o coração — que também está sugerida quando ele afirma que "o pensar e o inquirir certamente se deterioram quando algum outro órgão interno se corrompe".

Resta, por fim, observar que causa certo estranhamento a menção feita por Aristóteles a certas emoções e funções não intelectuais (memória, amor e ódio), que estariam em conexão com o intelecto. Sujeitar o intelecto a tais afecções implicaria ou deixá-las completamente separadas do indivíduo afetado por elas, se é que se deve levar a sério a autonomia essencial do intelecto, ou conceber um intelecto individual e imortal. Mas não há dados para dissolver a dificuldade. Afirma-se tão somente que o pensar depende indiretamente de certas condições materiais, sendo distinto dessas mesmas condições, e que essas, sim, estão sujeitas à deterioração, assim como tudo o que é composto material e orgânico.

408b32. Neste parágrafo tem início a crítica à teoria de Xenócrates: a alma é *arithmon kinounth' heauton* — isto é, número que move a si mesmo —, que se estenderá até o quinto capítulo [409b18]. A tese combina dois aspectos da teoria da alma de Platão: a mobilidade da alma, já expressa no diálogo *Fedro*, e a concepção numérica dos princípios, apresentada no *Timeu*. Cabem a ela todas as críticas com base na atribuição de movimento à alma feitas até aqui, e mais as críticas específicas à concepção da alma como número.

Em que esta concepção difere daquela que supõe ser a alma uma espécie de fórmula da mistura que expressa as razões segundo as quais o corpo é composto — e que Aristóteles, de maneira um tanto simplista, creditou à tese da alma como harmonia? Segundo Rodier, a teoria da alma como número que move a si mesmo teria procurado incorporar a noção de movimento à alma-harmonia, de modo a tornar a fórmula-razão dos mistos algo que se organizasse a si mesmo, sendo ao mesmo tempo causa da razão e tendência espontânea a engendrá-la. Cf. *CRod*, p. 139. Ora, interpretando Xenócrates nestes termos — um princípio formal e final imóvel, capaz de presidir o próprio processo da organização material dos corpos —, não estaríamos, por nossa vez, levando a tese de Xenócrates para muito perto da concepção que o próprio Aristóteles formula no segundo livro, em sua doutrina da alma como atualidade primeira? A resposta é sim, estaremos próximos de Aristóteles, mas teremos deixado o próprio Xenócrates para trás, visto que a sua opinião não comporta, ao que tudo indica, interpretação assim tão sofisticada. Vejamos de perto a tese de Xenócrates.

Em 409a1, Aristóteles substitui número [*arithmon*] por unidade [*monada*], o que talvez seja um indício de que Xenócrates tenha se servido indiferentemente dos dois termos. De fato, toda a crítica a ele está permeada por duas suposições. A primeira é a de que, se a alma é um número, então a alma é unidade. A segunda é a de que tudo o que vale para o número também vale para as unidades que compõem esse número, cujo pano de fundo é a própria definição de número como pluralidade ou composição de unidades [*Met.* X, 1, 1053a30; VII, 14, 1039a12]. Neste sentido, o termo *número*, na tese de Xenócrates, não deveria ser tomado ao pé da letra: se a alma é a unidade, então a alma não é propriamente número, visto que este é um *composto* de unidades. Esta é talvez a primeira razão por que Aristóteles se refere à teoria de Xenócrates com palavras tão desabonadoras: "Das coisas que se dizem, a menos razoável é que a alma é um número que move a si mesmo".

Sua crítica se inicia com duas questões: "como compreender que uma unidade se mova — por qual agente [*hypo tinos*]? e como [*kai pôs*]? —, se ela é sem partes e indiferenciada?". A primeira pergunta coloca a dúvida sobre o que faz mover a unidade. E, segundo Hicks, ela incide sobre o seguinte problema: o número, como um composto de unidades, poderia estar em movimento ou (a) porque cada unidade move a si mesma ou (b) porque uma parte delas faz mover e outra parte é movida. Aristóteles segue pela alternativa (a). A segunda pergunta anteciparia as considerações que vêm a seguir no argumento: como conciliar a simplicidade essencial da unidade com os dois atributos distintos de causar movimento e de estar em movimento? Cf. *CH*, p. 280.

Aristóteles, de fato, inclui na teoria que ataca a tese de que a alma é *causa* do movimento. A passagem toda tem estreita relação com as suas considerações de *Fis.* VIII, 5, onde é levantada a questão: se algo move a si mesmo, como move e de que modo [257a33]? A conclusão de que se serve nesta passagem é enunciada ali nos seguintes termos: naquele que move a si mesmo é preciso distinguir, por um lado, o aspecto que move e causa movimento e, por outro, o aspecto movido [257b13-4].

Feitas essas considerações preliminares, a primeira objeção [409a1-3] pode ser reconstruída a partir do argumento que se segue. Em tudo o que move a si mesmo há uma parte movida e uma parte que causa o movimento. Se a unidade move a si mesma, então a unidade tem estes dois aspectos. Ora, por definição, a unidade é indivisível e indiferenciada. Portanto, é impossível que tenha estes dois aspectos. Uma unidade em movimento é algo inconcebível, e a alma não pode ser uma unidade que move a si mesma. Em outras palavras, o que é por definição indivisível e indiferenciado (a saber, a unidade) não pode ser pensado como movendo a si mesmo e tendo uma parte que causa movimento e outra que é movida.

A segunda objeção [409a3-7] é apresentada de maneira vaga e pode ser interpretada da seguinte forma: se a alma é um número, a alma é um número com posição, pois teria certa posição no corpo que anima — o que vale dizer que a alma é um ponto, pois o ponto se define como unidade que tem posição. Já que os matemáticos mantêm que o deslizamento [*rysis*] da linha é o plano ou superfície, e que o deslizamento do ponto é a linha, nessas condições o movimento da alma número-ponto produziria linha, e não vida (com todas as atividades características observadas nos seres animados).

A terceira objeção [409a7-10] consiste no seguinte argumento: se a alma é um número, então terá os mesmos atributos dos números. Ao subtrair ou adicionar uma unidade a um número qualquer, este é essencialmente alterado — deixa, por exemplo, de ser 3 e passa a ser 2 ou 4. Se a alma é um número, então qualquer subtração a modificaria essencialmente. Mas não é isso o que se observa. As plantas e certos animais, quando segmentados e guardados certos parâmetros, mantêm as partes cortadas vivas e da mesma espécie que antes. Se a alma não tem os mesmos atributos dos números, então a alma não é um número.

409a10. A passagem é difícil. Aristóteles procede a uma identificação entre a unidade-ponto de Xenócrates e o átomo esférico de Demócrito, a qual consiste em igualar o que é descontínuo (o número) e o que é contínuo (o corpo). Pontos são quantidades descontínuas ou discretas, embora possam estar em sucessão fixa (sem nada intervindo entre eles) quando produzem uma reta. Átomos, por outro lado, são magnitudes físicas ou quantidades contínuas. É possível, contudo, igualá-los na medida em que ambos são quantidades (indivisíveis).

Feitas estas considerações, a quarta objeção pode ser reconstituída assim: a diferença entre o ponto e o átomo pode ser desconsiderada, contanto que este conserve algum tamanho, desde que ambos sejam, de fato, quantidade. Nessas condições, o mesmo princípio — apresentado em *Fis.* VIII, 5, 257a33-258a28 — prevalece, ou seja, se tal unidade (seja ela ponto, seja ela corpo) move a si mesma, então é preciso haver nela um fator que origina o movimento e outro fator que sofre esse mesmo movimento.

Aristóteles força ainda mais sua objeção. Quando aquilo que se move é um animal, o fator que o faz mover é a sua alma.

Do mesmo modo, no número, o equivalente à alma é o fator que origina seu movimento. Mas a alma não pode ser ao mesmo tempo o que faz mover e o que é movido, de acordo com a teoria da *Física*. Tampouco o fator movente do número poderia ser uma unidade. A alma como unidade movente de Xenócrates precisaria ser diferente das demais unidades. Mas que diferença poderia haver senão uma diferença de posição?

409a21. Os comentadores apontam inúmeros problemas no texto deste parágrafo. Mas concordam que Aristóteles está simplesmente assumindo que a alma está no corpo, argumentando a partir de duas alternativas. A alma-número é uma composição de unidades, tanto como o corpo é uma composição de pontos. Nessas condições, Xenócrates estaria diante de um dilema: ou o conjunto de unidades (alma) é idêntico ao conjunto de pontos (corpo), ou é diferente. Esta alternativa é abordada como uma quinta objeção: se forem diferentes, estarão, contudo, ocupando o mesmo lugar — o que é absurdo, com base nas considerações de Aristóteles em *Fis*. IV, 1-4. A outra alternativa leva a uma sexta objeção: se forem idênticos, então não haveria nenhuma diferença entre as unidades-alma e os pontos-corpo, e com isso todo e qualquer corpo seria animado, o que não se observa. Uma sétima objeção é por fim levantada. O argumento pressupõe que Xenócrates, tanto como Platão, acreditasse que a alma é imortal, no sentido de poder separar-se do corpo no instante da morte. Mas a geometria diz que uma linha não pode ser dividida em pontos (somente em segmentos menores de linha), pois o ponto é o limite da linha e não sua parte constituinte. Do mesmo modo, se a alma é um número (uma pluralidade de unidades com posição, isto é, de pontos), então ela também não poderia se separar do corpo e ser imortal.

Capítulo 5

A divisão do capítulo, como foi dito, parece artificial por interromper a parte [1], em que Aristóteles vinha, desde o terceiro capítulo, realizando críticas às soluções propostas pelos predecessores ao problema da alma como princípio de movimento. De fato, nos dois primeiros parágrafos deste capítulo, Aristóteles resume as objeções feitas no capítulo anterior à tese de Xenócrates (d) que define a alma como um número que move a si mesmo.

Entre 409b18 e 411a26 encontra-se a parte [2] de suas críticas aos predecessores, e nela Aristóteles levanta dez argumentos contra a teoria que define a alma como composta pelos mesmos elementos que percebe e conhece, cujo principal partidário é Empédocles.

Na parte [3], por fim, ele conclui toda a revisão das opiniões dos filósofos predecessores, tecendo considerações relativas à unidade da alma.

409a31. A tradução não é fácil, pois a construção da frase omite um verbo que parece necessário; no entanto, sua interpretação não traz embaraços. Aristóteles aponta que à opinião de Xenócrates se apresenta [*symbainei*] necessariamente a mesma dificuldade das teorias que identificaram a alma a um corpo sutil — principalmente a de Demócrito [404b30-405a22], mas também as de Diógenes [405a22] e Heráclito [405a27]. Sua objeção é clara: se a alma é um corpo, ainda que sutil, então dois corpos estariam juntos em um mesmo lugar, pois a alma está distribuída por todo o corpo que sente e não se localiza em uma única parte. Da mesma maneira, como já dito no capítulo anterior, se a alma é uma unidade com posição (ou ponto), então haverá uma pluralidade de pontos (os da alma e os do corpo) em um mesmo ponto, o que é absurdo.

409b7. Aristóteles aponta, em seguida, que à opinião de Xenócrates ainda se apresenta necessariamente o absurdo específico decorrente da tese de Demócrito, que afirma ser a alma causa do movimento do corpo, por estar ela própria em movimento. Em 409a15 ss., Aristóteles mostrou a impossibilidade de haver um fator que faça mover e outro que sofra o movimento — cuja necessidade havia sido provada na *Física* — naquilo que, por definição, é indivisível e indiferenciado, o que se aplica tanto à unidade de Xenócrates como ao átomo de Demócrito. Por fim, e encerrando definitivamente suas objeções ao primeiro, Aristóteles mostra que a teoria da alma-número que move a si mesmo, nem descreve apropriadamente o que é a alma em essência (sua substância), nem explica adequadamente as suas propriedades e capacidades (seus atributos próprios).

409b18. Aristóteles retoma o que havia sumariado em 405b10. Dois dos três modos tradicionais de definir a alma — como causa dos movimentos no ser animado, por estar ela própria em movimento e como o corpo mais sutil — já foram objeto de suas críticas. Resta ainda examinar a teoria que, com base na capacidade de perceber e conhecer, define a alma como composta ou derivada dos elementos [*ek tôn stoikheiôn autên einai* — literalmente, ser a partir dos elementos]. Dizer que a alma é formada de elementos pode significar tanto que os elementos permanecem íntegros no produto, como que o produto gerado é distinto dos elementos que o constituem. Este parece ser o ponto de vista da teoria em questão (à qual já havia feito menção em 408b8-27, relacionando-a às teses de Empédocles e Platão sobre a alma). Nesta parte [2] do tratado, uma exposição mais detalhada será oferecida e acompanhada de suas críticas.

409b26. Aristóteles enuncia novamente o pressuposto de que o semelhante é conhecido pelo semelhante. Se a alma é constituída dos mesmos elementos que constituem os demais seres, então poderá conhecê-los, pois haveria nessas condições uma identificação entre o sujeito e o objeto da percepção e do conhecimento. Em seguida, ele passa às objeções. O primeiro argumento é o seguinte: a maioria das coisas concretas que existem não são elementos em sua forma simples, mas compostos que obedecem a certas relações de proporcionalidade. Então, mesmo que os elementos estivessem na alma, não estariam, contudo, os compostos particulares, tampouco as fórmulas pelas quais eles são determinados, as quais seriam tão necessárias ao conhecimento quanto os materiais combinados.

A citação atribuída a Empédocles é apresentada como uma evidência de que ele assumia que a composição do osso, por exemplo, é determinada por certas relações proporcionais entre os seus elementos constituintes — personificados, ao que tudo indica, por certas divindades.

410a13. Neste segundo argumento, Aristóteles lança mão de suas teses sobre o ser, desenvolvidas principalmente no tratado das *Categorias* e na *Metafísica*, livro VII. As categorias são os gêneros supremos e irredutíveis do ser. Dizer que "não parece haver elementos comuns a todas elas" significa que tudo o que se pode afirmar de todas as categorias — o ser, a unidade, o bem — não permite, por excesso de generalidade, conhecer efetivamente nada sobre as categorias (por isso mesmo, últimas) do ser. Logo, nada disso constituiria as suas essências. Nessas condições, não se poderia pretender que a alma fosse constituída de elementos comuns às categorias, pois elas só compartilham o fato de serem relativas a uma mesma coisa.

Aristóteles recoloca, então, a questão: seria a alma constituída apenas dos elementos das substâncias? E cabe perguntar: o que haveria de comum a todas as substâncias? Em *Met.* XII, 4, 1070a31-b27, a sugestão é que as substâncias têm em comum matéria e forma. Mas se a alma fosse então constituída somente dos elementos das substâncias, como poderia conhecer as demais categorias? Poder-se-ia pensar que, conhecendo os elementos da substância, todos os outros seriam conhecidos, uma vez que as demais categorias predicam-se da substância. Não é este o caso. E o próprio Aristóteles formula a réplica com as seguintes palavras: "Ou se dirá que há elementos e princípios particulares a cada gênero" — isto é, a cada uma das categorias ou gêneros do ser — "e que a alma é constituída de todos eles?". De fato, a categoria da substância é condição necessária para o conhecimento das outras categorias, mas não é condição suficiente. Se a alma não fosse composta dos elementos e princípios próprios a cada categoria, não poderia conhecê-las. Para escapar a esta conclusão indesejável, seria forçoso admitir que a alma é composta dos elementos da substância e dos princípios próprios à quantidade, à qualidade etc. Mas, neste caso, a alma seria substância *e* quantidade *e* qualidade. A inferência final — é de todo impossível ser simultaneamente todas as categorias — é deixada por fazer.

Além disso, de todas as críticas tecidas até o momento resulta que a alma não é uma grandeza, tampouco um número, e, portanto, não pode ser uma quantidade. Aristóteles, na verdade, sustenta que a alma é substância, como será mostrado em 412a19 ss.

410a23. O terceiro argumento pode ser reconstruído da seguinte maneira: se percepção e conhecimento são definidos como afecções e movimentos da alma; se o semelhante percebe e conhece o semelhante — então o semelhante é afetado por ele.

O que Aristóteles contesta aqui é a combinação absurda de duas teses distintas: (1) o semelhante não é afetado pelo semelhante — pressuposto assumido por todos os filósofos pré-socráticos, exceto Demócrito [GC I, 7, 323b1-15] — e (2) o semelhante é conhecido pelo semelhante — pressuposto que, em 405b14-21, ele também atribui a seus predecessores, exceto Anaxágoras (que afirmou ser o intelecto impassível), e que, nesta passagem, ele explicitamente atribui a Empédocles.

A frase, algo tortuosa — literalmente, "e havendo muitas dificuldades e impropriedades em dizer, como Empédocles, que pelos elementos corpóreos e por referência ao semelhante [...] o que se diz agora dá um testemunho" — sugere que será apresentada uma grande (quarta) objeção. Mas não é o que ocorre. Na opinião em questão, as partes do corpo, já que são compostas de elementos, deveriam perceber e conhecer os objetos constituídos destes mesmos elementos, mas não é isso o que se observa.

410b2. Neste parágrafo, Aristóteles levanta mais dois argumentos. A sua quinta objeção, contudo, pressupõe alguns dados adicionais sobre a filosofia de Empédocles. Como foi dito em 404b11-5, Empédocles admite a existência de seis elementos: os quatro elementos materiais — terra, água, fogo e ar (ou éter) — e dois princípios motores ou elementos "morais" — a afeição ou amizade [*Philotês*] e a repulsão ou discórdia [*Neikos*]. Em sua cosmologia, da qual nos chegaram apenas fragmentos, ele sustenta ainda que o universo, ou Uno, passa por diversas fases, sendo uma delas a etapa da vitória do amor (e que aqui é referida como uma divindade), quando nenhum elemento de discórdia estaria presente [frag. 423 de Kirk e Raven].

Com esses dados, Aristóteles formula o seguinte argumento. Se o semelhante é conhecido pelo semelhante, então (a) cada elemento percebe e conhece apenas o que é idêntico a si mesmo, ignorando tudo o mais. Ora, os seres mortais são compostos de todos os elementos, unidos pelo amor e desintegrados pela discórdia. Mas (b) a divindade — entendida como a fase da esfera (ou seja, do universo ou do uno) resultante da vitória do amor — seria, por sua vez, a mais ignorante dentre os seres, na medida em que só ela desconheceria o elemento da discórdia. A mesma ideia é apresentada em *Met.* 1000a28.

O parágrafo é fechado com uma sexta objeção. De acordo com a teoria de Empédocles, seria de esperar que tudo fosse, em geral, dotado de alma e tivesse, em particular, capacidade de perceber e conhecer na medida em que os elementos estão presentes em todas as coisas — se o princípio de conhecimento da alma se deve a ela ser composta destes mesmos elementos e ao semelhante ser conhecido pelo semelhante —, mas não é o que se observa.

410b10. O sétimo argumento contra Empédocles pode ser reconstituído da seguinte maneira: se os elementos se assemelham à matéria, qual é o princípio unificador da composição dos elementos?

Aristóteles parece deixar certa margem de dúvida sobre a possibilidade de, na doutrina de Empédocles, o amor ter o papel unificador (ou, nos seus próprios termos, de causa formal). Contudo, sua objeção talvez seja que o sistema, tal como exposto, não explica satisfatoriamente, e apenas com um princípio unificador, a organização complexa dos compostos dotados de vida. Esta causa adicional organizadora teria de ser, por sua vez, o elemento principal, mas a sua relevância e superioridade não estariam contempladas na filosofia de Empédocles. Em suma, Empédocles desconheceria a importância da alma e, acima dela, a do intelecto.

Aristóteles aponta, além disso, que a teoria em questão, bem como todas as teses que atribuem movimento à alma, são falhas, na medida em que suas considerações não incluem todos os "tipos" de alma. Elas se concentram principalmente nos animais e em sua capacidade de locomoção. Ora, existem animais que não se locomovem (as esponjas), e Aristóteles sabe disso. Ao definir a alma como princípio de movimento, com foco na capacidade de locomoção dos animais, esses pensadores teriam de considerá-los seres inanimados, embora manifestem crescimento e sensação. As plantas — que são seres dotados de alma, segundo Aristóteles, por terem capacidade de nutrição por si mesmas e de reprodução — não têm a capacidade de percepção, da mesma maneira que muitos animais carecem de intelecto e razão. Em outras palavras, desconhecem a alma vegetativa, da qual Aristóteles tratará mais adiante [411b27 ss.; 413a25-31, b7-16; 414a32 ss.; 424a32 ss.; 434a25-30].

410b24. A presente objeção é exposta de maneira vaga. O texto apresenta dificuldades, mas o sentido geral pode ser interpretado da maneira que se segue. Os filósofos que descrevem a percepção sensível e a razão como partes da alma não dão conta (a) de apresentar uma explicação que inclua toda e qualquer alma —

pois não estão contemplando, por exemplo, o princípio de vida das plantas —, tampouco dão conta (b) de apresentar uma explicação completa para a alma de cada espécie. Não oferecem uma explicação completa, nem para a alma humana — omitem a capacidade de nutrição, desejo e ação —, nem para a do animal — omitem a nutrição e o movimento —, nem para a alma vegetativa — omitem a nutrição [cf. *CR*, p. 208].

O problema de fundo talvez seja o de não estarem compreendendo adequadamente o tipo de relação que as "partes" da alma guardam entre si. Se fossem espécies coordenadas de um mesmo gênero, então poderiam ser tratadas separadamente [cf. *CRod*, p. 155, e *CH*, p. 295]. O ponto de Aristóteles, contudo, é que as partes da alma não são coordenadas entre si, mas subordinadas — guardando a relação de anterioridade e posterioridade —, de modo que as formas superiores dependem das inferiores, mas não estas daquelas [*DA* II, 3].

Alguém poderia pensar que essa falha de abrangência, digamos, das teorias examinadas até aqui seria evitada, por exemplo, por uma doutrina do tipo da exposta nos versos órficos. Aristóteles completa sua objeção apontando para o fato de que a ideia de que a alma penetra nos seres vivos, a partir do universo externo, por meio da respiração, é insustentável, na medida em que há seres vivos que não respiram — as plantas e alguns animais.

411a2. Uma décima objeção é levantada. Para fazer da alma um princípio de conhecimento, não seria necessário tomar todos os elementos: basta um ou outro termo, em um par de contrários, para conhecer a si mesmo e seu contrário. Por exemplo, o conhecimento do branco basta para conhecer sua negação, isto é, o não branco (embora não baste para o conhecimento de seu contrário, o preto — donde alguns comentadores terem considerado este décimo argumento de Aristóteles de natureza puramente retórica).

411a7. Aristóteles retoma, ao que parece, outra solução malsucedida para o problema da abrangência de uma teoria da alma. Em sua sexta argumentação, ele objetara a Empédocles que, se alma pode conhecer por ser composta dos mesmos elementos de seus objetos, então, todas as coisas seriam animadas, pois tudo é composto dos mesmos elementos.

Ele agora considera especialmente aqueles que, de fato, assumiram que a alma está em toda parte; e particularmente Tales — que teria declarado que tudo está pleno de deuses. A interpretação de sua sentença deve ser no sentido de atribuir uma alma a todo e qualquer ser que compõe o universo (e não no sentido platônico, segundo o qual há uma única e mesma alma para o mundo como um todo). A opinião, de qualquer modo, é criticável por duas razões. Primeiro, seria preciso explicar por que a alma, estando presente no ar ou no fogo, não faz deles seres vivos, já que confere vida quando os elementos estão misturados no organismo vivo. De acordo com Platão [*Filebo*, 29b ss.] a presença da alma deveria se fazer notar principalmente nos elementos separados, por estarem em sua forma mais pura, e não o contrário — opinião que, observa Aristóteles, carece de justificação. Mas o que se observa é que a alma se manifesta quando os elementos estão meramente em potência já em organismos complexos. A tese, então, é paradoxal; se tudo tem alma, então teríamos de dizer que o fogo ou o ar são seres vivos. E não dizê-lo, quando neles está presente a alma, é absurdo.

O final do parágrafo é difícil, mas uma tentativa de interpretá-lo poderia ser esta. Como há mesmo aqueles que afirmam que a alma está em tudo, com base no pressuposto de que o todo deve ter a mesma natureza — e ser do mesmo gênero ou espécie — que suas partes, então as partes dos seres vivos (e os elementos que os compõem, inclusive) devem ser tão vivas (ou dotadas de alma) quanto o conjunto formado por elas. O próprio pressuposto, contudo, pode ser facilmente refutado. O princípio de que o todo deve ter a mesma natureza de suas partes assume uma uniformidade que não se confirma nos fatos observados. A alma é diversa, ou seja, manifesta-se em diferentes capacidades, a que os predecessores se referiam como "partes" da alma. Ora, esse fato é inconsistente com a pressuposição de que ar e fogo, bem como tudo, têm alma. A vida do ar não poderia ser uniforme tanto a umas como a outras das diferentes partes da alma — pois, neste caso, o que justificaria a diversidade das partes da alma, se todo e qualquer componente tem alma?

Com isso, Aristóteles enuncia a conclusão geral referente ao conjunto das partes (1) e (2) de suas críticas: é evidente que (a) a própria alma não se move, isto é, a alma não é uma espécie de motor em movimento [409b23-411a23] e (b) tampouco as capacidades de conhecer e perceber decorrem de ela eventualmente ser composta dos mesmos elementos constituintes de seus objetos de conhecimento e percepção [405b31-407b11; 408b30-409b18].

411a26. Ao final do livro I, Aristóteles apresenta os dois problemas que demandam explicação por parte de uma boa teoria da alma. Relacionando as principais capacidades dos seres vivos (já em ordem hierárquica conhecer; perceber e ter opinião; desejar e locomover-se; crescer, amadurecer e perecer), Aristóteles aponta a primeira dificuldade que deve ser superada: (1) seriam estas capacidades relacionadas e atribuídas à alma como um todo ou a partes distintas da alma? Em seguida, recoloca a mesma questão para a vida em geral: (2) a própria vida residiria em uma, diversas ou em todas as partes da alma? Ou seria a vida, antes, efeito de alguma causa distinta?

Os dois problemas apresentados estão relacionados. Observa-se que a vida em geral é uma propriedade contínua dos seres dotados de alma. Algumas de suas capacidades, por outro lado, manifestam-se de forma descontínua (o animal, por exemplo, em alguns momentos expressa ter apetite, mas em outros não; e sua capacidade de locomoção é manifestada somente em certas partes de seu corpo).

411b5. Nesta passagem, Aristóteles faz referência à opinião de senso comum de que a alma seria naturalmente dividida em uma parte racional e em uma parte irracional [*EN* 1102a26-1103a10].

Esta é a doutrina expressa por Platão em *Fédon* 78b-80b; embora outra visão seja apresentada e associada a ele em *República* 435c-439b e em *Timeu* 69e ss.: a divisão tripartite da alma.

Em outras palavras, uma primeira resposta ao problema anteriormente colocado seria a seguinte: a alma é por natureza dividida em partes; e partes distintas são responsáveis por capacidades distintas.

Esta resposta, contudo, será criticada por três argumentos. O primeiro — uma redução ao impossível — é formulado no final deste parágrafo. Se a alma é por natureza em partes, algo deve manter sua unidade. Não parece ser o corpo que garante essa unidade (pelo contrário, parece ser a alma que mantém a unidade do corpo, pois, quando ela o abandona, o corpo se degenera). Poderia, então, haver um terceiro item, além do corpo e da alma, que garantisse a unidade das partes naturais da alma. Mas, sendo ele de fato o unificador das partes da alma, nele deveríamos, por direito, reconhecer a alma. E, nessas condições, haveria como que uma segunda alma a manter a unidade da primeira alma (que é, por natureza, em partes). Com isso estaria criada uma espécie de alma da alma, e a dificuldade seria simplesmente passada para diante, naquilo que Aristóteles entende ser uma regressão ao infinito (quando uma tese é criticável por envolver regressão ao infinito, então, segundo ele, ela teria sido refutada por um argumento de redução ao infinito [*S. Anal.* I, 22, 83b ss.]).

Esse argumento, à primeira vista, levaria à conclusão de que a alma não é por natureza divisível em partes. Contudo, ao que parece, Aristóteles está chamando a atenção para o seguinte aspecto: a alma é causa de sua própria unidade ou, em outras palavras, a alma é una por natureza.

A análise de Aristóteles da noção de unidade é encontrada em *Met.* V, 6 — especialmente em 1016a4 ss. De suas palavras pode-se concluir que a unidade da alma deve ser creditada à sua continuidade natural. Em *Met.* VIII, 6, Aristóteles pergunta qual é a causa da unidade do número, afirmando também que tudo o que não é um mero amontoado de partes precisa ter uma causa de sua unidade. A solução, diz em 1045a22-b17, passa pela distinção entre matéria e forma, entre potência e ato. Em *Met.* XIII, 2, 1077a20-4, Aristóteles indaga, ainda, em virtude de que as magnitudes matemáticas se constituem em unidades, e acrescenta: "As coisas daqui de baixo [do mundo sublunar] o são por conta da alma ou de uma parte da alma ou por alguma outra coisa [isto é, causa] racional (senão elas se tornam uma pluralidade e se separam em partes)".

411b14. Neste parágrafo está formulado o segundo argumento — também por redução ao impossível — contra a opinião de senso comum de que a alma é naturalmente dividida em partes, e de que suas partes são responsáveis, por sua vez, por partes distintas do corpo. Se a alma inteira mantém a unidade do corpo inteiro, e se cada parte da alma mantém a unidade de uma parte do corpo, então o intelecto — isto é, a parte racional da alma, de acordo com aquela visão de senso comum — deveria ser responsável pela unidade de alguma parte do corpo. Ora, é impossível até mesmo imaginar de qual parte do corpo o intelecto garantiria a unidade.

Cabe observar que o argumento depende da pressuposição — aqui tomada por evidente e abordada diretamente em 429a24-7 — de que o intelecto é de todo independente de qualquer órgão físico.

411b19. O texto da passagem é controverso e sua interpretação não é fácil. Neste parágrafo, Aristóteles apresenta seu terceiro argumento contra a visão tradicional de uma alma naturalmente dividida em partes responsáveis pela unidade de partes do corpo. De certa maneira, ele aborda agora a dificuldade concernente à conciliação de uma vitalidade constantemente manifestada pelos seres animados, ao lado de capacidades vitais que se manifestam de maneira descontínua.

As plantas, mesmo quando divididas, conservam a vida; e o mesmo se pode dizer de certos animais: alguns insetos, quando seccionados, conservam na parte separada sensibilidade e movimento por algum tempo. (Aristóteles define os insetos em *HA* I, 1, 487a32; em IV, 1, 523b12 ss. inclui na definição outros animais — *Myriapode*, *Arachnida* e também parasitas intestinais, cuja segmentação é a principal característica.)

Em outras palavras, a alma divide-se (quanto ao número), quando seccionamos uma planta, por exemplo, ao tirar uma muda dela (embora não haja nenhuma divisão quanto à espécie — a mesma alma está presente na planta e na muda retirada dela: o princípio de nutrição). É evidente, diante disso, que a alma exibe uma divisibilidade peculiar e diferente daquela imaginada na visão tradicional: as suas partes não estão separadas e sediadas em diferentes partes do corpo. A alma está uniformemente distribuída por todo o corpo, e há uma vitalidade que se conserva completa nas partes divididas do corpo, tal como nos exemplos sugeridos acima.

Notas ao livro II

Capítulo 1

O tema dos capítulos 1 e 2 é a definição de alma. Diz-se normalmente que, no primeiro capítulo, a definição resulta de uma argumentação *a priori*, baseada em certas distinções metafísicas, isto é, obtida por via dedutiva; e que, no segundo capítulo, ela será alcançada com base nos fatos constatados pela experiência, ou seja, por via indutiva. O argumento indutivo é frequentemente referido pelos comentadores como uma "prova" da definição. A bem da verdade, Aristóteles mostra exaustivamente nos *Segundos Analíticos* que não há, *stricto sensu*, prova (nem dedutiva, nem demonstrativa) da definição. Admite que os silogismos podem ser incidentalmente usados para revelar — mas não para provar — o *ti esti*. Em *S. Anal.* II, 9, de fato, é assumido que a definição de itens cuja causa é diferente deles próprios [*tôn men heteron ti aition*] [93b21] pode ser exibida de maneira similar àquela das demonstrações, embora não seja propriamente uma prova. Nesses casos, o que há é uma inferência dialética da definição.

De qualquer modo, parece-me que o sumário de problemas a serem resolvidos, o panorama de opiniões e as críticas apresentadas no livro I têm relevância metodológica, ou seja, contam como sustentação das teses que Aristóteles assumirá daqui para frente. Tendo apontado as falhas nas teses de seus predecessores no pano de fundo dos problemas que *não* se resolvem, ele prova o valor de suas próprias formulações na medida em que podem resolver os problemas que estavam sem solução.

412a3. Depois de discutir as opiniões dos predecessores, Aristóteles diz que é preciso, em primeiro lugar, buscar a definição — isto é, retornar aos problemas colocados em 402a22-b1 —, bem como determinar o alcance do termo "alma" e estabelecer quais expressões referentes à vida podem ser atribuídas a ela (pois, como foi visto, alguns dos predecessores só ligavam a alma à locomoção e ao conhecimento).

412a6. Nesta passagem, Aristóteles faz certas distinções preliminares relativas à substância [*ousia*]. A substância é um gênero, e se diz segundo três sentidos: o de matéria [*hylé*], o de figura e forma [*eidos*], e o de composto de matéria e forma [*to ek toutôn*]. A matéria é potência [*dynamis*] e a forma é atualidade [*entelekheia*]. Sem a forma não há determinação da matéria. As substâncias que estão no foco deste tratado — os seres animados — são seres compostos concretos e analisáveis apenas logicamente em termos de matéria e de forma. Em outras palavras, a forma é o que inscreve as características essenciais e determinantes de algo (isto é, sua configuração e sua função) e por isso é a forma que permite conhecê-lo. A atualidade da forma, por sua vez, pode ser de dois modos: (1) em sentido, digamos, disposicional (dispomos, por exemplo, do conhecimento da aritmética, quando sabemos de cor a tabuada) e (2) em sentido efetivo (quando estamos resolvendo uma conta).

412a11. Nesta passagem, Aristóteles faz distinções relativas ao corpo: chamamos de substâncias tanto os corpos artificiais como os corpos naturais — seja o corpo sem vida, seja o corpo com vida (capaz de nutrir-se por si mesmo, crescer e perecer). Os corpos naturais são os que, por direito, merecem ser chamados de substâncias; pois todos os demais, de uma maneira ou outra, são derivados deles (os artefatos são compostos dos materiais naturais e os objetos matemáticos são abstrações feitas a partir deles).

A passagem remete à classificação das substâncias apresentada em *Met.* XII, 1, 1069a30 ss. Há três classes de substâncias:

a perceptível, que se subdivide em (1) eterna — no sentido da eternidade do tempo e do movimento exibido pelos corpos celestes — e (2) perecível — as plantas, os animais —, e sobre isso há consenso. A última é (3) a substância imóvel — alguns dizem que ela existe separada das outras, alguns a dividem em duas, e outros postulam ainda como uma mesma natureza as formas [*ta eide*] e as entidades matemáticas [*ta mathematika*]; por fim, há ainda aqueles que postulam somente essas últimas como substâncias imóveis.

As duas primeiras são objeto de estudo da física, pois implicam o movimento; a terceira corresponde a um outro domínio de estudo, caso não haja um princípio comum a todas elas. Nesta passagem, é claro, está em questão a segunda categoria: as substâncias perceptíveis e perecíveis.

412a16. Aristóteles apresenta um argumento, cuja conclusão é uma definição de alma:

[P1] todo ser vivo é um composto de matéria e forma, ou seja, todo ser vivo é um composto de substrato e atributo (isto é, de sujeito e predicado);

[P2] todo ser vivo é um composto de corpo e alma;

[P3] nenhum corpo é atributo (predicado), todo corpo é substrato (sujeito);

[C1] a alma é um predicado do corpo;

[C2] a alma não é um corpo;

[C3] a alma não é matéria.

Primeiro elemento da definição:

[C4] a alma é a forma do ser vivo, isto é, a alma é a substância do ser vivo.

O argumento admite mais de uma interpretação. Uma primeira versão poderia ser: [P1] todo *empsykhon* é um *syntheton*; [P2] todo *syntheton* é um composto de forma e matéria; [C1] todo *empsykhon* é um composto de forma e matéria. [P3] Todo *empsykhon* é um composto de corpo e alma; [P4] o corpo é matéria; [P5] se A é um composto de D e C, e A é um composto de

G e H, e D = G, então C = H; [C2] portanto, a alma é forma do *empsykhon*. Nesta versão do argumento, uma premissa como [P5] seria necessária, já que não se dispõe de uma regra lógica para concluir diretamente a correspondência entre um termo e outro nos predicados complexos de [C1] e [P3]. A premissa [P5] estaria empregando uma variação do axioma das quantidades — "Iguais subtraídos de iguais deixam restos iguais". Esta reconstituição do argumento é, portanto, vulnerável, na medida em que supõe que um axioma válido para as quantidades opere de maneira igualmente válida na categoria da substância, o que parece sujeito a objeções.

Como aceitar a verdade de cada uma das premissas? Pode-se dizer que [P1], [P2] e [P3] são, para Aristóteles, enunciados do senso comum: os seres animados diferem dos inanimados pelo viver [*diôristhai to empsykhon tou apsykhou tôi zên*] [413a21]. O animado é aquele que tem *psykhê* e o inanimado, aquele que não tem; em outras palavras, o ser vivo é um composto de corpo e alma, como pretende [P2]. Aristóteles pode defender [P1] a partir de sua teoria da proposição simples (e o seu corolário, "Todo ser vivo é um composto de matéria e forma", pode ser assumido como verdadeiro a partir de suas investigações zoológicas).

A conclusão de Aristóteles, por sua vez, não deixa margem a dúvidas: a alma não é matéria, e sim forma do corpo vivo. Isso significa que, no caso dos seres naturais vivos, o item que deve ser considerado como substancial é a forma e não a matéria. A identificação entre *psykhê* e substância como forma fornece, ainda, a base para distinções mais relevantes, isto é, permite fazer adequadamente novas divisões e, por meio delas, compreender corretamente, assim pretende Aristóteles, o que é ser princípio de vida em um organismo.

Aristóteles, partindo desta conclusão e recorrendo às distinções de 412a6-11, apresenta três enunciados consecutivos e coordenados da definição de alma:

[P4] a forma é atualidade [*entelekheia*] ou como ciência ou como o inquirir.

Segundo elemento da definição:

[C5] a alma é atualidade de tal corpo (aquele que tem vida);

[C6] a alma é *entelekheia* no sentido de ciência, isto é, de *entelekheia* primeira.

Aristóteles muitas vezes usa as expressões *atividade* [*energeia*, literalmente "em obra"] e *atualidade* [*entelekheia*, literalmente "realização"] como sinônimas, mas a diferença pode ser percebida quando contrapostas à *dynamis* — potência. O par *energeia/dynamis* sugere a atuação efetiva como oposta à capacidade de atuar; por sua vez, o par *entelekheia/dynamis* sugere a realização efetiva (ou existência de fato) como oposta à capacidade de tornar-se (ou vir a existir). A atualidade, então, é um estado realizado e pré-condição para a plena atividade. De acordo com a definição apresentada nesta passagem por Aristóteles — particularmente por conta da analogia com a ciência —, pode-se inferir que a *entelekheia prote* é uma disposição natural da matéria em vista de certa atividade (enquanto a *hexis* é talvez uma disposição adquirida). De qualquer maneira, o que está em questão é claro pelo seguinte exemplo: o animal vive mesmo quando está dormindo, e a disposição natural de vida precede a atividade. Em outras palavras, o que é inseparável do corpo animado — e que deve, portanto, entrar na definição — é somente a capacitação ou aptidão para as atividades que denotam vida (e como distintas das próprias atividades ou inatividades). A primeira *entelekheia* é essa configuração e capacitação da matéria. A alma está sendo considerada abstratamente, à parte das atividades vitais.

412a28. Aristóteles introduz um terceiro elemento na definição: o corpo que tem a vida em potência é aquele que tem órgãos, isto é, os instrumentos naturais para certos fins e as partes em vista de certas funções — por exemplo, a raiz ou a boca em vista da nutrição [*PA* IV, 10, 686b ss.]. Ele apresenta o enunciado final da definição da seguinte maneira: a alma é a primeira atualidade do corpo natural orgânico, contornando desse modo uma objeção (não é preciso, então, investigar se alma e corpo formam unidade); pois, se são correlativos tal como forma e matéria, então são de fato inseparáveis (embora logicamente discerníveis). Em *Met.* XII, 10, 1075b34, Aristóteles observa que ninguém jamais explicou a unidade dos números, do corpo e da alma, ou da forma e daquilo de que ela é forma. O assunto é retomado em *Met.* VIII, 6, 1045a7 ss.

412b10. Uma definição de alma é propriamente impossível, na medida em que a alma é uma hierarquia de capacitações do composto natural, as quais não podem ser, portanto, analisadas em termos de um gênero e de espécies coordenadas [*DA* II, 3]. É o que está sugerido na frase "Está [...] enunciado em geral o que é a alma".

Nesta passagem, Aristóteles fornece alguns esclarecimentos. A alma é substância segundo a determinação, isto é, de acordo com o que é, para *x*, ser o que é [*to ti ên einai*]. A expressão — que indica o núcleo de características essenciais que faz algo ser o que é e não outra coisa — será mantida um tanto insatisfatoriamente, na tradução, como a locução "o que é ser o que é". Aristóteles cunha um vocabulário metafísico na linguagem ordinária, e a tradução por uma das expressões já consagradas (essência ou quididade) poderia sugerir ao leitor exatamente o oposto — o emprego de um vocabulário especializado e precioso —, ainda que com economia no desconforto que a locução provoca. A expressão *to ti ên einai* pode ser a generalização de uma construção com ocorrências nos tratados: por exemplo, *to* [*pelekei*] *einai*, o ser [para o machado], o ser [para a carne], que será traduzida, por sua vez, como a locução "o que é ser para o machado", e assim por diante. Como reconstruí-la, é um assunto polêmico. Há um verbo no imperfeito (a expressão, literalmente, diz algo como o "o que era a ser"), que poderia ser interpretado como uma ênfase na continuidade da forma a despeito do devir.

Aristóteles faz analogias com um instrumento artificial e um órgão natural, que reforçam a impressão de que a noção de determinação se liga à de função. O que há de substancial em um instrumento ou órgão é aquilo para que serve, ou seja, sua função. Perdida a função, o que existia de substancial deixa de ser, empregando-se a mesma designação por homonímia. Os exemplos sugerem também que a dicotomia forma/matéria deve ser expandida para um padrão, digamos, triádico: forma/matéria/composto. Forma é a configuração e a determinação segundo a substância — o ser para *x*. No caso de um instrumento, como o machado: o substancial é que tenha capacidade de rachar lenha; e isto é a substância e a forma de tal composto inanimado; e por isso também a matéria é ferro e madeira. Os três aspectos precisam ser distinguidos.

412b17. A analogia agora é entre a parte e o todo, entre órgão/função e corpo/alma. No caso de um composto anomeômero, como o olho, o substancial é a capacidade de ver, e visão é sua substância e forma — o ser para um olho é ver; sua matéria é pupila, íris, músculo etc. Da mesma maneira, no caso do corpo perceptivo inteiro, a forma é a percepção sensível, a matéria é o conjunto de órgãos e tecidos por meio dos quais há percepção.

413a4. Tendo mostrado, enfim, que a alma é forma e *entelekheia* do corpo todo; que as partes da alma, no mesmo sentido, são as formas de partes do corpo; e, posto que a forma ou *entelekheia* não pode ser separada daquilo que tem a forma e é atual, Aristóteles conclui que a alma não é separável do corpo, bem como as partes da alma relativamente às partes do corpo, embora nada impeça que alguma parte da alma o seja, no caso de não ser *entelekheia* de alguma parte do corpo.

Capítulo 2

O capítulo é inteiramente dedicado a uma nova discussão da definição dada no capítulo anterior, no que alguns intérpretes, como foi dito, quiseram ver uma prova da definição. Contudo, é tese bem estabelecida nos *Segundos Analíticos* II, capítulos 3 a 6, que não há método de prova para definições.

413a11. A título de introdução, Aristóteles faz algumas observações metodológicas. Em ciências naturais, o procedimento deve progredir do que é mais evidente aos sentidos (os efeitos) em direção ao que é mais inteligível para a razão (as causas) [*EN* 1095b2]. Em suma, o método deve ser indutivo. A definição, por sua vez, precisa enunciar a causa do fato (para ser uma definição, digamos, real). Sobre os vários tipos de definição, cf. *S. Anal.* II, 10. Em *S. Anal.* II, 11, Aristóteles mostra que a causa de um fato qualquer pode ser exibida como termo médio de um silogismo, no qual o fato é enunciado como conclusão; o termo médio conecta certos fatos, efetuando assim a explicação de um deles.

Aqui Aristóteles fornece um exemplo da geometria. O que é a quadratura? É achar um quadrado que tenha a mesma área de um retângulo dado. A solução envolve um problema de aplicação de áreas [Euclides II, 14; VI, 13]: (a) seja AB um dos lados do retângulo; (b) BC o outro lado; (c) descrever uma semicircunferência, tomando o meio de AC como centro; (d) levantar uma perpendicular em B; (e) BD é o lado do quadrado, e D é o ponto em que a perpendicular cruza a semicircunferência traçada. Em suma, o quadrado de área igual a um retângulo de lados AB e BC tem o lado igual a BD. Euclides prova que AB:BD::BD:BC, e que BD é a média proporcional. Uma definição de quadratura do retângulo, dizendo apenas que é a igualdade a um quadrado, deixa de indicar a causa, a saber, que os dois lados do retângulo e o lado do quadrado são três linhas proporcionais, e que o lado do quadrado é a média.

413a20. O argumento parece ser este:

(1) ter alma é viver;

(2) viver é ter intelecto, ou percepção sensível, ou movimento local e repouso, ou movimento pela nutrição, isto é, crescimento e decaimento;

(3) o animado é aquele que participa de alguma dessas formas de vida;

(4) a planta participa apenas da nutrição;

(5) logo, a planta é um ser vivo;

(6) e a nutrição pode existir separada das demais formas de viver.

(7) O animal participa da nutrição e, ao menos, do sentido do tato;

(8) o tato, então, pode existir separado dos demais sentidos;

(9) e a série das formas de vida é uma hierarquia em que as mais elevadas dependem das inferiores, embora as inferiores possam existir separadas das mais elevadas.

A premissa (4) apoia-se na constatação de que o princípio de movimento nas plantas não é meramente a natureza (*physis*); pois a natureza não move em direções opostas (a terra por natureza só se move para baixo, o fogo só para cima), mas as plantas crescem para todas as direções; logo, não é a natureza, mas uma *psykhê* que preside seu movimento. (A tese de que as plantas vivem e têm alma, passo importante da biologia de Aristóteles, é apresentada ainda em *GA* II, 3, 736b13; *PA* IV, 5, 681a12; e a tese de que nada pode viver sem se alimentar é apresentada também em *PA* II, 10, 655b31.) Além disso, se as plantas não participam de nenhuma outra forma de vida, então a nutrição pode existir separada das demais formas de viver.

413b1. Aristóteles aponta que a alma é o princípio dos movimentos dos animais; mas aquilo que, na verdade, distingue os animais é a percepção sensível; pois, ainda que existam animais capazes de locomoção, existem outros que vivem fixos — por exemplo, as esponjas, que são consideradas animais e não simplesmente seres vivos. Nessas condições, o tato é o sentido imprescindível dos animais e pode existir separado dos demais.

413b13. Nesta passagem, Aristóteles coloca duas questões: (1) Cada uma dessas formas de vida é uma alma ou uma parte da alma?

E (2), sendo parte, é uma parte localmente separada ou separável apenas por abstração? O problema foi colocado em 402b1. Em seguida, ele responde a última questão, e o faz em duas partes: (a) considera o problema da possibilidade de as partes da alma serem espacialmente separáveis (ou melhor, separadas); e, em seguida, (b) considera a possibilidade de serem separáveis apenas por abstração.

Quanto à separação espacial, isso é fácil de ser percebido em relação a algumas partes, mas não o é em relação a outras. Plantas, por exemplo, podem ser divididas e ainda assim continuar a viver — é o que acontece quando se faz uma poda ou quando se tira uma muda; logo, o princípio de vida nas plantas é um único em ato, mas potencialmente múltiplo. Alguns animais, inclusive, continuam vivos depois de terem sido segmentados (Aristóteles fala em insetos, mas o mesmo vale, por exemplo, para minhocas: pode-se observar que cada uma das partes reage ao toque, contorcendo-se; isso mostra que as partes conservam a sensibilidade e a capacidade de mover-se). E, se cada parte tem sensação, então tem também imaginação (pois, segundo Aristóteles, a imaginação é simplesmente um movimento derivado da atividade da sensação); e tem ainda desejo, já que sensação envolve atração e repulsa, prazer e dor (isto é, a parte cortada também tem desejo). Sobre a relação entre percepção sensível e desejo, ver a nota para 414a29.

Aristóteles não é explícito quanto à existência de algo equivalente à imaginação humana (a capacidade de colocar imagens para si) em todas as espécies inferiores de animais. Ora, se cada um dos segmentos tem a capacidade de nutrir-se e de sentir, se tem apetite e se locomove, é claro que esses princípios não estão localizados em nenhuma parte especial do corpo animal. Outras potências da alma são evidentemente localizadas; por exemplo, a capacidade de ver encontra-se no olho, e a de ouvir, no ouvido, embora o sentido mais fundamental — a saber, o tato — esteja distribuído pelo corpo todo.

413b24. Em relação ao intelecto, não se sabe se é espacialmente separado ou se é separável apenas por abstração; nenhuma prova ainda foi dada sobre a sua localização em algum órgão especial do corpo. Mas, à primeira vista, parece ser de uma natureza diversa das outras partes da alma e existir de uma maneira diferente das demais. É claro também que todas as partes são separáveis por abstração. Em suma: a alma tem partes somente no sentido de que um ser vivo tem capacidades essenciais; isto é, falar em partes da alma é falar em potências.

Em relação à questão (1), a resposta parece estar subentendida na que foi dada à questão (2): nas plantas, por exemplo, em que há apenas a potência nutritiva, esta "parte" seria a própria alma da planta; nos outros seres vivos, a alma seria nomeada a partir da "parte" principal — a perceptiva para os animais e a intelectiva para os homens (essa mesma ideia pode ser conferida em *EN* 1170a16-20).

414a4. Este é um parágrafo longo e importante, com muitas dificuldades relativas ao texto. Apresenta um argumento, cuja interpretação é objeto de controvérsias, remetendo ao princípio da investigação sobre a alma, ou seja, à opinião comum de que o animado difere do inanimado pelo viver [413a20 ss.] e de que a alma é justamente aquilo por meio de que vivemos e desempenhamos nossas mais diversas capacidades vitais. Aristóteles, em seguida, aponta que há duas acepções para a expressão "por meio de que" [*hôi*, literalmente "pelo que"], e o faz em três instâncias distintas: viver e perceber, conhecer, e ter saúde.

O ponto em questão é, de fato, a distinção entre causa formal e causa material, aquela como o princípio ativo, esta como o princípio passivo ou receptivo da determinação. No caso do conhecer, aquilo por meio de que conhecemos tanto é a ciência (a forma) como o que recebe a forma (a alma) — ponto difícil de sua teoria do intelecto. Do mesmo modo, aquilo por meio de que temos saúde tanto é a saúde (a forma, no sentido de certa razão entre as qualidades do úmido, seco, quente e frio) como o que recebe a saúde (seja o corpo todo, seja uma parte do corpo). Aristóteles serve-se de vários sinônimos para indicar a causa formal: configuração, forma e determinação.

Ora, é como forma (e não como recipiente ou substrato) que dizemos que a alma é aquilo por meio de que vivemos, percebemos e pensamos. Se a alma é forma, ela é a atualidade de um corpo de certo tipo (a saber, de um corpo natural dotado de órgãos), e não o contrário.

O argumento final, em linhas gerais, parece ser este: o animado difere do inanimado pelo viver; e a alma é aquilo por meio de que vivemos e desempenhamos nossas capacidades vitais. "Aquilo por meio de que" se diz em dois sentidos: como forma (ou atualidade), ou como o que recebe a forma (ou potencialidade). A alma é "o por meio de que", mas não como recipiente ou substrato. A alma, então, é forma (ou atualidade) do animado.

Em suma, o argumento pode ser formulado brevemente da seguinte maneira: é principalmente em virtude de sua forma que se diz de certa coisa que tem tal e tal propriedade; ora, é principalmente em virtude da alma que se diz do animado que ele vive; a alma é, portanto, forma do ser vivo [cf. *CH*, p. 329]. De qualquer maneira, a conclusão agora obtida concorda plenamente com a definição enunciada no capítulo anterior: a alma é a primeira atualidade do corpo natural orgânico.

414a14. O assunto é concluído com a retomada dos conceitos apresentados no início do capítulo anterior da maneira que se segue. As substâncias compostas são analisáveis em termos de forma e matéria, o animado é uma substância composta de forma e matéria e, sendo animado, é dotado de alma. Ora, foi provado anteriormente que a alma é forma [414a13]. Mas forma é atualidade; logo a alma é atualidade de certo tipo de corpo.

Aristóteles observa que sua definição é compatível com a opinião dos que distinguiram a alma do corpo mas admitiram que ela é dependente dele, embora tenham falhado em reconhecer que a alma depende de um tipo determinado de corpo e não de um corpo qualquer. É difícil saber exatamente quem Aristóteles tem em mente com este comentário, mas talvez ele se refira à tese da alma como harmonia sustentada por Símias no *Fédon* de Platão [85 e ss.].

Capítulo 3

As análises do capítulo anterior permitem ver que a alma tem partes somente no sentido em que podem ser assim consideradas as diversas capacidades que ela preside; em outras palavras, falar em parte da alma é uma maneira imprecisa de referir-se às potências ou capacidades do ser vivo. Do ponto de vista do vocabulário, foi possível progredir da noção de *morion psykhês* para a noção de *dynameôn tês psykhês*; o tema principal do terceiro capítulo é a distinção entre as potências da alma.

414a29. No capítulo anterior, Aristóteles apresentou uma divisão da alma em quatro partes, que permitia dividir os seres vivos em quatro classes principais: (1) a nutrição/geração é a parte da alma que caracteriza as plantas; (2) nutrição/geração e tato, os animais inferiores; (3) nutrição/geração, percepção e locomoção são partes da alma de animais superiores; (4) todas as anteriores e intelecto são as do homem. No início deste capítulo, ele apresentará uma divisão de cinco potências da alma, ou seja, o poder de (1) nutrir-se, (2) desejar, (3) perceber, (4) locomover-se e (5) pensar.

É preciso, em primeiro lugar, chamar a atenção para o fato de que, para Aristóteles, *orexis* é o termo geral — e por isso foi traduzido por "desejo" e não literalmente por "apetite" —, que se manifesta seja de maneira não racional — como ânimo ou impulso [*thymos*] e apetite [*epithymia*] —, seja de maneira racional — como aspiração, vontade [*boulêsis*] [cf. 432b5-6].

Nesta passagem e na seguinte, Aristóteles prova, em dois argumentos, que o desejo existe para todos os animais. Em ambos os casos há problemas com o texto e com sua exata interpretação. Mas, em linhas gerais, o primeiro deles afirma o seguinte: todo animal tem pelo menos um sentido (a saber, o tato), e todo aquele que se serve de um sentido sente também prazer ou dor (isto é, percebe o objeto como prazeroso ou doloroso); e todo aquele que sente prazer e dor pode, por sua vez, desejar o prazeroso; de maneira que todo e qualquer animal, posto que tenha ao menos o tato, pode desejar.

Algumas observações merecem ser feitas sobre o assunto. Aristóteles parece cuidadoso em distinguir o prazer e a dor, afecções do sujeito que percebe, do prazeroso e do doloroso, qualidades do objeto percebido; desta maneira, sugere que o sujeito percebe tanto os próprios sentimentos (subjetivos) como as suas causas (objetivas). Com isso, ele sugere que aquilo que buscamos é o prazeroso no objeto, e não o sentimento subjetivo de prazer — deixando assim a margem necessária para a análise que fará do movimento.

414b6. O segundo argumento parece ser apresentado da seguinte maneira: todo animal tem o sentido relativo ao alimento (a saber, o tato); os animais alimentam-se do que é seco, úmido, quente e frio (que são qualidades tácteis); a fome é o desejo do seco e quente, e a sede, do frio e úmido; logo, todo animal que tem o sentido do alimento tem também desejo.

Como apresentado, parece que o raciocínio se aplica exclusivamente à forma mais elementar de desejo, a saber, o apetite material. O maior problema do texto e da interpretação está relacionado ao trecho que menciona outros objetos perceptíveis, que pode ser entendido no sentido de que a cor e o cheiro, por exemplo, são qualidades acidentalmente influentes no processo de nutrição, que é essencialmente levado a cabo por um único sentido: o tato. O objeto próprio do paladar é o sabor [*khymos*] que será, de certa maneira, assimilado a uma forma de tato (cf. *DA* II, capítulos 10 e 11, especialmente 422a6 e 423a17-20).

O parágrafo é concluído com uma certeza relativa ao desejo e uma incerteza relativa à imaginação. Sobre o primeiro ponto, é possível observar, contra a generalização de Aristóteles, que, se parece verdadeiro que o prazer e a dor desencadeiam desejo e repulsa, não parece plausível, contudo, que a percepção sensível acarrete necessariamente desejo e repulsa, pois parece possível conceber seres capazes de perceber sem ter desejo ou repulsa.

414b20. Neste parágrafo, Aristóteles trata de algumas dificuldades relativas à definição de alma, que já havia sugerido em 402b3 ss. e que agora estão explicitamente associadas ao fato de a alma ter suas potencialidades ordenadas de maneira hierarquizada. Não que seja impossível uma definição: o ponto é que ela não será suficientemente informativa sobre as almas que pretende subsumir em seu enunciado, pois não se trata de espécies coordenadas sob um mesmo gênero. Em outras palavras, o problema não é que a definição deixa de lado aspectos do objeto que define, pois toda definição captura apenas características essenciais. O ponto é que uma definição geral de alma omite exatamente a ordem progressiva em que as suas potencialidades estão arranjadas.

A dificuldade, por sinal, não é exclusiva da psicologia [*Met.* 999a6 ss.; *Pol.* 1275a35 ss., *EN* 1096a17 ss.]. Aristóteles afirma que a definição de alma em geral é análoga àquela de figura geométrica: assim como não há figura que exista à parte do triângulo e derivados, da mesma maneira não há alma que exista à parte das potências mencionadas. É possível, contudo, encontrar uma definição que inclua todas, mesmo não sendo própria a nenhuma, embora seja ridículo investigar apenas a definição comum sem procurar também a definição que se aplica a cada uma das potências em particular.

414b33. Por fim, Aristóteles sustenta que, tanto no caso das figuras como no das potências da alma, a série ordena-se de tal maneira que a anterior sempre existe em potência na posterior, mas não o contrário. Assim, (a) deve-se continuar a investigação até que se tenha definido cada uma das potências em particular e (b) deve-se considerar por que as potências da alma se organizam em uma série hierarquizada.

Capítulo 4

O capítulo, que começa a examinar uma a uma as potências mencionadas, aborda o tema da alma nutritiva [*threptikê psykhê*] [415a23] em duas partes: primeiro, fazendo certas observações preliminares sobre a ordem da investigação e respondendo a duas objeções; segundo, analisando as atividades da alma nutritiva.

415a14. Aristóteles mostra a ordem a ser seguida no exame das potências da alma. Em 402a7, ele havia apresentado a tarefa na seguinte ordem: conhecer (a) a natureza e substância e (b) os atributos — quer dizer, os atributos essenciais. De acordo com isso, nesta passagem Aristóteles diz que é preciso investigar o que é cada uma dessas potências ou capacidades, acrescentando, em seguida, a expressão genérica "o que se segue e todo o restante" [*tôn ekhomenôn kai tôn allôn*], que pode ser interpretada como uma referência à investigação dos atributos próprios e de outras propriedades, que serão examinadas nos pequenos tratados suplementares que compõem o *Parva Naturalia.*

De certo ponto de vista, o primordial é definir a natureza de cada potência; de outro, a primeira tarefa é analisar o ato da capacidade em questão, pois a atualidade e a atividade têm prioridade lógica e, por conseguinte, precedem a potencialidade. Esta envolve a relação com a atualidade e só pode ser definida em seus termos. Em outras palavras, o que é x em potência é inteligível somente em termos do que já é efetivamente x. Na ordem do devir, contudo, a potência de certo modo precede a atualidade, pois o que é x só pode vir a ser daquilo que pode ser x (embora até neste caso algum x em atualidade esteja pressuposto [*Met.* IX, 8]). E, sendo este o caso, o objeto correlato deve ser examinado em primeiro lugar. Pois o ato se remete a algo anterior a ele, justamente o objeto que lhe é correlato e correspondente, cuja prioridade, por sua vez, pode ser explicada nos seguintes termos: no caso das assim chamadas potências passivas (por exemplo, a capacidade de ver), o objeto correlato (a saber, a cor) é o agente causal; nos casos das ativas (por exemplo, a capacidade de construir), o objeto é o termo final produzido por aquela atividade (a saber, a casa).

415a22. Se objetos e atualidades devem ser definidos antes que as potências, e se as potências fundamentais devem ser definidas antes daquelas que as sucedem, então o estudo da alma deve começar pelo objeto da potência nutritiva (isto é, pelo alimento) e pela geração, ou seja, pela reprodução, que é o princípio daquela atividade. Através da atividade da potência nutritiva, a integridade física do organismo, fundamento para a percepção sensível, estará assegurada. Ela é comum ao gênero vivo como um todo e, por ser a forma mais geral de vida, deve ser examinada em primeiro lugar. É preciso notar, no entanto, que a nutrição e a geração são colocadas juntas como atualidades básicas da alma, sem mais nem por quê. Há ainda uma ambiguidade no vocabulário: o termo *trophê* significa nutrição tanto no sentido da capacidade de alimentar-se como no sentido de alimento; e, ao longo do capítulo, foram empregados os termos nutrição e alimento, conforme o contexto.

As questões preliminares servem para Aristóteles justificar o fato de atribuir a nutrição e a geração à alma (*psykhê*) e não apenas à natureza (*physis*). O primeiro ponto estabelecido — que a geração é uma atividade da alma nutritiva — fundamenta-se no seguinte argumento: as atividades naturais, para todo e qualquer ser vivo, derivam da potência nutritiva; logo, a geração, sendo o que é mais natural para o gênero vivo, deriva da potência nutritiva. É preciso, ainda, frisar que o processo de geração é comum a todos os seres, inclusive os inanimados, embora estes sejam gerados de uma maneira diferente daquela dos animados (que derivam da potencialidade da semente reproduzir uma nova vida).

A razão da geração — produzir um outro semelhante a si — é participar como pode do eterno e do divino, e todos os seres vivos fazem tudo o que fazem em vista disso. Há, contudo, três exceções: os seres imaturos, como as crianças; os seres defectivos, como os eunucos; e aquilo que é criado por geração espontânea (neste caso, por ser uma forma de vida muito inferior às demais, certas condições materiais e a influência dos corpos celestes bastam para causá-la).

É preciso cautela na interpretação da ideia de que a motivação de um indivíduo para reproduzir-se é *participar como pode do eterno e do divino*. A declaração faz lembrar a doutrina de Diotima no *Banquete* de Platão [206e], embora esteja acima de dúvidas que Aristóteles tem em vista o processo natural da geração dos animais. É preciso cautela, ainda, ao interpretar as palavras de Aristóteles no sentido de preservação da espécie. A teoria completa da reprodução é apresentada em *De Generatione Animalium*, e suas linhas gerais, *grosso modo*, são estas: o animal desenvolve-se primeiramente em direção à semelhança parental, e a forma comum da espécie é apenas uma generalidade que acompanha essa semelhança (da mesma maneira que o universal é apenas o geral e comum aos particulares), e não uma causa eficiente da formação individual (cf. Balme, "Aristotle's Biology was not Essentialist"). De fato, o termo *eidos* admite ser traduzido por espécie tanto como por forma, e apenas o contexto pode dizer o que Aristóteles tem em vista. Em *Tópicos* e *Categorias*, ele tem geralmente o sentido de espécie; mas, já em *Metafísica*, a ocorrência de *eidos* nesse sentido é muito menor; e nos trabalhos de biologia Aristóteles emprega o termo *katholou* [universal] para referir-se à espécie.

415b8. Nesta passagem Aristóteles aponta a conexão entre as atividades de nutrição/reprodução e a alma, para enfatizar que não são presididas simplesmente pelo princípio da natureza, tal como a geração dos inanimados. Isso é feito em dois passos. Aristóteles, primeiro, prova que a alma é causa e princípio dos seres vivos e, depois, refuta dois erros dos predecessores. Para isso, retoma sua bem conhecida doutrina da causalidade, apontando as três acepções relevantes, no caso, do termo *causa* [*aitia*] — causa eficiente, causa final e causa formal —, para, em seguida, com base em dois argumentos, provar (a) que a alma é causa formal do ser vivo.

Há frequentemente uma coincidência dessas três causas [*Met.* 1041a27 ss.], e é o que ocorre neste caso. Apresentar a *aitia* de algo é dar uma razão para que isso seja como é, de maneira que a causa é um dos [quatro] aspectos responsáveis pelo ser da coisa — e o aspecto ou a causa material, único não mencionado nesta passagem, geralmente é contraposto aos quatro outros.

O primeiro argumento é o seguinte: a razão de todas as coisas serem o que são é a sua substância ou forma; e a alma é a razão de o ser vivo ser o que é; logo, a alma é a causa dos seres vivos no sentido de forma. O segundo argumento, enunciado em uma única frase, poderia ser reconstituído assim: a *entelekheia* é a forma imanente (isto é, a determinação) da coisa em potência, e a alma é *entelekheia* do ser vivo; logo, a alma é a forma do corpo vivo.

415b15. A locução pela qual se expressa a causa final foi mantida literalmente: o "*em vista de*" [*hou heneken*]. Nesta passagem, Aristóteles apresenta o seguinte argumento para provar (b) que a alma é causa final do corpo vivo. Tanto a natureza como o intelecto agem em vista de um fim [*Fis.* II, 8, 198b15]; pois o intelecto, ao presidir a produção de algo, arranja os componentes materiais em vista de certo fim, assim como a natureza; se a alma é a forma determinante e imanente do corpo vivo, então também é o fim em vista de que o corpo vivo é organizado.

Mas em que sentido exatamente a alma pode ser considerada aquilo em vista de que o corpo vivo é organizado? A ideia talvez seja que, assim como a finalidade de existir um órgão sensível, por exemplo, é seu funcionamento para que haja percepção, da mesma maneira a finalidade de existir um corpo vivo inteiro é seu funcionamento para que haja a vida — e, na concepção de Aristóteles, viver é melhor que não viver, bem como ser é melhor que não ser [*GA* 731b30; *GC* 336b29].

415b21. É preciso lembrar que o movimento é uma classe que inclui mudanças qualitativas (envolvidas na percepção sensível), mudanças quantitativas (como crescimento e decaimento ligados à nutrição, a forma mais comum de vida), e não apenas o movimento local (de que nem todos os seres vivos participam). Nesta passagem, este novo argumento é formulado para provar (c) que a alma é causa eficiente do corpo vivo: a forma de todo corpo natural é princípio do movimento próprio àquele corpo (por exemplo, a forma do fogo é a causa do movimento do fogo); certos movimentos são próprios dos corpos vivos (por exemplo, locomoção, alteração, crescimento e decaimento) e implicam o uso de alimento e, portanto, a alma nutritiva; logo, a alma é o princípio de todos esses movimentos. Com isso, o primeiro passo está concluído, e está provado que a alma é causa e princípio do corpo vivo.

415b28. Como foi dito, para mostrar a conexão entre as atividades do princípio vegetativo e a alma, ou seja, para provar que não decorrem apenas da natureza, Aristóteles dá um segundo passo, que consiste em refutar dois erros dos predecessores.

O primeiro erro foi cometido por Empédocles, que atribuiu o crescimento a meras razões materiais, e Aristóteles o refuta com dois argumentos. Empédocles, primeiro, entendeu mal as noções de acima e abaixo, pois, nas plantas, as raízes têm a mesma função que a cabeça dos animais; logo, a terra estaria levando a raiz não para baixo, e sim para cima, relativamente à parte que desempenha a função de cabeça (qual seria esta função, Aristóteles não explica, embora possa ser inferido que seja a obtenção do alimento). Segundo argumento: nas misturas, os elementos comparecem não em ato, mas em potência, e por isso perdem o movimento que lhes é próprio e a mistura como um todo se move com o movimento do elemento predominante. Se, como pretende Empédocles, cada elemento retivesse seu próprio movimento em direções contrárias, o todo, então, se desintegraria, a menos que algo o contivesse, mantendo seus elementos juntos. Ora, isto que contém os elementos é que parece ser a causa do crescimento, pois, sem isto, os elementos se dispersariam e não teria sentido falar em crescimento. Nos seres vivos é a alma que mantém os elementos juntos; logo, a alma é o princípio de crescimento.

416a9. Um segundo erro cometido pelos predecessores (provavelmente por Heráclito) foi atribuir a razão do crescimento apenas ao fogo, por entenderem que, dentre os elementos, o fogo é aquele que parece alimentar a si mesmo e crescer. Aristóteles ataca a opinião, mas admite que tem algo de verdadeiro: o fogo (ou, mais precisamente, o calor) tem um papel na nutrição e, consequentemente, também no crescimento, não como causa principal, mas como condição e instrumento (isto é, como causa coadjuvante). A argumentação parece ser a seguinte: o principal agente em qualquer atividade é o que impõe seu limite (por exemplo, na construção de uma casa, o limite não é estabelecido pelos instrumentos empregados, mas pela forma que se quer e pela técnica). Tudo, na natureza, tem limites para seu tamanho e crescimento, e o fogo, que cresce ilimitadamente, não poderia colocar esse limite. Se os limites quantitativos das coisas materiais são fixados pela forma e se a alma é a forma dos seres vivos, então é a alma que fixa os limites para o tamanho e para o crescimento do corpo vivo, e não o fogo, que é simplesmente uma condição e um instrumento para que isso ocorra.

416a18. Este parágrafo dá início à segunda parte do capítulo, na qual Aristóteles prossegue o exame das assim chamadas atividades vegetativas — nutrição e reprodução. Como ele havia estabelecido no início do capítulo, o primeiro aspecto a ser examinado deve ser o objeto correlato, a saber, o alimento. É preciso, em seguida, mostrar de que maneira o objeto e a atividade se relacionam e, por fim, definir a potência da alma responsável por tais atividades. O alimento será considerado relativamente à alma nutritiva como um todo, isto é, tanto em seu papel para a nutrição como no desempenhado na reprodução. Aristóteles começa expondo tudo o que parece ser verdadeiro em relação ao alimento: (a) o alimento parece ser o contrário do sujeito alimentado, pois ele tem de tornar-se o sujeito alimentado e o processo de tornar-se algo é normalmente entendido como um evento de algo para o seu contrário; (b) parece claro, contudo, que mesmo sendo o contrário gerado pelo contrário, não é todo e qualquer contrário que alimenta o contrário, pois a doença, por exemplo, é gerada a partir da saúde, mas não é alimento para ela; (c) entre os elementos, o fogo parece ser aquele que é nutrido pelos líquidos combustíveis.

416a29. Aristóteles levanta, agora, uma objeção quanto à admissão do alimento como contrário: é possível sustentar a opinião oposta e afirmar que o semelhante é alimentado pelo semelhante; pois parece que o alimento deve ter afinidade com aquilo que é nutrido, já que é a causa do crescimento e tudo cresce por acumular o que é semelhante.

416b3. O impasse é resolvido, segundo ele, dependendo de aquilo que estamos chamando de alimento resultar da digestão ou ser o que se recebe antes de o processo começar. Antes da digestão, é verdadeiro afirmar que o contrário se nutre do contrário; pois o ser vivo alimenta-se do que é diverso. Mas, ao digeri-lo, torna-o semelhante ao sujeito que se alimenta; de modo que, sendo digerido, o semelhante nutre-se do semelhante.

416b9. A passagem examina a relação entre o alimento e a nutrição. E somente o que participa da vida pode então literalmente ser alimentado. (O fogo, em certo sentido, parece algo que é "alimentado", mas, *stricto sensu*, não é isso o que ocorre, pois o que é alimentado é aquilo que absorve alguma outra coisa em vista de manter sua própria realidade física; na combustão, o combustível não mantém o mesmo fogo, mas dá sempre início a um novo fogo produzido por uma nova madeira; em suma, o fogo é um agregado e não uma unidade.) E, na medida em que é agente causal da nutrição, o alimento é algo substancialmente relacionado ao ser vivo.

416b11. Está em foco agora a relação entre alimento e crescimento. Segundo Aristóteles, usar o alimento e crescer são duas coisas substancialmente distintas, embora integrem um mesmo fato. O sujeito alimentado tanto é uma certa quantidade como algo determinado; no primeiro caso, recebe alimento como um fator para o seu crescimento; no segundo, recebe-o como aquilo que conserva sua substância. Do ponto de vista da relação entre alimento e reprodução, basta dizer que sêmen e semente — isto é, o princípio reprodutivo — são resíduos do alimento, de maneira que este é ainda uma causa na reprodução (não de si, mas de outro como ele mesmo, pois nada gera a si mesmo, apenas conserva).

416b20. Em vista do que foi afirmado em 408b13-5 ("Talvez seja melhor dizer não que a alma se apieda ou apreende ou raciocina, mas que o homem o faz com a alma") e à luz do que será afirmado no próximo parágrafo, não se esperaria que Aristóteles dissesse simplesmente que é a primeira alma (ou o poder de nutrir-se) o que nutre, e sim o animal ou a planta como um todo (isto é, o composto), já que o calor vital será apresentado como um fator físico relevante no processo.

416b23. Nesta passagem é apresentada a seguinte analogia: na nutrição de um animal ou de uma planta, a alma se serve (a) do calor interno e (b) do alimento, da mesma maneira que, na condução de um barco, o piloto se serve (a) de sua própria mão e (b) do leme. Como interpretá-la exatamente? A ideia parece ser esta: o piloto dirige o barco com o leme, mas coloca o leme em movimento com a sua mão, e assim esta tanto move como é movida, enquanto o leme apenas é movido, sendo o piloto, por sua vez, a fonte primeira dos movimentos. Analogamente, a alma nutritiva (e princípio de crescimento) faz mover o calor vital (movido e movente), e por meio dele atua sobre o alimento (movido).

Embora sejam poucas as passagens em *De Anima* que fazem referência ao calor vital [*to emphyton thermon*], a pesquisa recente tem levantado boas evidências de que a noção, contudo, é crucial para o claro entendimento da maneira como Aristóteles resolve o problema da relação entre a alma e a matéria em que ela atua (cf. Freudenthal, *Aristotle's Theory of Material Substance: Heat and pneuma, Form and Soul*). O assunto não é objeto de nenhum tratado específico, e por isso é visto mais como linha de pesquisa do que como teoria propriamente dita, mas merece atenção, embora as fontes principais precisem ser recolhidas de diversas passagens, sobretudo dos tratados biológicos.

Há um hiato, de fato, entre a teoria da matéria, fundada na doutrina dos quatro elementos e das qualidades essenciais, e a ordem e estrutura do universo, isto é, a matéria organizada em formas recorrentes. Por isso, Aristóteles precisa introduzir princípios explicativos adicionais, nos quais foram tradicionalmente vistos a sua noção de forma e a teoria da substância: uma causa ativa é necessária na justificativa tanto da geração como da coesão de substâncias compostas e, no caso dos seres vivos, essa causa (formal, final e eficiente) é a alma. Há evidências, no entanto, de que o calor vital e o *pneuma* (literalmente, o sopro, isto é, o ar morno que o transporta) não são meramente elementos físicos adicionais, mas são precisamente os portadores da causa formal. Em outras palavras, Aristóteles estabelece como que um paralelismo entre suas explicações fisiológicas e sua teoria psicológica.

Aristóteles afirma que a vida e a presença da alma envolvem certo calor [*thermotêtos tinos*] [*Juv.* 474a25 ss.]. Esse calor interno, em associação ao *pneuma*, é mencionado em *DA* 420b20-1. As plantas exibem crescimento proporcionado e, assim, como foi dito, têm uma alma nutritiva e uma fonte natural de calor [*PA*

650a2-7], embora obtenham seu alimento já elaborado da terra (e por isso não produzem excrementos, pois a terra e o calor da própria terra funcionam para as plantas como um "estômago" externo [*PA* 650a21-3; 678a13]). Aristóteles concebe o calor vital como capaz de informar a matéria, pois, nos animais, as variações no calor vital, levado pelo sêmen do macho, produzem variações correspondentes na perfeição do embrião resultante [*GA* 767b22 ss.; 768a22 ss.; 768a31; 767b6; 770b5]. E ele também é o responsável pelos movimentos formativos específicos, pois, quando atua sobre a matéria apropriada, geralmente misturas proporcionais (ou homeômeras) são geradas. É ainda o calor vital que metaboliza novos nutrientes e a alma, com sua presença no sangue — primordialmente localizada no coração —, pode estar pelo corpo inteiro. O calor vital estaria, de fato, envolvido em quase todas as capacidades da alma e determinaria, segundo Aristóteles, a hierarquia das espécies vivas. Além disso, um animal com mais calor vital terá uma posição mais ereta, donde a posição ereta do homem estar relacionada ao calor "elevadiço" que entra em sua constituição [*PA* 686b2-36; *Juv.* 477a20 ss.].

O sangue, segundo Aristóteles, é a matéria a partir de que todas as partes do corpo são formadas [*PA* 650a33; 651a14; 668a4] e, quanto mais puro for o sangue que constitui um órgão, tanto mais mole e mais sensível ele será [*GA* 781a18-20]. A fisiologia do sangue está relacionada, ainda, a muitas diferenças psíquicas dos animais, inclusive traços de comportamento [*PA* 650b27-33; 648a9-10; *MA* 701b28 ss.]. Em suma: as diferenças na qualidade do sangue estabelecem uma escala de valor dos respectivos órgãos sensíveis.

O calor vital, por sua vez, é necessariamente inerente a um substrato, pois não é uma substância que existe por si, e sim uma qualidade. Mas o sangue não parece ser o encarregado do transporte do calor vital, e sim do nutriente [*PA* 647b2; 650a35; 668a4 ss.], pois o sangue não é essencialmente quente [*PA* 649b20 ss.] Ao que tudo indica, é a ação do calor vital no sangue que produz necessariamente o que Aristóteles chama de *pneuma* — algo comparável a um vapor —, que seria, este sim, o substrato imediato do calor vital, capaz de transportá-lo por todas as partes do corpo. De um ponto de vista físico, o calor vital atua no sangue de uma maneira semelhante ao processo de formação do vapor; e a produção do *pneuma* no sangue é o que produz a sua pulsação nas veias [*Resp*. 480a2-15]. Em suma: são funções do *pneuma*: (a) prover o calor vital com um substrato que o transporte, (b) transmitir o estímulo proveniente dos órgãos sensíveis ao centro de percepção, que, para Aristóteles, é o coração; (c) iniciar o movimento de locomoção.

Capítulo 5

Depois de tratar da potência vegetativa (nutrição e reprodução), Aristóteles começa o exame da percepção sensível em duas grandes seções. Nos capítulos restantes deste livro, trata (1) dos cinco sentidos como órgãos receptivos de qualidades sensíveis exteriores; nos três primeiros capítulos do próximo livro, trata (2) da percepção em seus aspectos, digamos, internos e gerais. Aristóteles, contudo, não tem em vista a questão da privacidade da experiência perceptiva, embora trate explicitamente as qualidades sensíveis como exteriores [*tôn exôn*]. O capítulo divide-se em três partes principais. Na primeira, são feitas algumas observações preliminares, provavelmente relativas à posição de Empédocles sobre o assunto; em seguida, Aristóteles faz a distinção entre as noções de potência e de atualidade no caso do intelecto; e, por fim, aplica a mesma distinção para o caso da percepção.

A maior dificuldade de todo este exame, como já foi dito, está na tradução do termo grego *aisthêsis*, que, no singular, cobre tanto sensação como percepção sensível — e será traduzido por um ou outro, de acordo com o contexto —, mas, no plural, muitas vezes designa, além disso, os cinco sentidos, pelo que estão subentendidos os órgãos dos sentidos. Cabe ainda notar que Aristóteles, referindo-se à percepção sensível como uma certa afecção [*pathos*] e um tipo de mudança qualitativa ou alteração [*alloiôsis*], tem em vista certamente a substância composta, isto é, um sujeito vivo (ou animado), dotado de órgãos capazes de percepção. Saber o que são esses movimentos para o corpo e para a alma, discriminadamente, é uma dificuldade adicional do tratamento dispensado à percepção sensível por Aristóteles.

Alguns aspectos gerais da teoria aristotélica da percepção sensível monopolizaram a atenção dos intérpretes. Um primeiro ponto é que Aristóteles sustenta estarem envolvidas na percepção certas alterações fisiológicas, bem como haver uma cadeia de eventos entre o objeto e o sujeito da percepção, passando necessariamente por um intermediário (cf. capítulo 7). Qual seria, então, a natureza da alteração desse intermediário no processo? Além disso, perceber um objeto, não importa com qual dos sentidos, não parece ser apenas uma alteração física de qualidade, mas uma modificação na consciência do sujeito que percebe. Como Aristóteles lida com o fato, se é que trata explicitamente deste ponto?

416b32. Em 415b24, Aristóteles já havia dito que há o parecer de que a percepção sensível seja uma certa alteração. Mas, entre os predecessores, há também quem pense que o semelhante é percebido pelo semelhante — esta, por exemplo, seria a opinião de Empédocles, a considerar seus versos, citados em 404b13-5, e talvez também a de Demócrito. O assunto foi tratado por Aristóteles em *De Generatione et Corruptione* I, 7, onde sua conclusão é a de que, embora no início do processo de sensação agente e paciente sejam contrários, quando aquele termina, estes são similares.

417a2. A posição de Empédocles pressupõe que o sentido seja efetivamente tal como a qualidade sensível. Mas uma consequência indesejável decorre desta hipótese, o que Aristóteles expressa de duas maneiras: (1) se os sentidos são efetivamente compostos dos mesmos elementos e qualidades sensíveis que percebem, e se estas são percebidas quando estão nos objetos externos, então o sentido poderia também ter percepção de seu próprio órgão, ou, em outras palavras, (2) se a presença da qualidade sensível basta para o sentido percebê-la, então a percepção poderia ocorrer mesmo na ausência da qualidade externa e ser causada pelo órgão percebendo a si mesmo. Ambos os pontos são introduzidos como problemas que os antigos não souberam resolver. O argumento de Aristóteles se apoia no fato de que nada disso ocorre: nem a percepção do próprio sentido, nem percepção na ausência de uma qualidade sensível externa. Logo, conclui Aristóteles, o poder de perceber é uma potência no órgão.

O argumento não é muito claro e deixa a impressão de que Aristóteles se apoia mais do que convém na analogia (imperfeita) com o inflamável, que não queima a si mesmo e depende do fogo (externo e operante) para fazê-lo (se o inflamável fosse constituído do mesmo elemento que aquilo que pode queimá-lo, como é o caso do órgão, a analogia seria exata). O argumento, além disso, é desencaminhador. Se a capacidade do órgão depende da presença externa da qualidade para ser efetivamente colocada em funcionamento, então parece que a percepção deveria ser, de fato, entendida como o "ser movida" ou "afetada". Mas esta não é a última palavra sobre o assunto.

417a9. Neste parágrafo, Aristóteles simplesmente reafirma a distinção, já feita em 412a22, entre (1) perceber e percepção em potência e (2) perceber e percepção em atualidade (entre, por exemplo, poder ver e estar dormindo, ou estar efetivamente percebendo cores e formas), estendendo-a também aos objetos de percepção. Aristóteles tem em vista a distinção que pode ser feita, por exemplo, relativamente à cor em potência que se torna cor em ato se e somente se houver luz. Para os demais objetos perceptíveis subsistirá, de uma maneira ou de outra, a mesma diferença. Esses pontos serão tratados isoladamente para cada sentido a partir do capítulo 7 deste livro.

417a14. Os predecessores disseram que a percepção sensível consiste em ser movido [*kineisthai*] e ser afetado [*paskhein*]. Aristóteles, com maior precisão, dirá, por sua vez, que perceber consiste em entrar em atividade [*energein*], de maneira que não se deve levar ao pé da letra a suposta identidade entre essas três coisas com que se abre o parágrafo. A declaração sobre o movimento — "é uma certa atividade, todavia imperfeita, como foi dito alhures" — refere-se a *EN* 1174a13 ss. Naquela passagem, Aristóteles sugere que o movimento é incompleto porque leva tempo e implica um fim separado de si próprio, o que é retomado em *Met.* 1048b23 ss., quando diz que, na atividade, acontece ao mesmo tempo o ver e o estar visto, o entender e o estar entendido.

Aristóteles enuncia, por fim, o princípio que foi mencionado no parágrafo anterior: o movimento é causado por algo em atividade. A tradução é difícil, e ele diz literalmente: "Tudo é afetado e movido pelo produtivo e que é em atividade" [*hypo tou poiêtikou kai energeiai ontos*], em outras palavras, o agente do movimento é aquilo que pode produzir e está em atividade, traduzido (um tanto insatisfatoriamente) por *poder eficiente* (embora *poder atuante* talvez fosse uma expressão mais exata) para preservar a referência à expressão, consolidada em português, *causa eficiente*, isto é, o princípio de onde parte o movimento [*GC* 324b13]. Aristóteles utiliza esse princípio para reconsiderar a posição dos predecessores: inicialmente o agente em atividade é diferente e contrário ao que sofre sua ação e é em potência — e nisso constitui sua dessemelhança —, mas este, ao ser atualizado, assemelha-se por fim ao agente e torna-se efetivamente tal como ele é [*GC* 323b31].

417a21. No que concerne ao intelecto e à capacidade de conhecer, como foi dito, é preciso discriminar três estágios: (1) a potência [*dynamis*] natural ligada ao gênero e à espécie, isto é, a racionalidade dos seres humanos; (2) o conhecimento disposicional [*hexis*] do indivíduo já instruído, por exemplo, ter conhecimentos de aritmética; e (3) a atividade e o pleno exercício [*energeia*] desse conhecimento, isto é, realizar, por exemplo, uma multiplicação. Nos dois primeiros estágios, pode-se falar de conhecimento em potência, no terceiro, por outro lado, o conhecimento está em atividade, e esse sujeito é que pode apropriadamente ser considerado aquele que conhece algo.

O texto é elíptico e a tradução não leva em conta a frase acrescentada por Ross. Optou-se também por ler *aisthêsin* e não *arithmêtikên* na linha 417a32. Aristóteles afirma que cada um dos que são em potência tornam-se conhecedores de fato em sentidos diferentes e de modos diferentes. Em um primeiro sentido, a passagem da potência primeira (uma *dynamis* ligada ao gênero) à potência segunda (uma *hexis* ou disposição do indivíduo) é analisada em termos de dois aspectos: (1) quando se é alterado por meio de instrução [*mathêseôs alloiôtheis*] e (2) quando há a aquisição individual a partir da percepção sensível [*aisthêsis*]. Em um outro sentido, há simplesmente a passagem do conhecimento disponível ao pleno exercício, isto é, entrar em atividade [*energein*].

Cabe alguma dúvida sobre a exatidão da afirmativa: a capacitação intelectual de um sujeito por meio de instrução é propriamente uma mudança qualitativa [*alloiôsis*] e, portanto, um movimento [*kinêsis*]? Não seria mais apropriado dizer que é somente acompanhado ou dependente de movimentos, já que em si mesmo todo e qualquer processo intelectual — a crer em suas palavras — é de um gênero diferente dos processos físicos? É exatamente isso que será retomado no obscuro e difícil parágrafo seguinte.

417b2. O parágrafo é de difícil interpretação. Aristóteles claramente está usando o que foi exposto linhas atrás para esclarecer as duas acepções do termo *ser afetado* [*paskhein*]. Em um sentido, ser afetado é (a) sofrer um tipo de corrupção [*phthora tis*] ou deterioração por algo de natureza oposta, quando um contrário é substituído por outro. Aristóteles infelizmente não dá exemplos, mas é possível pensar na passagem de um estado para o seu oposto, isto é, em uma real mudança de atributo — por exemplo, a água [*to alloumenos*], quando é aquecida, perde o atributo frio e ganha o atributo oposto, o quente. Neste caso, pode-se atribuir à água o movimento natural [*kinêsis*] envolvido em uma mudança de qualidade [*alloiôsis*] que ela sofreu por parte de uma outra qualidade sensível [*Fis.* VII, 3, 245b3 ss.] Em outro sentido, ser afetado é antes (b) conservação [*sôteria*] ou preservação de uma natureza justamente por sua plena atividade, isto é, pela atualização de uma disposição.

Em seguida, Aristóteles faz reparos à linguagem ordinária. Em nenhum dos dois casos da passagem do conhecimento em potência [*dynamis*] ao conhecimento disposicional [*hexis*] — seja por meio de instrução, seja a aquisição individual de conhecimento a partir da percepção sensível — deveria se falar em alteração, pois o que ocorre, diz ele, é um "progresso [...] em sua própria direção e à atualidade" [*eis auto gar he epidosis kai eis entelekheia*] [417b6-7]. Esta mudança quanto à natureza não é corrupção, nem bem é uma conservação, e sim progresso. E progredir, Aristóteles sugere, não é ser afetado em sentido próprio.

Esse progresso talvez possa ser interpretado como um aperfeiçoamento [*teleiôsis*] [*Fis.* VII, 3, 241a2] similar ao que Aristóteles vê na excelência moral. A aquisição da ciência a partir de princípios não é alteração, tampouco geração, afirma Aristóteles em *Fis.* VII, 3. Dizemos conhecer e saber pelo repousar e fixar da reflexão [247b11]; pois alguém se torna o que conhece por colocar a alma fora do tumulto dos processos naturais. E, para a alma, sair do tumulto provocado pelos processos naturais do corpo é como sair da bebedeira ou acordar: equivale a deixar de estar incapacitado de servir-se da ciência. Em outras palavras, não dizemos que houve geração propriamente da capacidade intelectual quando há aquisição da *hexis* intelectual a partir de princípios; pois só há geração do que é natural, e o intelecto não é parte do mundo natural.

Aristóteles conclui afirmando que, por um lado, não é correto então empregar o termo *instrução* para designar o sujeito que se conduz de um conhecimento disponível ao pleno exercício deste conhecimento, embora não exista na língua grega uma expressão exata para isso. Por outro lado, também não é correto empregar o termo *alteração* para designar o sujeito que é levado da potência (própria ao gênero humano) ao conhecimento disposicional (próprio aos indivíduos já instruídos). A menos que se aceite existirem dois gêneros distintos de alteração: a mudança concernente à passagem da privação à posse de uma qualidade; e a mudança concernente à disposição e à natureza (que, de fato, é progresso). Para uma análise desta passagem em relação a uma (engenhosa e não ortodoxa) interpretação do *De Anima* III, 4-5, cf. Zingano, *Razão e sensação em Aristóteles*, especialmente p. 87 ss.

417b16. Nesta passagem, Aristóteles aplica as distinções anteriores ao caso da percepção sensível, apontando diferenças entre conhecer e perceber. Observa, em primeiro lugar, que a disposição é inata e por isso ninguém carece de instrução para sentir antes de entrar na plena atividade dos seus sentidos. Em outras palavras, já se tem por natureza a disposição para perceber, tal como o sujeito instruído tem o conhecimento disposicional, por exemplo, da gramática. Em segundo lugar, no caso dos sentidos, as coisas que produzem efetivamente percepção são agentes externos [*ta poiêtika exôthen*], isto é, as qualidades sensíveis dos objetos. Este é o mais significativo aspecto em que percepção sensível e pensamento são processos distintos e não paralelos: as percepções são relativas a fatos singulares — este branco, este som etc. —, enquanto o pensamento opera com universais — o branco, o som —, que, diz Aristóteles, "de algum modo estão na própria alma". Este aspecto tem uma segunda implicação relevante: o pensamento é voluntário e depende exclusivamente do sujeito — ocorre quando ele quer, não havendo nenhum impedimento —, mas a percepção sensível depende dos objetos externos reais.

Porém, todos esses pontos, de uma maneira ou de outra, levantam dúvidas. Colocar a oposição percepção sensível/conhecimento em termos de objetos singulares e universais está plenamente de acordo com as teses dos *Segundos Analíticos* [81b6; 87b37-9; 88a7], mas parece negar o que foi dito poucas linhas atrás: "Há, por fim, aquele que já está inquirindo, que está em atualidade e conhecendo em sentido próprio este 'A' determinado" [417a28-9]. Aristóteles trata aqui claramente o conhecimento em ato em termos de um objeto particular e determinado (e parece fazê-lo ainda em *Met.* 1087a15 ss.). No *De Anima*, Aristóteles trata pensamento e conhecimento geralmente como sinônimos e de forma conjunta. Contudo, se é possível conceber o pensamento como algo voluntário, talvez isso seja mais complicado no caso do conhecimento, pois conhecer (tanto como perceber) é algo que depende de objetos. E não é de todo claro, por fim, em que sentido os objetos do pensamento estão na própria alma.

417b29. Aristóteles remete o assunto ao livro III, 4-5, onde retomará a análise do *nous* ou intelecto, e resume as conclusões deste capítulo: (a) a capacidade de perceber é inata, não carece de instrução e é, em seus próprios termos, uma *hexis*; (b) a linguagem ordinária não dispõe de um termo específico para designar a atualização da *hexis* e distingui-la da atualização da potência, e por esta razão empregamos as expressões *ser afetado* e *alterar-se* como se fossem adequadas; e (c) ao ser afetado, o sentido torna-se semelhante à qualidade sensível em ato. Com este último ponto, Aristóteles retoma a crítica aos predecessores no que diz respeito à premissa "O semelhante é afetado pelo semelhante".

Aristóteles tem em vista uma explicação do processo de percepção sensível, a qual nos é sugerida, neste momento, nos seguintes termos: ele entende a percepção em geral como um certo modo de o órgão ser movido ou modificado [*kinesthai*], isto é, de ser alterado [*paskhein*] por algo. O agente da alteração é algo em atividade, ou melhor, uma qualidade efetivamente perceptível, digamos, o quente. O receptivo desta qualidade ou paciente ainda não é tal como a qualidade, mas é capaz de tornar-se semelhante a ela. Quando o agente modifica o paciente, este se torna semelhante a ele. A potencialidade de tornar-se quente consiste então em ser capaz de tornar-se tal como algo que já é efetivamente quente.

É preciso, contudo, ter em mente que muitos detalhes serão acrescentados a este esquema geral.

Capítulo 6

De acordo com o procedimento estipulado em 415a13 ss., o exame das capacidades da alma deve obedecer ao critério de prioridade lógica. Aristóteles, feita a análise de aspectos gerais da percepção sensível no capítulo anterior, apresentará agora uma classificação geral dos sensíveis [*peri tôn aisthêtôn*], isto é, dos perceptíveis ou objetos da percepção sensível, antes de iniciar o exame de cada um dos cinco sentidos nos capítulos 7 a 11 deste livro. As presentes considerações, contudo, devem ser complementadas pelas análises feitas no livro III, 1-2.

418a7. A classificação das qualidades sensíveis — ou seja, das coisas exteriores que têm o poder eficiente de alterar os órgãos dos sentidos — é, de fato, binária e seguida de subdivisão. Objetos da percepção devem ser classificados segundo o fato de serem percebidos ou (1) por si mesmos ou (2) por acidente; os primeiros, por sua vez, subdividem-se em (1.1) próprios a cada sentido ou (1.2) comuns a mais de um sentido.

É importante frisar que Aristóteles não está fazendo nenhuma consideração epistemológica, como pretendem certas interpretações que veem neste ponto uma distinção entre percepção direta e indireta (como se existisse, de um ponto de vista epistemológico, primeiro a percepção direta da qualidade sensível — este branco, por exemplo — e depois a percepção indireta da própria coisa — a folha de papel —, inversamente à ordem ontológica, em que há primeiro o substrato e depois suas qualidades e seus predicados).

418a11. O sensível próprio, isto é, o objeto de percepção específico, é aquele essencial a um dado sentido e que não pode ser percebido por nenhum outro (exceto acidentalmente), como a cor para a visão, o som para a audição etc. À primeira impressão, a tese é difícil de ser aceita: é verdade que ouvimos essencialmente ruídos e barulhos, em outras palavras, sons; mas parece que vemos essencialmente muito mais do que cores: figuras, sombras, a profundidade e os objetos nela distribuídos. A mesma dificuldade parece ocorrer com o sentido do tato — a qual Aristóteles está mais preparado a contornar, admitindo que os sensíveis próprios, neste caso, são múltiplos ("O tato comporta um maior número de diferenças"): quente e frio, úmido e seco, liso e áspero.

Aristóteles apresenta cada sentido como capaz de discriminar [*krinei*] e de não se enganar [*ouk apatatai*] relativamente à percepção do que lhe é próprio. A tese deve ser interpretada como se existisse total impossibilidade de que os sentidos confundam seus objetos entre si (a visão ter percepção do som; o tato, da cor, e assim por diante). Aristóteles reafirma esta posição em diversas passagens deste [427b12; 428a11; 430b29] e de outros tratados [*Sens.* 442b8; *Met.* 1010b2 ss.], mas admite que pode haver erro quanto à identificação e localização da cor em questão (provavelmente uma alusão à dúvida, por exemplo, se determinada cor é propriamente verde ou azul; se determinado som é um canto de pássaro ou uma voz humana, e coisas deste tipo).

418a17. Os sensíveis comuns, por sua vez, são aqueles objetos perceptíveis por mais de um sentido (e que, portanto, não são especiais a nenhum sentido em particular): movimento, repouso, número, figura e magnitude. Platão já mencionara, em *Teeteto* 185c ss., objetos comuns apreendidos pela alma (e não pelos sentidos, como pretende Aristóteles nesta passagem). A lista apresentada por Aristóteles varia relativamente a outras passagens: em *Mem.* 450a9 ss., inclui o tempo (embora este, tendo sido definido, em *Fis.* 219b2, como o número do movimento de acordo com o anterior e o posterior, possa ser considerado dedutível a partir do número ou do movimento, que entram na lista dos sensíveis comuns apresentada nesta passagem).

A afirmação de que os comuns são perceptíveis para todos os sentidos é uma generalização indevida, e parecem ser especialmente a visão e o tato os órgãos mais diretamente ligados à sua percepção. A bem da verdade, Aristóteles fará, em 425a27, uma importante retificação a esse ponto, sustentando que é a percepção sensível como um todo que percebe essencialmente os perceptíveis comuns.

418a21. Os sensíveis por acidente, por fim, são os objetos que casualmente são percebidos pelo sentido. Quando percebemos, por exemplo, uma figura branca, a cor branca é aquilo que essencialmente a visão percebe (da mesma maneira que a voz é aquilo que essencialmente a audição percebe etc.). Porém, como acontece de tal figura branca (emitindo tal som) ser fulano de tal — a saber, o filho de Diares —, então, concomitante e acidentalmente, também é percebida pela visão a identidade da figura branca, embora a identidade não seja ela própria um objeto da percepção.

418a24. A conclusão geral de Aristóteles é que os objetos próprios a cada sentido específico merecem principalmente a designação de sensíveis, pois são essenciais e concernem à própria natureza do sentido. Em outras palavras, cada órgão do sentido é por natureza constituído de modo a ser afetado e alterado por seu próprio objeto correlato, o qual é percebido.

Capítulo 7

Neste capítulo, Aristóteles dá início ao exame de cada um dos cinco sentidos, começando pela visão, o sentido mais elevado, e não pelo tato — a forma mais básica de percepção sensível —, como era de esperar, já que seu tratamento das capacidades vitais começou pela forma mais comum, a alma nutritiva. A razão mais plausível para esta ordem inesperada de abordagem é a de que seria mais difícil chamar a atenção, no caso do tato, para a necessidade de um intermediário [*metacsy*], pois este sentido dá a impressão (falsa, segundo Aristóteles) de ocorrer no contato direto com o objeto. A visão é uma cadeia de eventos no domínio da cor do mesmo tipo que ele designa como alteração (mudança de qualidade) e não propriamente como locomoção (movimento de matéria). Esta cadeia causal é instantânea, a despeito da necessária (mas variada) distância do objeto.

A bem da verdade, o tema central do capítulo é o visível e as circunstâncias de sua visibilidade, ou seja, aquilo que é objeto específico da visão e que Aristóteles, de maneira também inesperada e restritiva, identifica como sendo a cor e algo "anônimo", que seria o fosforescente. Deste ponto de vista, ele segue à risca a ordem proposta em 415a16-22. Chama a atenção, além disso, a ênfase que Aristóteles coloca em uma condição necessária da visão — a luz [*phôs*], cujas bases físicas ele descarta, também mais do que esperaríamos —, bem como o minucioso exame do transparente [*diaphanes*], em detrimento de uma descrição mais pormenorizada de um ato efetivo de visão.

É preciso ter em mente que a teoria apresentada no capítulo recebe tratamento suplementar em *De Sensu* II e III, onde Aristóteles também examina criticamente algumas teorias de seus contemporâneos. De certa maneira, ele aceita a perspectiva dos predecessores, de entender os órgãos da percepção como analisáveis em termos dos quatro elementos [*Sens.* 438b17-439a5], mas entende que compreenderam mal a função dos elementos na constituição dos sentidos. Aristóteles, ao relacionar visão e água, audição e ar, por exemplo, chama atenção para certas qualidades essenciais ao processo perceptivo que esses elementos têm, a saber, a transparência e a ressonância, respectivamente.

O presente capítulo é dividido em três partes principais: na primeira, Aristóteles distingue as duas espécies de objeto visível — a cor e o fosforescente, o qual não tem um nome na língua grega —, em seguida, define a luz ou condição necessária para a visão, e prova, por fim, a necessidade de um intermediário entre o objeto e o sentido.

O seguinte aspecto da teoria da percepção sensível sempre esteve na mira dos intérpretes: Aristóteles teria, de fato, estabelecido claramente a distinção entre cor e cor percebida? Tendo definido, no capítulo anterior, o sensível próprio em termos do que é essencialmente percebido pelo sentido que lhe corresponde, Aristóteles parece agora descuidado com a distinção, que, a bem da verdade, não é explicitada no *De Anima*. Por outro lado, sua teoria da potência e da atualidade, a considerar o que ele próprio afirma em *Met.* 1046b29, teria sido desenvolvida justamente para combater as consequências indesejáveis de certa posição dos megáricos e de Protágoras, segundo a qual o que é o perceptível se define no ato da percepção e varia de pessoa para pessoa. Tratando a cor como visível, o som como audível, e assim por diante, Aristóteles talvez esteja apenas chamando a atenção para o fato de que o perceptível não está totalmente realizado até que seja efetivamente percebido. Pois, se é isso que funciona como agente da alteração no órgão sensível que acompanha toda e qualquer percepção, é forçoso também que exista anteriormente o perceptível em ato e a despeito de qualquer percepção sensível singular.

418a26. A passagem traz algumas dificuldades decorrentes da maneira pouco rigorosa com que as ideias são expressas. O visível é o objeto perceptível pela visão. Há duas espécies de visíveis: (1) a cor, isto é, o que cobre o visível segundo si mesmo [*to epi tou kath' hauto oratou*], e (2) algo que está anônimo (mas que, ao que tudo indica, pode ser chamado de fosforescente). Aristóteles sugere que uma formulação, no sentido de definição, pode vir a ser dada para este tipo de visível que, até então, não tinha uma designação própria. A cor, por sua vez, é a causa da visibilidade do visível, e este é aquilo em que a cor desempenha o papel de qualidade-revestimento e, assim, o de condição de sua própria visibilidade.

Ao definir a cor como aquilo que cobre o visível, Aristóteles, de fato, faz (o que ele entende ser) correções à tese dos pitagóricos, segundo a qual a cor é a própria extremidade dos corpos. Aristóteles, no *De Sensu*, prefere dizer que a cor é uma propriedade na extremidade dos corpos [439a30]. Segundo ele, todo corpo tem, em alguma medida, transparência em sua superfície como condição necessária para a cor que o reveste [439b8], e assim a cor é definida como o limite do transparente em um corpo definido [439b11].

De qualquer maneira, aqui ele também diz simplesmente que o visível é cor, o que parece uma redução grosseira do que acabou de mencionar — a existência do que chamaríamos de fosforescente, que também é um tipo de visível. Igualmente, dizer que não existe visível sem luz passa por cima do mesmo fato: o fosforescente, como ele afirmará em 419a2, é exatamente o visível na escuridão. Além disso, Aristóteles dá a entender que o visível mesmo é aquilo para o que a cor é apenas uma qualidade e mera cobertura e, assim, isto de que a cor é capa deveria ser em sentido próprio designado por visível. No final das contas, teríamos três e não duas espécies.

Cor e visível, enfim, não são termos intercambiáveis [*Fis.* 201b3; *Met.* 1065b32]. Em outras palavras, os dois termos têm identidade material, mas entre eles há uma distinção lógica. A cor é visível por si. E há duas maneiras de dizer "por si"; dizemos, por exemplo, que (1) o homem é por si animal — neste caso, o predicado animal entra na definição do sujeito homem — ou que (2) o número é por si par — mas, neste caso, o sujeito número entra na definição do predicado par, e não vice-versa. A cor é visível por si neste segundo sentido da expressão: a cor entra na definição de visível, mas visível não entra na definição de cor. É por isso que Aristóteles afirma nesta passagem que a cor é essencialmente visível, mas não por definição. Isso quer dizer que a cor possui por si mesma a razão para suas próprias qualidades peculiares, isto é, a de afetar o que é efetivamente transparente.

Em suma, o visível é aquilo que a cor reveste, ou seja, visível é aquilo em que a cor desempenha o papel de causa da visibilidade. A cor é causa da visibilidade na medida em que pode afetar o transparente em ato, e não há, *grosso modo*, visibilidade sem luz; por conseguinte, todas as cores são visíveis se, e somente se, houver luz. A natureza da cor, em outras palavras, é a de alterar de alguma maneira um meio transparente. Aristóteles, enfim, não define a própria cor além dos limites tratados acima, embora em outra passagem deixe a sugestão de que a cor envolva contrários, isto é, o branco e o preto [*Sens*. 6, 445b25].

418b3. A passagem é inteiramente dedicada à luz [*phôs*], que, segundo Aristóteles, é uma condição imprescindível na visibilidade das cores. É por conta de sua explicação para o fenômeno da luz — cuja definição revela total desconsideração de sua base física — que o elemento intermediário entre o objeto da visão (a cor, por exemplo) e o órgão (o olho e, especialmente, a pupila) recebe tanta importância em sua análise. Em outras palavras, para que haja luz e visibilidade do colorido, é crucial a existência de um meio cuja qualidade essencial seja a transparência.

A razão disso poderia ser colocada nos seguintes termos. Em primeiro lugar, há o aspecto da crítica aos antecessores que compreenderam equivocadamente a função dos elementos e de suas propriedades na constituição e atividade do órgão da visão. Mas há também motivações próprias no que diz respeito aos aspectos da tese do próprio Aristóteles. A teoria aristotélica da percepção postula cinco sentidos concebidos como potências [*dynameis*] ou capacidades de perceber certos objetos (a visão é a capacidade de perceber a cor, por exemplo). O poder de perceber é algo inerente a uma disposição específica, que é encontrada apenas numa matéria orgânica de determinada forma, porque não é em todo e qualquer tipo de matéria que subsiste a capacidade de ela ser modificada sob a ação de certa qualidade sensível. A disposição de receber a cor — objeto especialmente percebido pela visão — reside necessariamente na matéria que exibe a qualidade da transparência.

Esse meio transparente pode ser o ar e a água — e não como ar e água, mas na medida em que exibem a qualidade de ser transparentes, isto é, de emprestar e exibir a cor alheia. O meio por si mesmo é neutro, mas, na presença do fogo ou do "corpo superior eterno" (éter), torna-se transparente em ato e se faz luz. Éter é o elemento em movimento circular que compõe a região celeste, sendo radicalmente distinto dos quatro outros (que compõem a região sublunar), exceto por ter em comum com o fogo a capacidade de produzir luz, embora de forma muito superior [*DC* II, 3, 286a10-2; *Meteor.* I, 3, 340b6].

Poderíamos então supor que a luz é a cor do fogo ou do éter (ou alguma outra qualidade similar) exibida através de todo e qualquer meio transparente — o ar, a água e certos sólidos translúcidos, como os cristais e certos tipos de conchas. Mas não parece ser isso o que Aristóteles tem em mente, embora ele diga, de maneira pouco precisa, que a luz é a cor do transparente, quando se esperaria que dissesse que o transparente é o que não tem cor, justamente para ser capaz de fazer ver a cor alheia. A luz em si mesma é condição necessária da visibilidade da cor alheia e não é visível por si — olhar para a própria luz pode danificar o órgão. Em outras palavras, um meio desse tipo só se mostra efetivamente transparente quando colocado em atividade e atualizado pela presença do fogo ou do éter (que tem igualmente poder de iluminar); do contrário, ele é treva. Se o meio está presente, mas não atualizado, há a escuridão ou ausência de luz.

418b13. Depois de oferecer uma explicação positiva do fenômeno da luz — atividade do transparente pela presença do fogo ou do éter —, Aristóteles faz nesta passagem o inventário daquilo que a luz *não é*, no que se pode ver uma crítica implícita a outras teorias da época. O fogo é causa de uma alteração no ar ou na água, por serem transparentes, mas não pode estar imanente nessa mesma transparência, pois no caso teríamos dois corpos ocupando o mesmo lugar. Daí segue-se que a luz não é o próprio fogo (o que vale dizer: a luz não é um corpo), tampouco a luz é, como pretendia provavelmente Empédocles, emanação da matéria (pois ainda assim seria matéria em movimento). O transparente é capaz, contudo, de receber e produzir certa mudança qualitativa, pois, ao se tornar luz e na medida em que é receptivo da cor alheia, também se torna capaz de alterar as partes igualmente transparentes que compõem o órgão sensível de um sujeito vivo.

418b20. As críticas aos predecessores apresentadas nesta passagem referem-se especialmente a um ponto levantado anteriormente: a luz não é matéria em movimento, iluminação não é locomoção.

O primeiro filósofo citado por Aristóteles é Empédocles. Segundo Platão, em *Mênon* [76c ss.], Empédocles sustentou que existem eflúvios que são emanados pelos objetos e que existem em nós poros ou canais [*poroi*], para onde e por onde tais eflúvios passam, estando alguns deles em harmonia com esses nossos canais, mas outros não. Segundo o próprio Aristóteles, em *Sens.* 437b12-438a5, Empédocles, além disso, teria oferecido uma resposta incorreta para a questão sobre qual elemento compõe o olho: ele teria sustentado que o interior do olho é feito de fogo e que a visão é uma corrente de luz projetada para fora, tal como a luz de uma lanterna. Aristóteles, é bem verdade, também se serve da imagem da lanterna, mas em sentido diverso — como um facho de luz que conduz de fora para dentro [*Sens.* II, 438b16].

Como combinar essas duas teses de Empédocles numa teoria coerente da visão? Talvez seja com essa finalidade que Aristóteles associa as doutrinas de Empédocles àquelas expressas por Platão, em *Timeu* [45b-46c; 67c-68e], em que os olhos são apresentados como portadores de luz, isto é, uma espécie de fogo que não é capaz de queimar mas apenas de fornecer uma luz suave. Esse fogo puro que reside em nós (e que tem afinidade com o fogo exterior) escoa através dos olhos de maneira sutil e contínua. Os olhos, contudo, têm uma constituição espessa (especialmente no centro do olho), para que o fogo principal não escape e para que seja filtrado apenas o fogo perfeitamente puro. As pálpebras, igualmente, têm a função de proteger o fogo interior e, quando elas se fecham, o fluxo de luz que emana do olho perde força, acalma-se, deixando o sono vir. Quando a luz do dia envolve essa corrente de visão, o semelhante reencontra o semelhante e funde-se com ele num todo único, e assim o fogo, tal como uma luz pura, emana do interior do olho e encontra-se, por sua vez, com a luz que emana como cor dos objetos externos; pois a cor é uma espécie de chama que emana dos objetos. Assim forma-se um todo com propriedades uniformes que toca o objeto e é tocado por ele, e cujos movimentos são comunicados à alma, causando a sensação que designamos como visão. Quando a noite subtrai a luz externa, a luz que escoa do interior do olho encontra-se impossibilitada de formar aquele todo uniforme, porque ela se depara com algo diferente de si mesma, o que provoca o seu enfraquecimento e a sua extinção. Dessa maneira, o olho deixa de enxergar e pode alcançar o sono.

Nesta passagem, Aristóteles acrescenta um outro aspecto do pensamento de Empédocles sobre o assunto (que também é apresentado em *Sens.* 446a26-b2). A luz, sendo visível, também seria algo deste tipo — a saber, uma emanação corpuscular do fogo solar e dos demais corpos celestes luminosos —, de maneira que teria de atravessar o espaço entre a abóbada celeste e a Terra, o que levaria algum tempo. Como esse fato não pode nos passar despercebido, Aristóteles o toma como uma evidência contra a tese de Empédocles e a favor da sua: a luz não é matéria em locomoção, mas alteração da qualidade de um meio transparente pela presença de um agente como o fogo.

Por fim, é preciso dizer que Aristóteles também emprega a noção de canais [*poroi*] em suas descrições da visão. Em *Sens.* II, 438b8-16, ele menciona o caso de soldados que se tornaram cegos quando feridos nas têmporas, atribuindo a lesão ao fato de os *poroi* dos olhos terem sido injuriados. Em *HA* I, 16, 495a11-8, refere-se a um conjunto de três *poroi* que conduzem do olho ao cérebro (tendo em mente, provavelmente, os nervos ópticos) e, em *GA* II, 6, 743b32-744b11, menciona os tais *poroi* na formação dos olhos e do cérebro. Mas cabem aqui duas observações.

Ao contrário de Empédocles, Aristóteles não atribui aos *poroi* um papel na locomoção de matéria, mas na alteração qualitativa, a qual resulta em percepção sensível [*GC* 324b26-32; 326b6-21]. Aristóteles sustenta que, quando a *korê* ou pupila (necessariamente transparente) é alterada pela cor alheia (transmitida por um meio transparente e contínuo), o fato por si só não causa a percepção da cor. Pois a parte perceptiva da alma não está na superfície do olho, mas claramente no interior [*Sens.* II, 438b8-10]. Independente da maneira como deve ser interpretado esse interior, nenhuma visão realizar-se-á até que a alteração alcance o centro da percepção. A pupila precisa ter transparência para dar continuidade à cadeia continua que, através dos *poroi*, leva a cor emprestada da superfície dos objetos visíveis até a parte da alma capaz de percebê-la. De maneira que o órgão sensível é uma espécie de intermediário transparente interno, tanto como o ar é um intermediário transparente externo. É por esta razão que, em 438b6-8, ele diz que não há visão sem luz interna, isto é, sem luz na parte interna do olho, assim como não haverá visão sem luz externa. Para Aristóteles, contudo, a parte perceptiva da alma, ou seja, o centro mesmo de percepção, é o coração, e não o cérebro, de maneira que é aquele, e não este, o destino último dos *poroi* e das veias. O assunto será abordado novamente nos dois primeiros capítulos do livro III, quando Aristóteles trata das funções da percepção sensível como um todo.

418b26. Aristóteles resume agora os principais aspectos já levantados a respeito da primeira das espécies de visíveis — a cor — antes de iniciar o exame da segunda espécie — aquilo que chamaríamos de fosforescente. Percebe-se alguma ênfase contra a ideia comumente aceita de que a treva é o contrário da luz. Aristóteles, por sua vez, entende que a treva é a privação ou ausência de uma determinação no transparente, por falta de um agente efetivo (como o fogo ou similar). Em outras palavras, treva é o transparente em potência, ou seja, ela é da mesma natureza da luz (e não de uma que lhe é contrária), mas privada de uma certa forma e não atualizada, dada a ausência do fogo e outros que tais. A passagem do transparente em potência à luz é a passagem de uma privação a uma forma, sua alteração pela cor é uma mudança de qualidade — em nenhum caso há matéria em movimento.

419a1. Depois de esclarecer a natureza da escuridão, por contraste à sua explicação para o fenômeno da iluminação, Aristóteles, bem como em *Sens.* 437a31, apresenta instâncias do segundo tipo de visível, o fosforescente, que parece trazer em si mesmo suficiente transparência inerente para exibir brilho, mas não o bastante para que sua cor seja vista. Apresentando-o dessa maneira, Aristóteles preserva a tese principal estabelecida anteriormente: só é possível a visibilidade da cor na luz. A promessa de uma discussão alhures não se concretiza, ao menos nos tratados que chegaram até nós.

419a7. Aristóteles começa a terceira parte do capítulo com uma breve descrição da cadeia contínua de eventos envolvida na visibilidade da cor. A cor é essencialmente capaz de alterar o meio transparente, com a condição de que ele já se encontre atualizado como luz pela presença do fogo ou similar. Disso Aristóteles pretende tirar uma prova da necessidade de que exista algo intermediário, contínuo e transparente entre a cor e a pupila capaz de percebê-la. E ele o faz argumentando que é de todo impossível perceber algo colorido colocado diretamente no olho, sem nenhuma intervenção de um intervalo, por menor que seja, de luz.

Não há dúvida, dadas as conclusões de 418b13 e a crítica a Empédocles feita em 418b20, de que a possibilidade de a cor mover o meio transparente deve ser interpretada em termos de uma certa alteração qualitativa, e não como deslocamento de matéria, na medida em que o meio iluminado muda de qualidade, exibindo agora, através da própria transparência, cores alheias.

Esta passagem permite, ainda, avançar um pouco a natureza dessa alteração. É preciso que a percepção seja uma cadeia de eventos na qual o intermediário não adquira a qualidade do objeto, embora permita que através dela essa mesma qualidade alcance o sujeito que percebe. Pois, por exemplo, se o próprio intermediário adquirisse cor, teríamos então o caso de contato direto entre a cor e a pupila, que Aristóteles estabelece como impossibilidade de ocorrência de visão, ao afirmar que não há percepção de cor se colocamos o colorido diretamente sobre o olho. Logo, o meio não é alterado no sentido de tornar-se efetivamente colorido, o que está plenamente de acordo com o que se observa: o ar não transmite a cor vermelha de um objeto tornando-se ele próprio vermelho, mas ao permitir que ela seja vista através de sua transparência. Trata-se, portanto, de uma cadeia de eventos diferente daquela em que o intermediário é efetivamente alterado e altera identicamente o outro: no aquecimento da água, por exemplo, o fogo aquece a chaleira e esta, por tornar-se quente, aquece por sua vez a água.

419a15. A crítica a Demócrito é realizada no contexto da prova de que é necessário um intermediário transparente para a ocorrência de visão. Aristóteles sugere que, pelo fato de haver ar no intervalo entre o objeto visível e a pupila, não são as imagens que emanam dos objetos que alcançam a vista, mas o ar que recebeu a impressão provocada por elas. É por esse motivo que a acuidade visual diminui, quanto maior for a distância do objeto, e aumenta até à perfeição, caso nada interfira nesse intervalo.

419a22. Tendo examinado primeiro aquilo que é visto na luz — a cor — e, depois, o que é visto na escuridão — o fosforescente, que ocorre não ter nome —, Aristóteles, por fim, menciona o fogo, que é visto em ambos os casos. Essa conclusão, contudo, parece perturbar, uma vez mais, a restritiva classificação dos visíveis com que ele abrira o assunto. Pois, se o fogo é visto tanto na luz como na escuridão, não seria preciso incluí-lo na classe dos objetos da visão — havendo, então, não duas, nem três, e sim quatro espécies? A atenção de Aristóteles, novamente, parece estar em outro ponto, e seu objetivo principal é sugerir que a tese do intermediário, existente entre o objeto e o órgão da percepção, deve ser — e efetivamente será — generalizada para os demais sentidos, sem exceção.

Capítulo 8

Este capítulo, sobre o som e a audição [*peri psofou kai akoês*], é mais completo do que o anterior. Aristóteles afirma, em *De Sensu* 4, que não há nada suplementar a dizer sobre o assunto [440b26-7], embora a capacidade de ouvir receba, de fato, atenção nas discussões gerais dos capítulos 6 e 7.

Aristóteles examina a natureza do som (inclusive a da voz, isto é, do som articulado, seja aquele emitido por seres humanos, seja aquele emitido por animais), analisa as condições de audibilidade, o papel do intermediário — que nesse caso pode ser tanto o ar como a água — e a natureza do órgão afetado. Aristóteles vê-se levado a examinar a origem do som, visto que sua emissão não é uma qualidade constante das coisas — tal como a cor, o sabor, o odor e outras qualidades táteis. O som, de fato, depende de um movimento local que provoque o choque de dois corpos pesados e lisos um contra o outro. Aristóteles alhures admite existir a opinião de que o som consiste no movimento de algo que se desloca [*feromenou tinos kinêsis*] [*Sens.* 447a1]. Aqui, contudo, insiste em que o ar abalado pelo golpe precisa manter-se sem dispersar-se (e, portanto, sem locomover-se) para que ocorra o som, embora não fique completamente claro de que maneira a locomoção inicial e a alteração final do órgão sensível podem e devem ser combinadas.

419b4. A distinção entre som em atividade e som em potência é a diferença entre algo que está efetivamente fazendo barulho e algo que é capaz de produzir som, mas está circunstancialmente silencioso e parado. Não se trata, portanto, da distinção entre o som ouvido e o som não ouvido, a julgar pelo que Aristóteles acrescenta em seguida, a saber, que consideramos certas coisas sonoras com base somente no fato de poderem fazer algum som, e não de que o estejam efetivamente fazendo. De qualquer maneira, esta é a única menção que Aristóteles fará ao som em potência ao longo do capítulo.

419b9. O som em atividade é uma ocorrência que envolve algo *contra* algo e *em* algo [*tinos pros ti kai en tini*] [b10]; em outras palavras, estão envolvidas três coisas: há o que produz um golpe, há o que leva o golpe e há aquilo em que isso ocorre — o ar ou a água, elementos intermediários entre o som e o ouvido —, sendo que o golpe ou o choque entre os dois corpos em questão pressupõe, por sua vez, um movimento local [*plêgê d'ou ginetai aneu phoras*] [b13]. As coisas golpeadas precisam ser lisas, como o bronze, ou ocas. Nestas, é fácil perceber que o ar confinado em seu interior, após o primeiro golpe repercute e, por reverberação, faz muitos outros sons [*pollas poiei plêgas meta ten prôten*] [b17]. Penso que o evento, tal como ocorre nas coisas ocas, em última instância, será o padrão explicativo para a transmissão do som em toda e qualquer circunstância, embora a maneira como tudo isso ocorre esteja longe de ser clara. A reverberação é, de fato, reflexão [*tei anaklasei*] [b16], e talvez deva ser entendida como um desvio de uma direção inicial (no sentido de que o ar golpeado, em vez de deslocar-se, vibra, por exemplo). O som transmitido por reflexão é, na verdade, um eco. A generalização poderia ser inferida de suas palavras adiante: "Parece que um eco sempre ocorre, embora não seja sempre distinto" [b27-8].

419b18. Ouve-se, portanto, o som de algo batendo contra algo, através de algo, isto é, através de um elemento intermediário — a água ou o ar. É o intermediário contínuo que refletirá o ruído alheio até que alcance o órgão da audição, porque sofre um certo movimento, que é passado adiante na forma de uma reverberação. Reverberar (tendo-se tornado uno e contínuo pela superfície lisa que o limita) em vez de dispersar-se (deslocando-se em partes): este parece ser o aspecto relevante, enfatiza Aristóteles, para que o intermediário encadeie a mudança necessária à transmissão do som alheio. Esse choque de corpos pesados e lisos uns contra os outros deve ser rápido a ponto de o ar não ter tempo de dispersar-se, e assim, formando uma massa contínua e em bloco, fazer com que o ruído chegue até a audição.

As condições para a audibilidade são, por conseguinte, as seguintes: por um lado, é preciso que ocorra (a) um deslocamento e uma colisão entre duas coisas sólidas e lisas — o golpe de algo *contra* algo —, (b) que envolva o ar ou a água. Em outras palavras, um desses dois elementos precisa ambientar e envolver aquele choque (o que vale dizer que é necessário algum intermediário entre o golpe — primeiro agente do som — e o órgão de audição). De maneira que o intermediário precisa sofrer o abalo provocado pelo choque entre dois corpos. Aristóteles, contudo, repete e enfatiza que (c) o ar precisa permanecer "sem se dissipar" [*mê diakhythêi*] [419b21-2], isto é, precisa funcionar como um contínuo, em bloco. Dito de outra maneira, não é o deslocamento o fator relevante para a transmissão do som, mas o contrário. O golpe precisa ser rápido e forte, mas se o ar se dissipar gradualmente após o abalo (tal como o ar que se move ao abano de um leque), nada acontecerá, do ponto de vista da produção do som. É necessário justamente que ele *não* se desloque, mas que, tendo sofrido o tranco, reverbere, isto é, deixe de deslocar-se e vibre, transmitindo-o adiante na forma de uma repercussão do som. O ar é afetado em sua qualidade de ressonante — condutor do som alheio — e o movimento original de deslocamento é transmitido como mudança de qualidade. Portanto, uma alteração desse tipo é o que sofre o órgão receptivo do som.

O ar não tem limites impostos por si mesmo e precisa ser contido por alguma outra coisa oca ou lisa para manter-se junto e não se dissipar. A superfície una do objeto liso empresta essa unidade ao ar justaposto e, nessas condições, o ar como um bloco reverbera e ressoa.

O sentido da analogia que fecha o parágrafo (que literalmente diz algo como "Uma duna de areia que se desloca rapidamente") não está claro. Aristóteles pode ter em mente algo como o rodopio da areia por uma rajada de vento, o qual se conserva como um anel contínuo em movimento, sem que as partes de areia se dissipem.

419b25. A passagem é elíptica demais para uma descrição igualmente engenhosa, e a interpretação mais plausível parece ser a que se segue. O eco ocorre por reverberação, ou seja, por reflexão do som. Quando o ar recebe um golpe e está impedido de deslocar-se, o seu rebote é transmitido por reverberação ao longo do ar contínuo na concavidade de algum corpo sólido e liso. Como o recipiente côncavo lhe opõe resistência, ao alcançá-lo, o efeito é devolvido e move-se em sentido contrário, transmitindo a mesma alteração em direção ao lugar de onde tinha partido. A analogia pretende sustentar que a transmissão do som é sempre reverberação, assim como a propagação da luz é sempre reflexão. Mas isso só é percebido nitidamente, no primeiro caso, se a luz encontra uma superfície polida e seus raios são refletidos a ponto de projetar sombras. Da mesma maneira, só percebemos claramente que o som reverbera nos casos em que um eco é efetivamente ouvido.

A analogia com a bola que bate em uma superfície lisa e salta é levada por Tomás de Aquino às últimas consequências, bem mais longe do que o próprio Aristóteles fez. "O que acontece no ar quando o som é produzido é como o que acontece na água, quando algo é arremessado contra ela. Obviamente, ondulações circulares formam-se na água quando ela é atingida, e esses círculos são menores em volta do ponto golpeado, mas com movimento mais forte; e, quanto mais distantes dele, mais amplas serão as ondulações e mais fraco o movimento. Por fim, o movimento desaparece de todo e a ondulação some. Porém, se a ondulação encontrar um obstáculo antes de parar de mover-se, um movimento-onda em sentido contrário se inicia, e tão mais violento quanto mais próximo estiver do impacto original". Cf. *CTA*, p. 282. De qualquer maneira, parece estar efetivamente em uso um modelo como o de propagação em onda.

419b33. Na medida em que o senso comum considera o ar como o vazio, é compreensível, então, que se diga ser o vazio aquilo que faz [*poiôn*] [419b33] ouvir. De fato, o ar contido e impedido de deslocar-se (e assim suscetível ao som alheio) é uma condição necessária para a audição, embora não seja causa determinante daquele som. Da mesma maneira, o ar iluminado por um fogo (e assim tornado suscetível à cor alheia) é uma condição necessária para a visão, embora não seja causa determinante daquela cor.

420a4. Depois de descrever o processo da emissão do som, a partir deste parágrafo Aristóteles passa a tratar dos seus efeitos no orgão auditivo. Ele afirma que o ar e a audição são naturalmente unidos [*symphyês*] [420a4], isto é, embora de qualidades distintas, formam um todo no que respeita à quantidade e continuidade, e por isso têm um vínculo maior do que o de mero contato [*Met.* 1014b22-6]. Em outras palavras, o ar do ouvido é congênito. "Um membro natural é *symphyês* ao resto do corpo, um membro artificial, embora *synekhês*, não é *symphyês*". Cf. *CH*, p. 380.

O órgão auditivo tem um pavilhão externo — exposto ao elemento intermediário (ar ou, excepcionalmente, água) — e um canal interno que conduz a uma membrana (tímpano). Ora, o ouvido externo está em contato com o ar ambiente, tanto quanto o olho ou o resto do corpo. Mas é por existir um canal de ar interno e naturalmente unido ao ouvido, que percebemos através dele o som. Esse ar do ouvido, por sua vez, é imóvel no sentido de que não se dissipa, mantendo-se sempre ali (embora tenha um tênue movimento próprio). A permanência do ar confinado no canal e em contato com o ar exterior permite que a ressonância seja transmitida, e de maneira acurada, em suas mínimas variações, até a membrana do ouvido interno. Pode-se ouvir excepcionalmente também na água, contanto que a água externa não penetre nos canais internos, obstruindo-os.

Aqui, mais uma vez, cabe a dúvida: é a membrana ou o tímpano a parte que realmente ouve? Tudo leva a crer que não: a alteração fisiológica do órgão apenas permite que uma capacidade da alma entre em atividade, a saber, a de perceber o som.

420a19. A pergunta — qual dos dois faz o som, o corpo que sofreu o golpe ou o que provocou o golpe? — deve ser respondida da seguinte maneira: ambos, mas de maneiras diferentes. Sendo o som o movimento daquilo que pode mover, tal como as coisas que saltam de uma superfície lisa contra aquele que as lançou, por essa razão não é qualquer choque entre objetos que produz som, mas é necessário que aquilo que sofre o golpe seja plano para que o ar compacto [*athroun*] [a25] (ou seja, uno e contínuo) reverbere (salte e vibre [*aphallesthai kai seiesthai*] [a26]).

420a26. Nova analogia entre luz e som. A permanência de fogo e ar em um mesmo ambiente produz luz — transparente em ato —, a qual é, por sua vez, uma condição para que as cores alheias sejam vistas. De maneira análoga, a ocorrência do choque entre corpos sólidos no ar produz som — ressonante em ato —, o qual é, por sua vez, uma condição para que os agudos e os graves alheios sejam ouvidos.

Há, então, duas diferenças entre a produção de luz e de som. O episódio do golpe, para o som, é pontual; enquanto a presença do fogo, para a luz, deve ser contínua. Além do mais, a audição parece entrar em atividade com o suporte evidente de um processo fisiológico, cuja causa é até mesmo mecânica. Mas não parece igualmente claro que a visão entre em atividade com o suporte de um processo fisiológico, mesmo que seja evidente que ela depende de certas condições físicas e fisiológicas. Uma discussão afiada sobre essa questão (e também sobre seu impacto nas questões atuais de filosofia da mente) pode ser acompanhada em Burnyeat ("Is an Aristotelian Philosophy of Mind Still Credible? A Draft") e Sorabji ("Intentionality and Physiological Processes: Aristotle's Theory of Sense-Perception").

As diferenças discernidas pela audição são, por conseguinte, exibidas no som em ato; e, assim como as cores dependem da luz para serem vistas, o agudo e o grave dependem do som para serem ouvidos. Os termos são empregados por empréstimo das qualidades percebidas pelo tato: "o agudo como que pica e o obtuso como que empurra" [420b2], e a analogia parece melhor para o agudo do que para o grave (que, no caso do tato, é dito ser rombo). A posição de Aristóteles parece ser, em suma, a seguinte: o agudo, sendo pontudo e afiado, sofre resistência apenas de uma pequena área (da pele, por exemplo) e por isso se introduz (isto é, move-se) rapidamente. O rombo, por sua vez, sendo largo e sem corte, sofre resistência de uma área maior (movendo-se, consequentemente, mais lentamente). Nessas condições, não é por ter movimento rápido ou lento que o som é agudo ou rombo, mas o contrário: rapidez e lentidão são consequências acidentais de suas características essenciais. Se as notas agudas ultrapassassem as graves em velocidade de transmissão, em um acorde qualquer ouviríamos primeiro os tons altos e só depois os baixos. Aristóteles parece corrigir aqui a tese dos pitagóricos, enunciada por Platão em *Timeu* 67b, a quem parece que ocorreu essa dificuldade, pois a contornou de uma outra maneira [80a]. O assunto é tratado ainda por Aristóteles em *Sens.* 448a20-7 e *GA* 786b23-35.

A maior dificuldade para a tradução encontra-se nas expressões *epi polly* e *ep' oligon* [a31], que qualificam respectivamente o agudo e o grave. Penso que devem ser tomadas no sentido de que expressam a extensão do efeito produzido no ouvido quando eles são percebidos mediante o som — o efeito do agudo é profundo, o do grave é superficial —, e a solução encontrada, algo insatisfatória, foi a seguinte: "O agudo é o que move *muito* o sentido por pouco tempo, e o grave, *pouco* por muito tempo" (e essa é uma outra maneira — mais minuciosa, talvez — de dizer que o movimento do agudo é rápido e o do grave, lento).

420b5. A voz distingue-se de um som qualquer principalmente por ser própria aos seres animados, incluindo assim tanto a linguagem articulada dos seres humanos como o som típico emitido por alguns animais (não todos, pois há animais que não emitem absolutamente som). Por analogia, também é possível falar em voz dos instrumentos quando seus sons exibem três qualidades: *apotasin kai melos kai dialekton* [b8]. A primeira é a extensão, e parece designar a gama de notas entre o grave e o agudo que uma voz pode emitir; a segunda é a melodia, isto é, a sucessão de notas musicais. A terceira característica — *dialektos* — indica tanto o som articulado em geral como a articulação característica da linguagem humana [b19], a qual, contudo, é algo que falta aos instrumentos; por isso, o termo aqui deve ser interpretado em seu sentido mais amplo (o qual não se confunde, por sua vez, com a harmonia, isto é, o resultado de combinações e articulações de som específicas). A distinção entre som, voz e articulação também é apresentada em *HA* 535a27; os peixes do Aqueloo são mencionados ainda em *HA* 535b14 ss.

420b14. Neste caso, mais uma vez, o agente é um golpe e nele estão envolvidos três itens: o que golpeia, o que é golpeado e um intermediário — o ar. De fato, inalamos o ar também para a função (superior, mas não essencial) da *hermêneia* [b20], isto é, da expressão e interpretação de pensamentos. Mas a natureza também se serve do ar respirado — *pneuma* — em uma função necessária para a sobrevivência: controlar o calor interno [*thermotêta tên entos*] [b20], função essencialmente ligada aos pulmões [*PA* 668b33 ss.; *Resp*. 476a7-15]. As artérias, que depois da morte ficavam sem sangue, eram consideradas canais para o ar, cuja função era a de esfriar o sangue. A distinção entre o que é necessário à existência e o que promove aperfeiçoamento é comum em Aristóteles, e será feita adiante em 434b21-6 e 435b20-1.

Para uma exposição mais detalhada da relevância das noções de *pneuma* e de calor vital na teoria da vida de Aristóteles — que são raras no *De Anima* —, ver a nota 416b23.

420b22. A cavidade traseira da boca abre-se para o esôfago e para a traqueia; Aristóteles parece estar usando o termo *pharygcsi*

[b23] — literalmente, faringe — para designar a parte superior da traqueia, isto é, aquilo que hoje designamos como laringe. A maneira como ele se expressa poderia sugerir que os próprios pulmões precisam ser resfriados; mas o que vem adiante deixa subentendido que o coração, situado no tórax, perto dos pulmões, é o principal órgão para o qual se faz necessária a refrigeração (envolvida na respiração).

420b27. Emitir voz, em suma, é golpear um tubo com ar, isto é, bater na artéria (que, no caso, é a traqueia) com o ar interno (e assim provavelmente provocar uma cadeia de eventos tal qual a descrita no caso do som em geral). Tanto é assim, que Aristóteles chama a atenção para o fato de que não é possível emitir voz nem na inspiração nem na expiração, mas somente com certo controle próprio à contenção do ar. Em outras palavras, a voz não é como aquele ruído acidental que acompanha o tossir.

O sujeito do golpe, diz ele, é a alma, ou melhor, o ser animado. Assim, Aristóteles enfatiza a relevância de imagens mentais — desejos, sentimentos ou pensamentos — na emissão da voz, a qual, como foi dito, é uma forma de expressão daqueles mesmos conteúdos.

A discussão sobre a não respiração de peixes é retomada em *PA* 669a2 e em *Resp.* 475b25-a9; 476a1.

Capítulo 9

Este capítulo, em que Aristóteles tratará do olfato e do odorífero [*peri osmês kai osphrantou*], divide-se, como os anteriores, em duas partes principais. Na primeira, ele trata do objeto perceptível próprio ao olfato, e em seguida examina a maneira como esse objeto afeta o órgão correlato, a qual, também neste caso, está longe de ser clara. Aristóteles faz duas observações preliminares e pertinentes — sobre a pouca acuidade desse sentido na espécie humana e sobre sua conexão com o sentido da gustação — e uma observação final algo duvidosa — sobre uma suposta relação entre sensibilidade tátil e inteligência. O tema do capítulo recebe tratamento suplementar em *De Sensu* 5, onde Aristóteles distingue o odor que é agradável por estar associado a um sabor agradável daquele que é agradável por si, aspecto peculiar ao olfato de seres humanos.

Cabe aqui uma breve observação relativa ao vocabulário. O termo *osmê* tem duas acepções, a de odor (ou fragrância) e a de olfato, e há ocorrências desses dois tipos no capítulo. O termo *osphranton* está para o odor e suas diferentes espécies tal como o audível está para as diferentes espécies de som e o visível está para as diversas cores. É possível que esteja em jogo uma distinção entre a condição de coisa audível, visível e perceptível pelo olfato e as diversas qualidades peculiares de tal som, tal cor e tal odor. O termo designaria o substrato singular [*to hen hypokeimenon*] [*DA* 11, 422b32-3] de tudo aquilo que é passível de ser percebido pelo olfato, incluindo assim tanto o odoro como inodoro. Para tentar sugerir essa distinção (caso ela esteja efetivamente em questão nesta passagem), na falta de um termo próprio em português e na inconveniência de neologismos (olfatável, cheirável ou farejável), a opção foi traduzir *osphranton* por odorífero, mas é evidente que a solução está longe de ser satisfatória. Da mesma maneira, os verbos empregados, *osphrainomai* e *osmainomai*, foram distinguidos na tradução — também um tanto arbitrariamente —, respectivamente, pelos verbos *farejar* e *cheirar*, isto é, sentir cheiro.

421a7. O olfato é mais difícil de ser analisado, alega Aristóteles, porque, em comparação com os anteriormente examinados (a visão e a audição), é um sentido bem menos desenvolvido e acurado nos seres humanos. Nossa acuidade olfativa é tão precária quanto (parece ser) a acuidade visual dos animais de olhos duros, isto é, daqueles que não dispõem de pálpebras por não necessitarem de proteção para o órgão [*Sens.* 444b25], tal como os peixes e os insetos [*PA* 657b-658a9]. Pois, por meio da visão, esses animais discriminam apenas o que é ou não pernicioso e nocivo — isto é, somente o mínimo necessário para a preservação do indivíduo, como Aristóteles dirá adiante [434b24-5] e alhures [*Sens.* 436b20]. Da mesma maneira, pelo olfato, os homens discriminam somente entre o que é e o que não é pernicioso, nocivo e desagradável — entre o doloroso e o prazeroso, como dirá Aristóteles de maneira um tanto simplista: *aneu tou lypêrou ê tou hêdeos* [a12].

421a18. Aristóteles, em seguida, aponta que o olfato é inferior não somente à visão e à audição, mas também à gustação, sem contar o tato, que é o sentido mais revelador da superioridade humana. Ora, sendo a gustação uma espécie de tato e o homem, dentre os animais, aquele que dispõe de maior sensibilidade tátil, é de se esperar que ele também tenha um paladar apurado. Por outro lado, há uma analogia e correspondência entre o olfato e o paladar e, similarmente, entre as espécies de odor e as espécies de sabor. Neste ponto, o texto elíptico dificulta a compreensão do argumento. Talvez a passagem possa ser interpretada no sentido de que, justamente por percebermos de maneira grosseira os odores, emprestamos-lhes os nomes dos sabores, já que os discriminamos e distinguimos melhor. A mesma analogia encontra-se em *Sens.* 442b27; 443b12-5; 443b19; 445a29-b1.

Aristóteles sugere ainda que o refinamento do tato é índice de superioridade intelectual. O sentido desta afirmação não é claro. Se Aristóteles pretende sustentar que a delicadeza tátil pode servir de medida para as aptidões intelectuais, então ele parece adotar um critério mais cultural do que natural — os que se ocupam de tarefas intelectuais preservam-se do embrutecimento dos trabalhos manuais a cargo de escravos —, mas, neste caso, a generalização é duvidosa (pois é perfeitamente possível pensar em quem não tem nem uma habilidade nem outra e, por isso, conserva as mãos e a mente intactas). Portanto, as razões devem ser outras. É possível que, sendo o tato a base constitutiva da sensibilidade em geral, quanto mais apurado ele for, melhor será a natureza perceptiva como um todo e, consequentemente, mais elevada poderá ser a sua capacidade intelectiva, se é que a percepção pode ser considerada uma disposição constitutiva da inteligência. Nessas condições, é possível também que uma boa acuidade tátil seja vista, por Aristóteles, como um índice de boa constituição física, a qual é, por sua vez, uma promessa de boas aptidões psíquicas em geral — mas estamos já em terreno especulativo.

421a26. Não obstante nossa dificuldade em discriminá-las, existem, segundo Aristóteles, outras diferenças além do agradável e do desagradável, tal como as reconhecemos claramente no caso dos sabores.

Para uma melhor compreensão, talvez mereça ser contextualizada a ênfase excessiva nesse ponto. Platão, em *Timeu* 66d, admite justamente o contrário: "Acerca da potência das narinas, não existem espécies definidas", isto é, Platão negou a possibilidade de outras diferenças de espécie entre os odores além do agradável e do desagradável. E a razão que ele apresenta, resumidamente, é que o odor é algo "semiformado" (isto é, mais sutil que a água e mais denso que o ar), enquanto nossas vias respiratórias são estreitas demais para perceber a forma dos elementos terra e água, mas largas demais para as do fogo e ar (enfim, por alguma espécie de inadequação entre o receptor e o emissor).

Aristóteles, por sua vez, afirma que, assim como o sabor tem diferenças (doce, amargo etc.), também o odor as tem. Em alguns casos, ambos os sensíveis são similares — por exemplo, aquelas coisas que, como o mel, têm o sabor e o odor doces, ou, como o tomilho, tem o sabor e o odor picantes —, mas em outras coisas não há nenhuma correspondência. A despeito dos problemas com o texto, que não permitem chegar a uma interpretação completamente satisfatória da passagem, parece que Aristóteles sugere que os nomes dos odores são tomados dos sabores, segundo a similaridade das coisas designadas — isto é, a similaridade da sensação gustativa e da olfativa —, e é por isso que dizemos que o açafrão tem o odor doce, pois a sensação olfativa que ele provoca se assemelha àquela provocada pelo sabor (dito doce) do mel.

421b8. Aristóteles afirma, em seguida, que o processo de percepção de um odor também é uma ocorrência que envolve um intermediário — seja o ar, seja a água. Não surpreende que Aristóteles avente a possibilidade de que a água seja, digamos, um condutor do odor (que, como afirmava Platão, era algo entre o ar e a água), o que, todavia, suscita a seguinte dúvida: como seria, nessas condições, a olfação (que parece estreitamente conectada à respiração) para os animais que não inalam ar e não têm sangue? Esse ponto será apresentado também em *Sens.* 443a2 ss. e 444b7 ss.

421b13. A dúvida anterior é explicitada nesta passagem. Se todos os animais têm percepção do cheiro e o homem percebe o cheiro pela respiração, isto é, pela inalação do ar, alguém poderia pensar que os animais incapazes de inalar sentem o cheiro por alguma outra via ou mesmo por algum outro órgão sensorial. O mesmo é apresentado em *Sens.* 444b15. A resposta de Aristóteles parece ser que todos efetivamente percebem odores, mas nem sempre da mesma maneira, embora essa possibilidade seja aqui deixada de lado, e não seja retomada até o final do tratado.

O argumento final prova que os animais não sanguíneos sentem cheiro: uma vez que eles morrem tal como aqueles que respiram, quando expostos a ambientes com odor deletério, então é evidente também que são, de algum modo, suscetíveis a esse odor ou, dito de outra maneira, que têm olfação.

421b26. Há uma passagem quase idêntica a esta em *De Sensu* [444b15-a4], com igual alusão a uma possível solução para o problema. Nos animais que respiram, a inalação como que levanta uma espécie de tampa, cuja função é a de cobrir e proteger propriamente o órgão. No caso dos animais que não inalam ar, como não existe nada similar que proteja o órgão e que precisasse ser removido pela respiração, o odor poderia talvez ser percebido diretamente por ele [b21-5].

Capítulo 10

O capítulo trata do paladar e dos sabores e o faz da maneira habitual, examinando primeiro o intermediário envolvido no processo e as suas características, depois o objeto perceptível por meio do sentido em questão (neste caso, o palatável [*to geuston*]) e, finalmente, o órgão sensorial.

Há, contudo, duas características marcantes na análise que Aristóteles faz do paladar. Tendo reduzido o paladar a uma variedade da percepção tátil, ele corrige o senso comum que vê o tato como uma forma de contato direto com o objeto. Aristóteles afirma, por sua vez, que nesses casos há um intermediário, embora ele seja intrínseco ao corpo que percebe (e no próximo capítulo deixará claro que a própria carne do sujeito é esse elemento intermediário). Além disso, o palatável é aquilo que tem o úmido como veículo, por misturar-se a ele. Assim, a impressão de contato direto se deve, por um lado, ao fato de que o sujeito que percebe (o animado dotado de paladar) e o intermediário por meio de que ele percebe (isto é, a carne de sua própria língua) formam uma coisa só. Da mesma maneira, o corpo sólido ou líquido dotado de sabor e o úmido com o que se mistura materialmente também formam, por outro lado, uma coisa só.

O assunto recebe tratamento suplementar ainda em *De Sensu* 4, onde algumas teorias dos predecessores são criticadas [441a 4-30].

422a8. As duas peculiaridades do palatável, que é uma espécie de tangível, são apresentadas logo no primeiro parágrafo. Inicialmente, Aristóteles reduz o paladar a uma forma de tato. A razão dessa redução parece ser o fato de que também o objeto do paladar não é percebido através de um intermediário estranho e extrínseco ao corpo, mas por meio de algo inato (um tecido do próprio organismo que faz a mediação entre o objeto e o órgão perceptivo). E, ao tratar do tato, seremos informados de que esse intermediário congênito é a nossa própria carne e, no caso do paladar, a carne da língua.

Há problemas aqui para a interpretação do texto. Aristóteles, nesta passagem, diz algo como: "O corpo dotado de sabor está no úmido (ou líquido) como na sua matéria", e isso talvez deva ser interpretado no sentido de que o sabor é uma qualidade (ou propriedade) "que se revela no úmido". Aristóteles, de fato, oscila entre dizer que o som, a cor e o odor são o que percebemos e dizer que o corpo com essas características é aquilo que percebemos. Isso não chega a ser perturbador, se tivermos em mente que a percepção, em última instância, é um evento unificado, e as diferenças de ênfase atendem a diferentes propósitos da análise.

Neste caso, ele parece enfatizar o corpo percebido. E a razão para isso parece ser que o sabor e seu veículo (a umidade da água) formam uma coisa só, de maneira que não se percebe o sabor *através* da água (que, nesse caso, seria o intermediário), mas materialmente *misturado com* ela e de maneira a emprestar-lhe uma qualidade (um sabor, que a água por si não tem). O palatável é uma certa qualidade de um corpo sólido ou líquido (por exemplo, do sal ou do vinho), mas, para ser percebido, esse corpo precisa dissolver-se na umidade e fundir-se materialmente a ela. Aristóteles poderia ter em mente a necessidade da saliva para a experiência gustativa, mas nada é explicitado sobre este ponto. A cor, por outro lado, não é percebida dessa maneira: caso ela também se misturasse ao elemento através do qual é percebida, ele se modificaria — o transparente entre minha retina e esta maçã vermelha, por exemplo, teria de adquirir uma cor avermelhada, o que efetivamente não ocorre.

Mas, nessas condições, não seria necessário também dizer que, no caso do olfato e do odorífero, aconteceria uma alteração do intermediário diferente daquela que se passa no caso da visão? De fato, não há uma fusão de corpos, digamos, entre aquilo que é dotado de cheiro e o ar através do qual o olfato percebe o odor; mas há a efetiva alteração de qualidade do intermediário — que não ocorre no caso da visão (o ar não fica avermelhado enquanto transmite a cor vermelha da maçã até minha retina). Não seria essa a única maneira de explicar a possibilidade de que se perceba, por exemplo, um odor de *bacon* que nem se sabe de onde vem? Parece que isso pode ocorrer apenas porque o ar *é* efetivamente alterado em sua qualidade (vale dizer, atualizado) na transmissão de odores, ao contrário do que acontece na transmissão de cores. Esse ponto é tratado em 424b3 ss.

422a20. A passagem reitera ideias já apresentadas no caso dos outros três sentidos, quanto ao espectro e à extensão de suas respectivas capacidades perceptivas. A percepção do paladar, isto é, a gustação [*geusis*], discrimina entre um par de opostos — o não palatável e o palatável — e o faz dentro de proporções e condições determinadas. O não palatável inclui tanto o que é de todo imperceptível pelo paladar (por exemplo, o visível e o audível, que só são recebidos por outros sentidos diferentes daquele), como o que poderia sê-lo, mas não o é, porque traz pouco da qualidade correlata ao paladar necessária à atualização do órgão (por exemplo, por ter o gosto fraco ou indefinido demais). Esta talvez seja a melhor maneira de interpretar as palavras de Aristóteles, quando ele diz que o não palatável "é o que tem pequeno e escasso sabor ou o que é destrutivo da gustação" [a30-1]. Aristóteles afirma que eles estão fora do âmbito das proporções necessárias para impressionar adequadamente o órgão, sendo o excesso, ao que parece, mais pernicioso do que a falta, já que é capaz de arruinar de todo a capacidade em questão (uma luz tão forte que cega, por exemplo). Neste caso, "destrutivo da gustação" parece ser, por exemplo, a cicuta, que é um palatável, mas de natureza letal.

A percepção é recepção de forma, mas sob certas proporções materialmente determinadas. É possível ver, nesta tese de Aristóteles, a maneira como os eventos psíquicos até aqui examinados precisam ter o suporte seja de certas condições físicas, seja de processos fisiológicos. Sem eles uma tal recepção da forma sem a matéria não ocorreria.

422a34. A necessidade de uma certa proporção no objeto sensível para o êxito da percepção é estendida, nesta passagem, também ao órgão sensível. O órgão do paladar não é efetivamente úmido, apenas capaz de umedecer-se apropriadamente. Em outras palavras, a língua não deve ser nem muito, nem pouco umedecida, para a adequada apreciação de um sabor. Ora, caso ela esteja excessivamente saturada, por exemplo, de saliva amarga, este é o sabor que primeiro será apurado por nosso paladar, a ponto de impedir a acurada percepção de qualquer outro sabor que viermos a experimentar. Isso é evidente no caso de algumas doenças.

422b11. Finalmente, Aristóteles enumera as diferenças específicas do sabor e o faz ao tentar coordená-las, um tanto arbitrariamente, em função da anterioridade e da posterioridade, conferindo ao par amargo/doce a mesma prioridade que alhures tentou conferir, no caso dos visíveis, ao branco e negro.

Capítulo 11

Este capítulo tratará do tato, que, na análise de Aristóteles, passa por uma mudança de *status*. Para muitos pensadores anteriores a ele — inclusive Platão [*Timeu* 61c-68d] —, toda e qualquer percepção é, de algum modo, uma forma de tato. As impressões táteis seriam afecções do corpo como um todo, enquanto as impressões dos quatro sentidos seriam afecções associadas a um órgão particular. Sendo assim o tato um gênero do qual os demais sentidos formariam as diferenças específicas. É importante lembrar isso para entender o alcance de duas questões com que Aristóteles abre o capítulo: (1) é ou não o tato um único sentido? (2) é o seu órgão a própria carne ou algo mais interno?

Aristóteles, em vista desses problemas, dará um tratamento um pouco diferenciado ao tato, começando desta vez o exame pelo próprio órgão e não por seu objeto correlato, isto é, pelas qualidades tangíveis. A respeito delas, coloca em dúvida se são todas relativas a um substrato singular: o tangível como tal. Aristóteles assumirá que a carne é o intermediário congênito ao tato, ao passo que o próprio órgão perceptivo é algo mais interno — provavelmente o coração, que é a sede central da percepção como um todo. Assumirá também que há, de qualquer modo, um ínfimo intermediário externo entre a carne e aquilo que ela toca, já que são dois corpos separados (cada um com suas três dimensões próprias). Mas, embora apartados um do outro e ainda que por uma imperceptível camada (de ar ou água), isso não é notado, pois a percepção do(s) intermediário(s) e do tangível acontece simultaneamente [*hama*] [423b15], isto é, quase ao mesmo tempo, tanto no caso do tato como no do paladar. Nos outros sentidos, por outro lado, os sensíveis são percebidos pela ação [*hypo*] [b14] do intermediário, e parece que isso acarreta também a percepção clara de um lapso de tempo.

422b17. Aristóteles abre o exame sobre o tato e os tangíveis colocando duas questões: (1) o tato é, de fato, um sentido único ou não? (2) seu órgão perceptivo é a carne ou algo mais interno? Em seguida, ele apresenta um possível argumento para a primeira delas: como são diversos os pares de qualidades sensíveis correlatas ao tato — a saber, quente/frio, seco/úmido, duro/mole etc. —, pode-se pensar que o tato seria também diversos sentidos diferentes. Este argumento, por sua vez, pode ser deixado de lado, se considerarmos que o mesmo ocorre com os outros sentidos — por exemplo, a audição distingue o grave, o agudo, o alto e o baixo —, de maneira que o tato seria uno, tanto como o é a audição. Aristóteles apresenta, sem resolvê-la, uma dificuldade para esta última posição: as diferenças audíveis têm um único e mesmo substrato — o som. Qual seria o substrato singular [*ti to hen to hypokeimenon* [...] *têi haphêi*] [b32-3] para as qualidades táteis? No final do capítulo, Aristóteles parece sugerir que o substrato único para o tato é o corpo como tal, e que as diferenças nas qualidades tangíveis são as mesmas que as dos quatro elementos (ar-frio, água-úmido, fogo-quente, terra-seco), dos quais todos os corpos se compõem.

422b34. Em relação ao órgão sensível, o fato de que a sensação ocorre simultaneamente ao contato não é uma evidência convincente. Suponha-se, por exemplo, que a carne seja recoberta por uma fina membrana (como uma luva delicada): os objetos do tato serão sentidos diretamente e de um modo quase imediato, ainda mais se essa membrana se tornou uma parte do corpo (como é, de fato, a sua carne). Tal intermediário do tato pode ser comparado a um envelope de ar que envolve o corpo por todos os lados. Nessas condições, a visão, a audição e a olfação aparentemente serão reduzidas a um único sentido. Nesse caso, estaríamos dispostos a dizer que o ar seria o próprio órgão, tal como fazemos ao afirmar que a carne é o órgão do tato? Parece que não.

Um corpo animado não pode ser construído meramente de ar ou água: precisa também de terra, já que é um sólido; e a carne é precisamente um composto de tal tipo. Assim, o corpo deve ser um intermediário — e não o órgão — do tato: um intermediário intrínseco e inato e que serve a mais de um sentido. Isso é claro no caso da língua. Pois a língua é tanto capaz de tocar quanto de saborear. E se o resto da nossa carne fosse capaz de sentir gosto, do mesmo modo que é capaz de tocar, teríamos a opinião de que os dois sentidos são um único.

423a22. Mesmo os líquidos têm corpo, e isso implica três dimensões. É evidente que os corpos que estão na água têm a própria água como um intermediário de contato entre eles. Do contrário, estariam com as extremidades secas, mesmo quando imersas na água, o que não é o caso. Portanto, dois corpos sólidos imersos na água (e também no ar) não podem, estritamente falando, tocar um no outro: deve sempre haver, embora nos passe despercebida, uma fina camada de água ou ar interposta. O tangível e o tato interagem e são discretos, isto é, separados; logo, há um corpo intermediário entre eles, já que Aristóteles não admite a existência do vazio. Voltemos então à questão relativa ao tato e ao paladar: esses sentidos operam ou não através de um intermediário, assim como os demais sentidos?

423b4. Devemos admitir que os tangíveis são percebidos por meio do intermediário, exatamente como o sonoro, o visível e o que tem cheiro. No caso destes, contudo, devido à distância do objeto, percebemos claramente a atuação de um intermediário, enquanto no caso do tato e do paladar, devido à proximidade com a mão e com a língua, o objeto e o intermediário são percebidos ao mesmo tempo. Por conseguinte, a presença do intermediário não é notada. A fina camada de ar ou água que separa corpos aparentemente em contato — e que não percebemos — é análoga à membrana imaginada na passagem 423a1-22.

423b12. A diferença real entre o paladar e o tato, por um lado, e os outros três sentidos, por outro, é que, no caso destes, primeiro o intermediário é afetado pelo objeto e, em seguida, ele afeta o órgão. No caso do tato e do paladar, o intermediário não desempenha esse papel: órgão e intermediário são afetados simultaneamente [*hama*], isto é, quase ao mesmo tempo.

Que a carne desempenha o papel de intermediário no tato (e a língua, no paladar) fica claro com um experimento crucial: um objeto colocado em contato com a carne ou a língua é percebido, se ele for tangível ou palatável. Contudo, quando os objetos dos três sentidos remanescentes são colocados diretamente em contato com seus respectivos órgãos sensíveis, não há percepção deles.

423b27. Portanto, os objetos do tato são as diferentes qualidades de um corpo como corpo, isto é, as qualidades fundamentais que diferenciam os quatro elementos. E o órgão sensível do tato, isto é, o órgão sensível primeiro, é aquele que é em potência tais qualidades. Assim, não percebemos uma qualidade (por exemplo, a temperatura) quando ela é uniforme com a nossa própria temperatura, mas somente quando ela está acima ou abaixo dela. O sentido é uma média entre extremos e pode assim julgar aqueles objetos que ultrapassam a média em uma das duas direções. E, assim como os demais sentidos, o tato percebe o tátil e o não tátil, isto é, aquilo que tem em pequeno grau uma qualidade tátil — por exemplo, o ar — e aquilo que a tem em excesso — por exemplo, o que é violento e destrói o sentido.

Capítulo 12

O capítulo alinhava conclusões sobre a percepção sensível em geral. Seu tema poderia ser expresso como *katholou de peri pasês aisthêseôs*, em referência direta ao tipo de enunciado concernente a todos os sentidos coletivamente [*koinotatos logos*] [412a5]. O sentido, antes de tudo, deve ser entendido como o receptivo da forma perceptível sem a matéria. E, tão logo uma parte do organismo exiba esse tipo de capacidade, pode-se falar em órgão do sentido. De maneira que o órgão e a percepção que ele habilita são, por um lado, idênticos mas, por outro, diferentes: o órgão é algo extenso, que tem magnitude, enquanto a percepção é a capacidade do órgão.

Pode-se sentir falta, em todo o tratamento dispensado por Aristóteles aos órgãos dos sentidos, de um exame mais direto da percepção no sentido propriamente dito de ter consciência de que está ocorrendo uma afetação. Pois dizer simplesmente que há uma alteração talvez deixe escapar o fato crucial da percepção, qual seja, a tomada de consciência do que está em processo. Pois se frito ovos com *bacon*, todo o ar da cozinha e quiçá de minha casa será afetado e alterado pelo odor de *bacon*, sem que se possa de nenhuma maneira pretender que o ar ambiente tenha percebido, como meu nariz percebe, o cheiro de bacon no ar.

De fato, a consciência da percepção recebe um tratamento mais do que indireto na psicologia de Aristóteles. Não há um termo que expresse o nosso conceito de consciência. Talvez ele esteja embutido, de alguma maneira, no exame do próximo livro, no que diz respeito às funções da percepção ao operar em conjunto — a *aisthêsis koinê* —, particularmente no ato de perceber que há percepção. Cf. Kahn, "Sensation and Consciousness in Aristotle's Psychology".

Em outra passagem, Aristóteles parece indicar que a percepção da percepção é, este sim, o evento psicológico crucial do processo. Em *Fis.* VII, 2, 244b15-245a3, afirma: "O inanimado é inconsciente de ser afetado, enquanto o animado é consciente, embora nada impeça que o animado seja inconsciente quando a alteração não diz respeito aos sentidos" (tradução de Zingano, p. 96). A expressão para inconsciente é *lanthanei*, "passa despercebido", para consciente, *ou lanthanei*, "não passa despercebido". De fato, o exame que Aristóteles faz da alteração do órgão pela forma sem a matéria tem o foco principalmente no que ocorre em termos físicos, e isso talvez por ele querer mostrar que a percepção em si mesma *não é* um movimento *scricto sensu*.

424a16. Depois de examinar cada um dos cinco sentidos nos capítulos 7-11, Aristóteles agora trata do sentido em geral [*katholou*]. O sentido em geral é o receptivo da forma sensível sem a matéria. Em outras palavras, o sentido é uma determinada parte do corpo animado passível de ser alterada pelas formas efetivas das diferentes qualidades do objeto perceptível (por exemplo, pelo vermelho do fruto vermelho, pelo odor específico de maçã etc.). Essas qualidades constitutivas da coisa atuam sobre os sentidos como tais, e não como a coisa concreta. Assim, aquilo que chamamos de sentido tem dois aspectos: o próprio órgão sensorial materialmente extenso e a capacidade perceptiva de que ele dispõe. Ambos formam uma unidade efetivamente inseparável, mas distinguível em abstração, isto é, cada um tem a sua própria definição: "são, por um lado, o mesmo, mas o ser para cada um é diverso". A percepção sensível não é extensa (na medida em que é uma potência do órgão), mas uma certa determinação dele [*alla logos tis*] [27-8] — ou seja, o princípio que estrutura o órgão e pode ser racionalmente enunciado.

424a28. Aristóteles apresenta, em seguida, dois argumentos para a sua tese de que o órgão é o receptivo da forma. Primeiro, o fato de que o princípio de estruturação do órgão se rompe ante a ação excessiva da qualidade que, através de um intermediário, atua sobre ele. De maneira que o órgão sensorial perde a capacidade de funcionar e arruína-se, conservando o nome apenas por homonímia. Uma certa proporcionalidade na matéria parece, por conseguinte, oferecer as condições para o exercício da tal média, a qual é o critério da percepção sensível. Perdida a proporção material do órgão, a média da potência também é violada e desqualificam-se tanto a base física do sentido como o critério para sua recepção da forma sensível alheia. A causa dessa danificação da potência, diz Aristóteles, são os movimentos e as mudanças físicas excessivamente fortes que abalam as condições corpóreas do órgão. Nesse sentido, a analogia com o instrumento musical é clara: tocadas violentamente, por exemplo, as cordas de uma lira, elas desafinam e deixam de produzir as notas consoantes do acorde musical.

Que o órgão é o receptivo da forma sem a matéria, fica claro a partir do tipo de alteração que as plantas sofrem diante das diferenças tangíveis: falta-lhes o sentido do tato, sendo então modificadas pela matéria (e suas características) e não pela qualidade em si mesma. As plantas têm capacidade nutritiva (e, portanto, são seres animados) e são afetadas pelo calor — pois esquentam —, mas, porque não dispõem do tato, não são propriamente receptivas da forma, e sim da matéria dotada dela. Em suma, Aristóteles sugere um pouco obscuramente que as plantas são alteradas pela matéria, e talvez da mesma maneira como absorvem o alimento.

424b3. Uma questão é levantada: pode-se falar de afecção pelo sensível em sentido distinto do envolvido no processo de percepção sensível? À primeira vista, não (já que ser alterado pela qualidade perceptível é perceber), mas parece que Aristóteles quer sustentar o contrário. E a analogia com o trovão que fende a madeira poderia ser interpretada nessa direção. Não é a qualidade sonora (o trovão) que fende a madeira, mas a própria matéria dotada dessa diferença sonora (a saber, o ar). É nesse mesmo sentido que a planta é afetada pelo tangível e o ar é afetado pelo odor: ambos se tornam perceptíveis, mas não perceptivos, isto é, apesar da alteração formal sofrida, não se tornam capazes de percebê-la, pois são desprovidos do órgão receptivo necessário.

Notas ao livro III

Capítulo 1

Os capítulos 1 e 2 deste terceiro livro formam um bloco no qual Aristóteles apresenta argumentos para provar que não existe nenhuma outra forma de percepção sensível além dos cinco sentidos já examinados [*hoti d' ouk estin aisthêsis hetera para tas pente*] [424b22]. Cabe aqui perguntar: qual o interesse dessa questão? E por que considerá-la como o início do tratado acerca do intelecto? É possível que Aristóteles esteja se dirigindo aos filósofos que, de alguma maneira, negam a completa distinção entre intelecto e percepção sensível. Aristóteles mostra que não poderia existir algum sentido além dos já considerados, e por isso seria incorreto considerar o próprio intelecto como um sentido adicional, que operasse na percepção do objeto.

O alvo da crítica pode ser Demócrito, ou melhor, a tese que atribui a esperteza de certos animais à existência de algo mais além dos cinco sentidos que conhecemos (e o corolário da tese: neste caso, existiriam mais sentidos do que as espécies de objetos perceptíveis que se apresentam). Cf. *CR*, p. 269.

A estratégia de Aristóteles é a seguinte: no primeiro capítulo, ele apresenta dois argumentos para mostrar que não há nenhum sentido particular além dos cinco que nos são familiares. No capítulo 2, prova uma tese correlata: há uma *percepção comum* [*koinê*] aos cinco sentidos, pois eles realizam juntos duas atividades: (1) a percepção de que há percepção (por exemplo, perceber que vê) e (2) a distinção de cada um dos objetos sensíveis dos diversos sentidos (por exemplo, diferenciar o doce do branco). Em seguida, no capítulo 3, argumenta que o intelecto é inteiramente distinto da sensação, para finalmente tratar da parte intelectual da alma nos capítulos 4 a 8.

424b22. Aristóteles abre o capítulo com a tese que quer provar: não existe qualquer percepção sensível além daquelas proporcionadas pelos cinco sentidos examinados no livro II. Em outras palavras, visão, audição, olfação, gustação e sensação tátil são formas de recepção que esgotam as diferenças entre os sensíveis que se apresentam para nós. Segundo Tomás de Aquino, a linha geral do primeiro argumento, que ocupa este (longo, tortuoso e obscuro) parágrafo, é a seguinte: se o sujeito que percebe dispõe naturalmente de um órgão que recebe certa classe de objetos sensíveis, então o órgão é o meio pelo qual ele percebe esses objetos. Ora, os animais superiores são dotados de todos os órgãos conhecidos; logo, são capazes de perceber todas as espécies de objetos sensíveis, e assim a totalidade deles é coberta pelos cinco sentidos conhecidos.

Em *HA* 532b29-533a1, Aristóteles afirma que não temos experiência de qualquer órgão além daquela dos cinco já mencionados. Em *Sens.* 444b19-20, aventa a possibilidade de haver um outro sentido além dos cinco, e reitera que isso é impossível. De maneira que o raciocínio parece apelar para a experiência, isto é, para o fato evidente de que temos cinco sentidos e nada mais. Aristóteles, portanto, argumenta que só poderia ser assim.

O argumento, reconstruído por Hamlyn, seria o seguinte:

(a) a percepção ou é direta, como o tato, ou é indireta, como a audição e a visão;

(b) se há percepção, então há um órgão sensorial;

(c) possuímos tato e percepção de tudo o que é perceptível por contato;

(d) percepção através de intermediário ocorre por meio de um dos quatro elementos: ar, água, terra e fogo;

(e) se a percepção ocorre através de um intermediário, então, o órgão sensorial é composto do mesmo elemento do meio correspondente; e isso pode se dar de dois modos:

(1) se um e mesmo elemento pode ser o intermediário para mais de um objeto sensível, então seus órgãos devem ser compostos por ele (por exemplo, o ar é intermediário para as atividades da cor e do som);

(2) se um mesmo sensível pode ser percebido por mais de um elemento (por exemplo, a cor é percebida através do ar e da água), então basta um deles para compor o órgão;

(f) dos elementos, somente dois — a saber, a água e o ar — são empregados na constituição de órgãos sensoriais que percebem através de intermediários; e alguns animais têm órgãos sensoriais compostos de ar ou água (ou ambos);

(g) assim, não há outros órgãos sensoriais além dos conhecidos, a menos que existam elementos além dos que conhecemos (cf. *CHa*, p. 115-6).

O raciocínio, de qualquer maneira, é um tanto obscuro para um fato empírico elementar — a existência de apenas cinco sentidos.

425a14. Aristóteles, nesta passagem, pretende negar a existência de um sentido voltado para a percepção dos sensíveis comuns: movimento/repouso, magnitude/formato, número/unidade. Estas qualidades são chamadas de comuns porque *podem ser* percebidas por mais de um dos cinco sentidos já estudados e não são essenciais a nenhum deles em particular: grandeza, formato, movimento etc. acompanham as qualidades próprias aos diversos sentidos.

O ponto principal, contudo, é que há certas funções que são realizadas pela percepção como um todo [*aisthesin koinên*] [a27], para as quais os sentidos colaboram de alguma maneira e não acidentalmente: "E dos sensíveis comuns temos uma percepção comum, e não por acidente" [a27-8]. Não há um órgão específico para essa *aisthesis koinê*, que se serve dos sentidos particulares já mencionados. Em suma, dos sensíveis comuns temos uma percepção comum, para a qual os sentidos contribuem direta e não acidentalmente. Contudo, ela não é atribuída a nenhum deles em particular.

A passagem deu trabalho aos intérpretes por conta de uma aparente contradição: nas linhas a14-5 se diz: "Tampouco é possível existir um órgão sensorial próprio aos sensíveis comuns, dos quais teríamos percepção sensível acidentalmente por cada sentido", ao passo que, nas linhas a27-8, declara-se que "dos sensíveis comuns temos uma percepção comum, e não por acidente". Trata-se, provavelmente, de uma tese que Aristóteles primeiro enuncia para depois refutar. Para uma resenha dos embaraços dos intérpretes quanto a este ponto (e uma engenhosa solução da dificuldade, ver Zingano, *Razão e sensação em Aristóteles*, p. 98-117.

De fato, não está claro no *De Anima* se essa *aisthesis koinê* é um ato levado em comum pelos sentidos particulares ou uma capacidade de unificação acima deles. Os sentidos particulares levam a cabo atos perceptuais primeiros (a saber, perceber o sensível correspondente a cada sentido) e ainda atos de discriminação das diferenças do próprio objeto (a visão distingue o preto do branco [426b10-2]). Eles são examinados como se funcionassem independentes uns dos outros, embora a admissão de que existem sensíveis comuns e sensíveis por acidente permita inferir alguma coordenação de todos em uma função conjunta. Estas duas últimas categorias de sensíveis levam, por conseguinte, à admissão de que os sentidos não são canais perceptivos completamente independentes.

Em *Parva Naturalia*, as atividades da percepção comum são, de fato, bem mais explícitas e amplas. Em *Sens.* 449a9, Aristóteles põe uma ênfase maior na unidade da capacidade de percepção sensível. Em *Mem.* 450a10-5, ela é considerada primeira e responsável pela imaginação e pela memória. Em *Somn.* 455 a20-b3, Aristóteles afirma que só há uma percepção e um órgão sensorial primeiro de que os sentidos particulares dependem, aos quais atribui, além das funções mencionadas no *De Anima*, também o sono e a vigília. Em *Insomn.* 461a1-12, o princípio da percepção sensível é ainda associado ao sonho. Em *Juv.* 469a6-12, o princípio da alma perceptiva e nutritiva está no coração, órgão sensorial supremo dos animais sanguíneos. No *De Anima*, por outro lado, há um silêncio acerca do coração como órgão central dos sentidos.

As diferenças de enfoque mobilizaram a exegese dos tratados, e até hipóteses genéticas foram aventadas. Mas é possível ver nesse conjunto de teses apenas a característica progressiva e metódica da análise, tipicamente aristotélica. Cf. Block, "The Order of Aristotle's Psychological Writings", e Kahn, "Sensation and Consciousness in Aristotle's Psychology". Para um exame da relação entre percepção sensível e calor vital, ver Freudenthal, *Aristotle's Theory of Material Substances.*

425b4. Aristóteles fecha o capítulo levantando uma questão sobre a finalidade de diversos sentidos. A resposta sugerida é que há mais garantia de que os sensíveis comuns não passem despercebidos para nós. Aristóteles refere-se a eles como concomitantes [*ta akoloulthounta*, literalmente, acompanhantes] [b5], porque os sensíveis próprios a cada sentido são sempre acompanhados por um ou mais de um deles. Mover-se ou estar parado, ter tal formato e magnitude, constituir-se em uma unidade ou não, todas essas características acompanham necessariamente os objetos perceptíveis.

Capítulo 2

Depois de mostrar no capítulo anterior que não há nenhum sentido além dos cinco familiares — examinados entre os capítulos 7 e 11 do livro anterior —, Aristóteles pretende agora provar uma tese correlata: há uma percepção comum aos sentidos específicos, uma vez que há duas atividades realizadas pelos sentidos conjuntamente: (1) a percepção da percepção sensível, como, por exemplo, a percepção do ato de ver uma cor, e (2) a distinção entre os objetos perceptíveis dos diversos sentidos, como, por exemplo, a discriminação do doce e do branco.

425b12. Aristóteles abre o parágrafo enunciando o problema relativo à percepção da própria percepção sensível: seria a percepção de nossas próprias sensações — a noção de que estou tendo a visão de uma cor, por exemplo — (a) um ato do próprio sentido ou (b) de algo outro, isto é, de algum outro sentido?

Cabem duas observações. O problema apresentado nesta passagem retoma um ponto levantado por Platão no diálogo *Cármides* [167c ss.]. Deve-se interpretar o "outro sentido" da alternativa (b) como adicional aos cinco conhecidos; pois é plausível que se coloque em dúvida que a visão seja o que percebe o ato de ver, mas parece totalmente fora de cogitação que isso pudesse ser realizado por algum dos demais; e a questão do capítulo anterior volta de algum modo à pauta.

Tendo levantado a questão, em seguida Aristóteles apresenta dois argumentos contra a alternativa (b). Se a percepção do ato de perceber fosse uma realização de algum outro sentido, então este outro sentido perceberia tanto o ato de ver como a cor que é vista. Ora, o que percebe cor é a visão; portanto: ou esse outro sentido vê cor tal como a visão, e então teríamos dois sentidos diferentes para um mesmo objeto perceptível, ou esse outro sentido *seria* a própria visão — o que contraria a hipótese (b).

O segundo argumento é um pouco mais difícil, e a análise de Tomás de Aquino é a seguinte: se o sentido que percebe o ato de ver cores é um outro, diferente da visão, será que ele, por sua vez, teria percepção de sua própria atividade? Caso não tenha, seria necessário então haver ainda um terceiro sentido para fazê-lo, e a série tenderia ao infinito. Mas isso acarreta uma impossibilidade. Pois, sendo assim, nenhum ato se completaria, já que estaria na dependência de um número infinito de outros atos e nenhum sujeito singular pode possuir um número infinito de capacidades. Por outro lado, caso esse segundo sentido tenha percepção de sua própria atividade, então está sendo postulado um sentido capaz de ter percepção de si mesmo. Ora, nesse caso não haveria razão para ir além do primeiro de todos eles. Em outras palavras, não haveria motivo para que a própria visão deixasse de perceber seus próprios atos. Portanto, o sentido que percebe a cor seria o mesmo que percebe o ato de ver cor. Cf. *CTA*, p. 361.

Em de *Somn.* 455a12, a resposta de Aristóteles à questão levantada neste parágrafo é mais direta: é por meio de uma potência comum [*koinê dynamis*] [a16] que percebemos que vemos e ouvimos.

Aristóteles levanta, contudo, uma objeção a essa conclusão: se pela visão é percebido o ato de ver uma cor, então é possível dizer simplesmente que *vemos* tal ato; e como o que se vê é a cor, necessariamente o primeiro ato de ver, visto pela visão, também ele seria colorido.

A dificuldade é respondida desta maneira. É evidente, a partir do que foi dito, que duas atividades distintas estariam subentendidas no termo *visão*: a percepção da cor e a percepção da visão de uma cor. Aristóteles afirma que ver significa tanto receber a impressão da cor alheia através de um intermediário, como discernir a diferença entre luz e treva (quando estamos no escuro, por exemplo, é também pela visão que percebemos que nenhuma luz imprime em nossa retina as cores dos objetos que nos cercam). Ora, este segundo ato da visão não é exatamente uma percepção de cor; de maneira que é também pela visão que formamos juízos sobre ocorrer ou não a visão de uma cor.

Além disso, Aristóteles sustenta que, na medida em que ver é em certo sentido tornar-se semelhante ao objeto visível, então o que vê de algum modo torna-se colorido. Aliás, é porque o órgão sensorial recebe a forma sem a matéria que imagens e sensações são retidas, mesmo quando o objeto visual desaparece. Esta solução para a dificuldade levantada anteriormente será desdobrada em considerações adicionais no parágrafo seguinte.

425b26. Nesta passagem, Aristóteles generaliza o que foi dito antes. Não somente a visão torna-se idêntica à cor em atividade (que o órgão sensorial recebe sem a matéria), mas toda e qualquer atividade dos sentidos é idêntica à atividade do objeto sensível correlato — por exemplo, a audição (o ato de ouvir) e a sonância (o ato de soar) —, embora as duas coisas possam ser logicamente distinguidas pelo pensamento. O ato de ouvir é claramente passivo em face do som, e o som efetivo realiza-se plenamente naquele que tem a potência de percebê-lo: o órgão sensorial da audição. A qualidade/agente do objeto sensível realiza-se por completo naquele que é passivo e quando está receptivo: a capacidade correlata. A passagem remete a *Fis.* 202a13, onde Aristóteles afirma que o movimento incide naquele que é movido. Por tratar-se de percepção sensível, nesta passagem ele acrescenta que a produção e a afecção ocorrem igualmente naquele em que são produzidas.

426a15. Já que a atividade de um sentido específico e a do objeto correlato são uma única e a mesma, apesar de logicamente distintas, o ato de ouvir e o ato de soar precisam juntos persistir e juntos cessar, e o mesmo vale para os demais sentidos. Os antigos filósofos da natureza, portanto, não fizeram distinções suficientes. Se, de certo ponto de vista, não há objeto sendo percebido caso não haja percepção sensível em atividade, isso não pode ser afirmado do ponto de vista da potência.

426a27. Nesta passagem — que apresenta dificuldades ao estabelecimento do texto e à sua interpretação —, Aristóteles emprega o que foi dito para a solução de um novo problema: por que alguns objetos perceptíveis têm características que destroem o sentido, enquanto outros lhe são agradáveis? Sua resposta, em linhas gerais, é esta: se a atividade de soar e a de ouvir são uma e a mesma, então o fato de o som ser uma espécie de consonância (que envolve uma relação proporcional, isto é, razão) implica que a audição também o seja. Ora, a consonância é destruída por excessos naquilo de que ela se compõe, de maneira que os excessos no objeto perceptível também são destrutivos para a capacidade que lhe é correlata. Assim, se as diferenças nos objetos perceptíveis estiverem misturadas em proporções adequadas, o efeito que resultará para o órgão receptivo será igualmente agradável.

Mas, em que medida seria correto dizer, como Aristóteles, que a voz é uma consonância? Talvez ele esteja empregando esta noção no sentido de que a voz em particular é uma certa mistura entre as diferenças extremas do som em geral, ou seja, uma certa proporção de agudo e de grave, da mesma maneira que a cor é uma certa mistura proporcionada entre os extremos na diferença das cores (que seriam o branco e o preto).

426b8. Neste parágrafo, Aristóteles resume o que foi dito no âmbito dos sentidos em geral: o sentido dispõe de um órgão sensorial, pelo qual é percebido um objeto correlato e são discernidas as suas diferenças específicas — a visão, por exemplo, dispõe de olhos para perceber cores e discriminar todas as variações que são próprias a elas.

É um fato evidente, contudo, que somos capazes de discriminar também os diferentes gêneros de objetos perceptíveis: distinguimos cor de sabor, bem como cores entre si e sabores entre si. Este é necessariamente um ato da percepção sensível, na medida em que envolve objetos perceptíveis. Parece, portanto, implícita a possibilidade de que haja também um único órgão sensorial para a percepção sensível como um todo, capaz de discriminar, por sua vez, as diferenças entre as qualidades perceptíveis correlatas a cada sentido: por exemplo, que percebesse a diferença entre cor e sabor. Talvez seja este o sentido de sua declaração final — que soa um pouco abrupta — no que concerne ao tato: um tal órgão sensorial último seria também aquele capaz de perceber as qualidades tangíveis do que sentimos ao tocar (e não a carne, que é apenas um intermediário intrínseco). Ora, nesse caso, caberia ainda uma dúvida: seria o fenômeno da visão realmente um episódio do olho? Não seria melhor dizer que é um fenômeno que começa nesse órgão periférico mas que é levado a cabo, efetivamente, por e no órgão perceptível central?

426b17. Aristóteles apresenta agora um argumento para provar o ponto levantado no parágrafo anterior. Ele mostra que, se o juízo que discerne dois objetos perceptíveis de gêneros distintos é uno, então também é algo singular aquele que o afirma ou, em suas palavras, não é possível que isso seja feito por meios separados. Se a percepção de dois objetos distintos (o branco e o doce), operada por dois órgãos e dois sentidos diferentes, produzisse ainda a percepção de que são diferentes, então a percepção desses dois objetos diferentes por dois sujeitos diferentes (eu e tu, por exemplo) poderia, da mesma maneira, produzir a percepção de que são diferentes.

Por conseguinte, não são partes separadas da alma — tal como os sentidos que funcionam como canais independentes uns dos outros — que podem dar cabo de um tal juízo singular — o branco é diverso do doce. É preciso que tanto o juízo enunciado como a percepção e o pensamento que o apoiam sejam atos de um único e mesmo algo.

426b23. Aristóteles, neste parágrafo, quer provar um segundo ponto: um juízo que discrimina branco de doce, por exemplo, deve ocorrer num único instante. Desta vez, o argumento é mais obscuro, e parece avançar na seguinte direção: assim como é necessário que uma mesma parte da alma apreenda a diferença entre o bom e o mau, também o momento em que isso se dá não é um aspecto de importância menor. As coisas não se passam como se alguém *afirmasse agora* que são dois objetos diferentes, sem querer dizer que *são agora* diferentes. Pelo contrário, as duas coisas são afirmadas ao mesmo tempo. Portanto, deve haver uma parte indivisível da alma operando em um tempo igualmente indivisível.

426b29. Nesta passagem, Aristóteles primeiro levanta uma objeção àquilo que ele mesmo acabou de enunciar; a seguir, sugere uma maneira possível de contornar esta objeção, que é em seguida rejeitada. A objeção parece tornar-se mais clara ante a premissa do argumento anterior, que afirma ser uma mesma parte da alma que captura a diferença entre o bom e o mau. Chama ainda a atenção o fato de Aristóteles, desde a linha 22, referir-se conjuntamente à percepção sensível e ao pensamento.

A objeção, em suma, é a seguinte: cada qualidade sensível exerce sua influência particular e provoca um movimento ou uma mudança específicos; o branco, por exemplo, move o sentido e o pensamento em uma direção, o preto, por sua vez, o faz em direção oposta. O mesmo sentido (e com ele o pensamento), contudo, não poderia ser movido ao mesmo tempo em direções opostas. Uma primeira maneira de contornar a dificuldade seria esta: o sentido é tanto efetivamente idêntico e indivisível como "dividido" e divisível, à medida que percebe objetos divididos e distintos; e essa sua "divisibilidade" só existe abstratamente. Em outras palavras, o que percebe a diferença entre objetos mutuamente exclusivos o faz em uma única operação e é uno, como um sujeito idêntico que afirma um juízo. Mas em abstrato é dividido, já que apreende objetos divididos. Aristóteles, contudo, rejeita essa possível solução. Ele quer apontar, a meu ver, que ocorre justamente o contrário: o que percebe é potencialmente divisível — já que é capaz de receber tanto o branco como o preto, embora seja efetivamente uno quando em atividade, pois não poderia ter ambas as experiências de uma só vez.

427a9. Neste parágrafo, ao que tudo indica, Aristóteles pretende apresentar sua solução para a dificuldade: aquele que discrimina branco e doce — a percepção comum — é análogo ao ponto.

O símile, em uma palavra, ilustraria a ideia de que algo singular (numericamente uno e indivisível) pode ser dividido quanto à função (cf. *CHa*, p. 128). Qualquer ponto de um segmento de reta pode ser visto sob dois aspectos diferentes: na medida em que funciona como uma espécie de elo, ligando as duas partes da reta, o ponto é uno (e indivisível); na medida em que se pode pensar nele como fim de uma parte e começo de outra, o ponto é duplo (e divisível).

Como aplicar essa imagem ao problema em questão, a meu ver, está longe de ser claro. Também não há unanimidade na interpretação. Tomás de Aquino interpreta, *grosso modo*, da seguinte maneira: a percepção sensível comum seria tanto una (e indivisível) — já que é a raiz comum a todos os sentidos — como dividida (e divisível) — sendo o termo de contato de cada um deles; cf. *CTA*, p. 372-3. Hamlyn sugere que o indivíduo serve--se da percepção sensível duas vezes: por um lado, reforçando o branco e discriminando-o do doce, por outro, reforçando o doce e discriminando-o do branco. Cf. *CHa*, p. 128.

Dois comentários de caráter geral parecem-me oportunos. Em primeiro lugar, neste terceiro livro Aristóteles coloca a ênfase na natureza discriminativa da percepção sensível, em contraste claro com o enfoque um tanto passivo dos sentidos — como canais receptivos de qualidades sensíveis, sem suas respectivas matérias — que havia dado o tom de suas análises no livro anterior. É preciso sublinhar, ainda, a considerável expansão do domínio perceptivo implicada em sua análise geral da percepção sensível. Para Platão, as *aisthêseis* não são propriamente atividades da alma, mas experiências do corpo (apesar de terem algum tipo de contato com a alma irracional, já que não nos passam despercebidas); e o mais exato seria dizer que a alma se serve dos sentidos corpóreos para perceber tais qualidades sensíveis, embora não possa, por meio deles, nem comparar, nem distinguir esses mesmos objetos, uma vez que isso já envolveria reflexão, opinião e crença.

Aristóteles, por sua vez, amplia bastante o conteúdo da *aisthêsis* (e eis aí um bom motivo para preferir traduzir o termo por "percepção sensível") e assim pode negar que animais tenham raciocínio, reflexão, intelecto, opinião e crenças. Dotados exclusivamente de sentidos, os animais se servem deles para duas funções: a percepção (passiva) de qualidades sensíveis tanto próprias como comuns e a distinção (ativa) dessas qualidades entre si; neste caso, operando de maneira indivisível ou conjunta; naquele, por meio de canais separados e divididos. Assim, dispondo apenas de percepção sensível, o animal é capaz, por exemplo, de seguir o cheiro que vem de uma dada direção — pois ele *percebe* o cheiro conectado à direção, sem que nenhuma inferência da razão esteja envolvida. É notável, por fim, que todo este empreendimento analítico seja levado a termo sem que Aristóteles recorra à noção de consciência, que parece a nós um conceito de todo imprescindível.

Capítulo 3

O tema deste capítulo é a *phantasia*, ou imaginação, entendida no sentido amplo de uma capacidade para produzir imagens mentais. Este exame, por sua vez, é mais uma peça na estratégia maior, iniciada já no primeiro capítulo deste terceiro livro, de provar que o intelecto é inteiramente distinto da percepção sensível. Isso talvez esclareça um pouco o propósito de toda a primeira parte do capítulo, no qual Aristóteles leva a cabo uma série de distinções que, a meu ver, resultam no seguinte: assim como provou que se devem atribuir à percepção sensível duas funções que alguns consideram estarem fora de seu âmbito (a saber, a percepção de que temos percepção e a discriminação entre objetos perceptíveis de diferentes gêneros), Aristóteles agora parece empenhado em provar (1) que o pensamento e o entendimento estão inteiramente fora do âmbito da percepção sensível — ao contrário do que pensavam alguns predecessores — e (2) que a imaginação é uma atividade ligada à percepção sensível e não à formação de opinião, o que vale dizer que a imaginação não é um tipo de pensamento, embora o pensamento possivelmente se sirva dela.

427a17. O parágrafo apresenta dificuldades decorrentes do encadeamento de ideias: alguns comentadores admitiram o anacoluto (e tiveram o impulso de suplementar "como o pensar e entender parecem ser um certo perceber" com "é preciso investigar se pensar é diferente de perceber"), outros admitiram que há uma apódose expressa somente na linha b6 ("que perceber não é o mesmo que entender, é evidente") (cf. *CH*, p. 453).

O propósito de Aristóteles, contudo, parece claro: provar que, embora seja, tanto quanto a percepção sensível, uma capacidade de discriminar objetos, o pensamento é inteiramente diferente dela.

As citações de Empédocles e Homero, por sua vez, não parecem apoiar diretamente o que foi dito a respeito dos predecessores, e as interpretações dos comentadores são discordantes. Em relação à de Empédocles, talvez esteja subentendido que, se o pensamento é uma espécie de percepção e se a percepção é uma mudança física causada por um objeto externo que se apresenta para nós, então a qualidade de nosso pensamento terá variações de acordo com a qualidade desse mesmo objeto. A citação de Homero (ainda mais obscura, além de truncada) é apenas o início dos versos 136-8 do canto XVIII da *Odisseia*, que, na tradução de C. A. Nunes, dizem o seguinte: "Vário é o feitio da mente dos homens, que vivem na terra, tal como os dias, que o pai dos mortais e dos deuses lhes manda". A interpretação de Tomás de Aquino, influenciada talvez por este contexto, quer dar conta da variação do pensamento humano em termos de uma possível influência dos corpos celestes [cf. *CTA*, p. 379]. Homero, contudo, já havia sido citado, em 404a30, pelo verso "Heitor jaz desmaiado", o que sugere que existe algum tipo de vínculo entre as condições físicas do sujeito e seu pensamento, em apoio à ideia de que o pensamento é, ou melhor, envolve eventos corporais.

Aristóteles atribui aos antigos — particularmente a Empédocles, Demócrito, Parmênides e Anaxágoras [*Met.* 1009a12-28] — as seguintes teses: (a) o pensamento é um tipo de percepção; (b) ambos os processos envolvem alteração material, isto é, eventos físicos em que (c) o semelhante atua sobre o que lhe é semelhante, tal como mencionado anteriormente [404b10 ss.; 406b35 ss.].

Ele faz, em seguida, uma objeção de caráter geral: uma explicação do processo de pensamento desenvolvida dentro daqueles parâmetros não conseguirá dar conta adequadamente do erro e do engano, mesmo que eles sejam definidos em termos de contato entre dessemelhantes. Esta possibilidade é, de fato, descartada por ele. Pois, em relação a um par de contrários, o branco e o preto, por exemplo, quem discrimina um também discrimina o outro, tanto como quem se engana sobre um também se engana sobre o outro. Em outras palavras, conhecimento e ignorância têm o mesmo objeto, embora se relacionem com ele de maneira diversa. É este o sentido, parece-me, do comentário "mas engano e ciência parecem ser o mesmo para os contrários" [b5-6].

Aristóteles, por fim, levanta dois argumentos contra a identificação de percepção sensível e pensamento. Em primeiro lugar, a sensibilidade é comum a todos os animais, sem exceção; mas apenas em poucos animais subsiste o pensamento. Aristóteles atribui efetivamente algum tipo de *phronesis* ou entendimento a outros animais além do homem [*EN* 1141a26], bem como algum tipo de experiência — algo parecido com a ciência e a arte [*Met.* 980a28-981a3]. No segundo argumento, Aristóteles sustenta que tampouco o pensar (como forma de raciocinar) pode ser identificado com a percepção, pois esta é sempre verdadeira, ao passo que aquele admite também o modo falso.

A última sentença do parágrafo — "a imaginação não ocorre sem percepção sensível, e tampouco sem a imaginação ocorrem suposições" — parece antecipar a réplica de que a imaginação poderia ser uma forma de pensamento, pois, se todos os animais têm imaginação, em todos eles subsistiria ao menos esta forma de pensar.

Algumas observações relativas ao vocabulário. Aristóteles emprega, no capítulo, uma variedade de termos para o exame em questão, e é possível que recorra a *noein*, *phronein* e *dianoeisthai* — traduzidos, respectivamente, por pensar, entender e raciocinar — praticamente como sinônimos. O primeiro termo talvez se refira à noção em sentido mais geral; o segundo pode indicar a atividade intelectual conectada a objetos, e o terceiro, por sua vez, remete ao pensamento discursivo. Aristóteles serve-se, ainda, do termo *hypolêpsis* — suposição — como de um gênero cujas espécies seriam a ciência, a opinião e o entendimento [*epistêmê*, *doxa* e *phronesis*], tal como explicitado em 427b24.

427b16. Também nesta passagem surgem problemas para o estabelecimento do texto logo na primeira linha. O sentido, contudo, é seguramente o seguinte: Aristóteles avança agora na distinção entre imaginação e suposição e apresenta para isso dois novos argumentos: (1) a imaginação segue livremente nossa vontade, mas a suposição refere-se a objetos que independem de nós, e, justamente por isso, (2) acarreta uma emoção, o que não se dá com a imaginação.

Resta ainda uma dúvida no que diz respeito ao primeiro argumento, pois parece que temos liberdade sobre as nossas suposições, a despeito de vincularem-se a objetos que independem de nós. O segundo argumento, por sua vez, parece mais convincente: quando supomos estar diante do perigo, somos tomados por um medo real, contudo, se o perigo for apenas imaginado, isso não precisa ocorrer necessariamente.

Há ainda uma alusão ao uso de técnicas mnemônicas em *Insomn.* 458b17 ss.

427b24. A *hypolêpsis* ou suposição, como foi dito, é uma noção ampla que inclui ciência, opinião e entendimento, bem como os seus opostos: ignorância, opinião errada e demência [*aphrosynê*]. O trabalho em questão talvez seja o sexto livro de *Ética a Nicômaco*, que trata da virtude racional [*tês dianoias aretas*].

427b27. Neste parágrafo, de certa maneira Aristóteles oferece o roteiro do que fará até o final do capítulo. Como interpretar a ideia de que o pensar inclui a imaginação e a suposição? Talvez no sentido de que todo ato de pensar combina uma imagem que se apresenta à mente e alguma forma de suposição relacionada a isso. Cf. *CH*, p. 460. Uma outra maneira de interpretá-la seria que o pensar é um conceito amplo e que a imaginação e a suposição são espécies de pensamento (cf. *CHa*, p. 131).

O sentido metafórico de imaginação a que ele se refere talvez seja o nosso sentido de fantasia, isto é, aquele em que a apresentação de imagens à mente obedece apenas ao livre jogo da fabulação.

Aristóteles, por fim, levanta uma questão que pautará a sequência do capítulo: estaria a imaginação incluída entre as disposições cognitivas por meio das quais se distingue o falso do verdadeiro? Em outras palavras, seria a imaginação percepção, opinião, intelecto ou ciência? Nos próximos parágrafos, ele mostrará que a imaginação não é nenhuma dessas disposições; e só no parágrafo 428b10 terá início a parte positiva de sua análise, quando ele explicará como ocorre e o que é a imaginação em seus próprios termos.

428a5. Aristóteles levanta quatro argumentos para refutar a tese que identifica imaginação e percepção sensível, isto é, que associa a imaginação a algum dos sentidos, esteja ele em ato ou em potência.

Em primeiro lugar, a imaginação não pode ser percepção sensível, pois a imaginação atua enquanto dormimos — por exemplo, produzindo os sonhos —, e é evidente que neste caso os sentidos não estão em atividade.

Em segundo lugar, a imaginação não pode ser nenhum dos sentidos em potência, pois um deles é sempre encontrado nos animais, mas não a imaginação. A imaginação tampouco é um dos sentidos em atividade, pois algum ato da sensibilidade subsiste nos animais; e se este fosse idêntico à imaginação, então subsistiria nos animais também a imaginação, inclusive em formigas, abelhas e vermes.

Além disso, os sentidos jamais se enganam quanto a seus objetos próprios, enquanto a imaginação é frequentemente falsa. Quando, por exemplo, temos acuidade sensível, não dizemos que as coisas nos aparecem tal e qual são; expressamo-nos dessa maneira principalmente quando o sentido não discerne com clareza: é apenas neste caso que o que nos aparece pode ser falso ou verdadeiro.

Por fim, as imagens — sejam as que perduram após a visão, sejam aquelas desvinculadas de um ato recente de visão — podem ocorrer mesmo quando o sentido da visão não está em atividade (quando estamos de olhos fechados, por exemplo).

O que pensar dos argumentos apresentados por Aristóteles? Hamlyn, embora a sua análise seja um pouco incomum, aponta os seguintes problemas: o segundo argumento parece funcionar só para uma das espécies de imaginação distinguidas em 434a5 ss. Pois Aristóteles afirma que a imaginação sensitiva subsiste também nos animais irracionais, ao passo que a imaginação deliberativa está presente exclusivamente nos racionais — para os quais, portanto, o argumento seria verdadeiro. Além disso, a observação de que a imaginação é, na maioria das vezes, falsa não se encaixa bem com o que foi sugerido em 427b16 sobre a irrelevância de falso e verdadeiro para a imaginação, na medida em que ela não concerne a objetos externos, diferentemente da suposição (cf. *CHa*, p. 132).

428a16. Nesta passagem, Aristóteles primeiro levanta um argumento contra a identificação da imaginação com a ciência e o intelecto — estes são disposições sempre verdadeiras, mas a imaginação, por sua vez, pode ser falsa — e, em seguida, refuta a identificação da imaginação com a opinião.

Os dois argumentos apresentados para isso não parecem, contudo, se justificar. Aristóteles, por um lado, sustenta que (a) a opinião é sempre acompanhada de convicção — algo a que animais não têm acesso — e que (b) a convicção pressupõe o ser persuadido por alegações racionais — e tampouco a razão é algo a que os animais têm acesso. Mas também não parece exato sustentar que a opinião é algo sempre acompanhado de convicção.

428a24. Aristóteles finaliza esta parte — sobre o que a imaginação não é — ao examinar se ela pode ser uma combinação de percepção sensível *e* opinião, no que os comentadores reconheceram uma tentativa de refutar as posições apresentadas por Platão em *Timeu* 52a, *Sofista* 264a-b e *Filebo* 39b.

O ponto em questão é que não se trata de crença e opinião fundadas nas percepções dos sentidos, mas de percepção e crença quanto a uma e mesma coisa (por exemplo, o branco), de maneira que a imaginação seria o opinar *x* sobre o percebido *x*.

O exemplo apresentado por Aristóteles é claro e sua objeção, em suma, é a seguinte: os sentidos muitas vezes nos iludem, como quando a visão nos mostra o Sol menor do que um pé; mas essa percepção pode estar acompanhada da crença verdadeira de que o Sol é maior do que a terra habitada. Ora, se a imaginação fosse opinião combinada à sensação em um mesmo propósito, então teríamos duas opções: ou no ato de combiná-las desistimos da opinião sem termos sido persuadidos a fazê-lo e sem que os fatos tenham se alterado, ou então conservamos ao mesmo tempo a opinião falsa (sugerida pelo sentido) e a verdadeira (sugerida por nossa crença), o que é absurdo.

A última frase da passagem resume todas as conclusões acumuladas até este ponto: a imaginação não é idêntica nem à percepção sensível, nem ao pensamento, vale dizer, nem à ciência e ao intelecto, nem à opinião (quer ela esteja sozinha, quer combinada à percepção).

428b10. Nesta passagem, Aristóteles dá início à parte positiva do seu tratamento sobre a imaginação, nos seguintes termos: visto que um movimento pode provocar outro movimento, é possível que a alteração dos órgãos sensoriais e a atividade dos sentidos provoquem uma alteração secundária e similar à original. A imaginação é justamente uma alteração derivada daquela que constitui a percepção sensível e, nessas condições, a imaginação só poderá subsistir em seres dotados de sensibilidade. Não está claro, contudo, de que maneira ela se relaciona com o pensamento, embora, no que diz respeito ao falso e ao verdadeiro, parece que esse será o ponto abordado no parágrafo seguinte.

428b17. Estão em pauta agora os vários graus de falibilidade da percepção sensível em função de seus diferentes objetos sensíveis — a saber, próprios, acidentais e comuns —, tal como eles foram distinguidos no capítulo 6 do livro II. E, diferentemente do que foi dito em 418a11, Aristóteles agora afirma que a percepção do objeto próprio a cada sentido é verdadeira ou minimamente falsa. A percepção daquilo que é acidental a cada um deles, por sua vez, admite uma margem maior de engano, e a do que é comum a mais de um sentido — qualidades como forma, tamanho, figura e movimento — tem ainda maior probabilidade de erro. Isso talvez tenha relação com a natureza relativa de tais características.

428b25. As imagens que nos aparecem em decorrência das alterações produzidas em nossos órgãos pelas qualidades próprias a cada sentido são verdadeiras quando o objeto está presente; mas as produzidas pelos objetos sensíveis comuns e acidentais podem ser tanto verdadeiras como falsas, especialmente quando o objeto está distante de nós.

428b30. Aristóteles fecha o capítulo com o enunciado final de sua definição e com uma pequena nota sobre etimologia, relacionando *phantasia* a *phaos* — luz.

Capítulo 4

Os capítulos 4 a 8 compõem o bloco concernente à parte intelectual da alma. É uma peça importante daquilo que seria uma teoria do intelecto de Aristóteles, a qual inclui não muitas outras passagens do *corpus*, das quais as principais são: *Ética a Nicômaco* VI, sobre as virtudes intelectuais; *De Generatione Animalium* II, 3, sobre o *nous* e embriões; *Metafísica* I, 1, e *Segundos Analí-*

ticos II, 19, sobre a relação entre intelecto, memória e percepção sensível e, por fim, *Metafísica* XII sobre o primeiro motor imóvel.

O tratamento que Aristóteles dispensa ao intelecto no *De Anima* revela certas anomalias ante o programa de investigação que estava em andamento. As capacidades vinham sendo examinadas das mais às menos gerais: primeiro a nutrição e a reprodução, que pertencem a todos os seres vivos, depois a sensação, que pertence a todos os animais. Era então de se esperar que a capacidade de locomoção, compartilhada pela grande maioria dos animais, fosse abordada antes que o intelecto, subsistente em poucos. A mudança de ordem talvez tenha a ver com o fato de existir alguma vantagem em tratar, lado a lado, as duas capacidades de discriminar objetos, principalmente em vista do problema que guia toda a discussão — saber qual a natureza da distinção, se é que há alguma, entre percepção sensível e intelecto. A segunda anomalia desse bloco é não começar pelo exame do objeto correlato — os inteligíveis — como ele tinha recomendado proceder [415a20-2]. E a razão talvez seja que é mais difícil compreender, neste caso, o objeto do que a atividade propriamente dita e a parte da alma responsável por ela.

O tema do capítulo é o intelecto passivo [*nous pathêtikos*], como dirá Aristóteles no próximo capítulo [430a24], que foi exaustivamente estudado pelos comentadores antigos. O capítulo divide-se em três partes principais. Aristóteles, primeiro, levanta duas questões a serem respondidas: uma, quanto à separação do intelecto, e outra, sobre como ocorre o pensar. Apresenta, a seguir, três argumentos para provar que o intelecto é separado, vale dizer, distinto da percepção sensível e desprovido de um órgão sensorial. Em seguida, distingue a atividade intelectual de discriminar a forma de um composto daquela de discriminar a sua, digamos, essência. Por fim, Aristóteles apresenta, e soluciona, dois impasses decorrentes de sua exposição.

429a10. O verbo *conhecer* [*ginôskei*] designa o aspecto mais teórico da atividade intelectual, e o verbo *entender* [*phronei*], seu aspecto mais prático, ambos voltados para objetos. Mas cabe sublinhar que conhecer não é uma atividade exclusiva do intelecto, e o termo tem ao menos uma ocorrência em que está ligado à atividade dos sentidos [*GA* 731a33]. Nesta passagem, é justamente a adição de *phronei* que distingue, ao que parece, o intelecto do sentido [427b6 ss.].

A primeira questão levantada — se o intelecto é uma parte efetivamente separada ou se é separável apenas em abstração — deve ser interpretada no sentido de saber se o intelecto é ou não uma parte separada das demais capacidades da alma. Tendo apontado que as capacidades da alma são inseparáveis do corpo, Aristóteles frequentemente faz reservas quanto ao intelecto. Em 403a3-10, por exemplo, aponta que, na maioria dos casos, as ações e afecções da alma não ocorrem independentemente do corpo, embora o pensar pareça peculiar só à alma; caso nem mesmo isso ocorra sem imagens mentais, então o pensamento não seria independente do corpo. Em 423b24-7, ele observa que o intelecto e a potência teórica da alma parecem ser de um outro gênero, e só o intelecto admite, tal como o eterno, separar-se do corruptível.

Aristóteles, em suma, retoma a questão com que se ocupou nos capítulos anteriores deste terceiro livro, a qual consiste em saber se o intelecto é ou não uma parte efetivamente separada da percepção sensível ou se elas são apenas distintas em abstração.

429a13. Nesta passagem, Aristóteles apresenta dois argumentos para mostrar que o intelecto é separável, ou seja, uma parte distinta da percepção sensível. Os dois processos (pensar e perceber) — que, de acordo com 427b27, não são idênticos — serão assumidos, contudo, como análogos. Aristóteles sugere que a atividade do intelecto consiste em captar as formas inteligíveis, da mesma maneira que a percepção sensível consiste em receber as formas sensíveis sem a matéria. Com base nisso, sustenta que o intelecto deve ser *apathes* — impassível, isto é, não afetado — para não alterar as formas que apreende. O ponto foi apresentado por

Platão em *Timeu* 50a-51a. E, tanto em um caso como em outro, a expressão *paskhein ti* significa não uma destruição pelo oposto (como no caso do calor, que, sendo afetado pelo frio, é destruído, dando lugar ao contrário), mas seguramente a passagem da potência à atividade.

A analogia entre sentido e intelecto, contudo, deve ser levada com cautela: o intelecto, como veremos, não tem órgão físico; o objeto inteligível, de certa maneira, está na própria alma, e por isso a análise em paralelo do intelecto e dos sentidos é imperfeita. A expressão *sofrer algo* é ambígua, e *sofrer algo* pela sensibilidade é diferente de *sofrer algo* para o pensamento. De fato, Aristóteles é mais lacônico do que se esperaria no detalhamento das diferenças entre os dois.

Em outras palavras, nada tendo sofrido e sendo totalmente destituído daqueles objetos que tem de receber, o intelecto também não poderá ser afetado por eles em sua própria natureza, quando os tiver recebido (cf. *CH*, p. 476). Para que possa ser receptivo da forma — e, tal como ela, em potência —, o intelecto deve ser não afetado e impassível. O primeiro argumento [a13-24] pode ser assim reconstituído:

(a) pensar é como perceber, no sentido de receber a forma do que é pensado sem a matéria, e de tornar-se, de alguma maneira, semelhante a ela;

(b) se o que pensa já tiver uma forma, não será possível que adquira a forma alheia;

(c) não há nada que não se possa pensar;

(d) logo, o que pensa não tem qualquer forma, exceto esta: ser potencial, isto é, capaz de receber formas.

Foram apontados alguns problemas neste raciocínio. A primeira e terceira premissas parecem questionáveis: de que maneira o que pensa se torna semelhante à forma pensada? Aristóteles havia prometido explicar como ocorre o pensamento, mas dizer simplesmente que pensar é receber a forma do pensado parece não dar conta do recado. Cf. Charlton, "Aristotle on the Place of Mind in Nature".

O intelecto precisa ser ainda *amigê* — sem mistura [a18] —, como disse Anaxágoras. Isto é, não misturado aos próprios objetos de cognição. Alguns intérpretes antigos suplementaram o termo: "O intelecto não é misturado à matéria". Contudo, "parece mais razoável que Aristóteles primeiro chame atenção para os atributos em que intelecto e sentido concordam, antes de passar às suas não similaridades" (cf. *CH*, p. 477). Sendo assim, *amigês* aproxima-se do significado de *apathês*, e até a linha a24 — "Por isso, é razoável que tampouco ele seja misturado ao corpo" — o que está em jogo é a relação do intelecto com seus objetos. Só a partir deste ponto é que Aristóteles se ocupará da relação entre intelecto e matéria.

Aristóteles apresenta agora um segundo argumento para provar que o *nous* é separável do corpo [a24-9]. Pois, se fosse misturado ao que é corpóreo, o *nous* seria dotado de alguma qualidade — por exemplo, teria uma certa temperatura — e disporia de um órgão corporal. Mas não há um órgão do intelecto. Logo, o *nous* não é misturado ao corpo. O raciocínio de Aristóteles também apresenta problemas. Ele toma por evidente que não há um órgão corpóreo específico para o pensamento — e se o cérebro tem algum papel, para Aristóteles, este se liga principalmente à refrigeração do corpo. Mas isso não parece provar que o pensar independa de todo de eventos fisiológicos. Como ele mesmo havia apontado, se o pensamento requer imagens mentais, então nem mesmo ele ocorreria sem o corpo.

Se o intelecto fosse material, não poderia receber simultaneamente a forma do calor e a forma do frio; se fosse imaterial como a sensibilidade, mas dotado como ela de um órgão corporal, o estado desse órgão impediria de receber as formas em sua pureza e mesmo apanhar algumas delas, assim como a constituição física do tato o torna impróprio à percepção de certas temperaturas [...] (cf. *CRod*, p. 439).

Mas as implicações últimas do argumento talvez tenham sido mais bem captadas por Hicks: uma coisa incorporal pode ser dita *per acidens* misturada ao corpo, e essa extensão imprópria do termo *mistura* pode ser usada para denotar a união da forma e da matéria na coisa concreta. É nesse sentido que Aristóteles nega ao intelecto mistura com o corpo. Como parte da alma, o intelecto reside no corpo todo e usa-o como seu órgão. Se não exatamente "misturado ao" corpo, o intelecto é, em todos os eventos, dependente do corpo, sem o qual ele não poderia ser suplementado com imagens mentais. Deve ser, portanto, em relação a suas operações que estamos considerando a questão da mistura ou não mistura com o corpo. A recepção das formas que constitui o pensar deve ocorrer sem a intervenção do corpo (cf. *CH*, p. 481).

429a29. A linha geral deste terceiro argumento seria a seguinte: um objeto perceptível muito forte atua sobre o órgão de maneira que tende a destruí-lo; se o objeto inteligível atuasse da mesma maneira sobre um órgão corporal, seu excesso produziria resultado similar. Mas não é o caso; logo, o intelecto é separável, isto é, existe independentemente de um órgão físico.

Em suma, o intelecto deve ser não misturado a nada, já que pensa tudo. E assim, de acordo com Aristóteles, o intelecto é em potência tal como todas as coisas, mas, em ato, absolutamente nenhuma delas. A concepção do intelecto como pura potencialidade, nesse sentido, é uma consequência direta de sua ideia de que é possível pensar todas as coisas. Contudo, há muitos pontos obscuros sobre o *status* do intelecto: como é possível que ele seja potencialidade de órgão nenhum, isto é, em relação a essa parte da alma, o que significa exatamente o termo *noêtikon* — intelectivo ou capaz de pensar —, se não é capacidade de um órgão corporal? "O melhor que se pode dizer é que a capacidade ou potencialidade em questão concerne ao homem todo e é dependente das outras faculdades que têm órgãos" (cf. *CHa*, p. 136).

Tendo apontado esta primeira diferença — o intelecto não é capacidade de um órgão corporal —, Aristóteles mostra uma segunda diferença em b6-10. Em relação ao intelecto, é preciso distinguir dois graus de potência: o intelecto, por um lado, é uma *dynamis* ou potência — por exemplo, no sentido em que toda e qualquer criança tem a capacidade intelectual de aprender a ler por fazer parte do gênero humano. Mas o intelecto, por outro lado, também é uma potência no sentido de que é uma disposição ou habilidade intelectual adquirida que pode entrar em atividade tão logo o próprio sujeito que dela dispõe decida — por exemplo, como quando dizemos que tem potência para ler aquele que já foi alfabetizado, embora eventualmente não esteja no pleno exercício da leitura.

Em outras palavras, no caso do intelecto, a potencialidade se dá em duas etapas, as quais correspondem respectivamente a *dynamis* e *hexis*. No caso da percepção sensível, por sua vez, os animais já vêm "instruídos" pelo genitor [417a16 ss.]: e não precisamos aprender a ver para dispormos da visão quando quisermos. Porém, sem termos sido instruídos, não temos à nossa disposição, por exemplo, a habilidade de calcular ou ler.

Aristóteles distingue, ainda, potências irracionais — por exemplo, o quente que só é capaz de aquecer — de potências racionais — por exemplo, a capacidade do médico que tanto pode curar como fazer adoecer. A percepção sensível é uma potência irracional na medida em que é uma capacidade para a mudança natural em apenas uma direção dada. A intelecção é uma potência racional, pois é uma capacidade para opostos (por exemplo, tanto para o vício como para a virtude: e é por treino e atividade que se elimina a disposição de um deles e se reforça a outra).

A distinção *dynamis/hexis/energeia* é apresentada em *Fis.* VIII, 4, em *Met.* V, 20. A *hexis* é um substantivo formado a partir do verbo *ekhô* — ter —, e indica o ato de possuir. Se entre o que produz e o que é produzido encontra-se a produção [*poiêsis*], da mesma maneira encontra-se, entre o que tem e aquilo que é tido, a *hexis* ou ação de posse, a qual, por sua vez, é oposta à privação [*sterêsis*]. "*Hexis*, em um segundo sentido, é uma certa disposição [*diathesis*] segundo a qual se está ou bem ou maldisposto" [*Met.* 1022b10-4]. A saúde e a virtude são uma certa *hexis*.

429b10. Nesta segunda parte, está em jogo a distinção entre a intelecção da forma — que é levada a cabo pelos sentidos e pelo intelecto — e a intelecção, digamos, da essência e, para usar a locução empregada pelo próprio Aristóteles, "do que é ser o que é", que é uma realização exclusivamente intelectual. Aristóteles lança mão da distinção entre a forma realizada na matéria e a essência, para mostrar que o intelecto é uma parte da alma separada das demais.

Alguns comentadores modernos tomam essa distinção como entre a coisa concreta — apreendida pelos sentidos — e a forma, essência ou quididade, como preferem os escolásticos — apreendida pelo intelecto. Já que conhecemos a carne e coisas semelhantes pelo sentido e as formas ou quididades pelo intelecto, Aristóteles parece discutir a seguinte questão: são os sentidos e o intelecto diferentes ou são a mesma faculdade em duas atitudes diferentes? A diferença entre as duas faculdades foi assumida o tempo todo (*e.g.* 413b24 ss., 414b16ss.) com base no fato de que os animais possuem sensação, mas não intelecto. É possível que Aristóteles esteja retomando a questão, deixada inconclusa em 429a11, de saber qual é o tipo e o grau de separação entre o intelecto e o resto das faculdades. Poderia parecer que o intelecto é, depois de tudo, apenas os sentidos em uma diferente relação, pois algumas considerações favorecem tal visão. Ao longo do tratado, Aristóteles esteve sempre hostil à aceitação de distintas partes da alma, e onde ele aceita isso como uma hipótese de trabalho é sob protesto, como, por exemplo, em 432a22 ss. A unidade essencial da alma é enfatizada sempre [...]. Além disso, em outros textos, ele aproxima sentido e pensamento [*P. Anal.* 100a7, *Met.* 1087a19, *EN* 1143a35 ss.], cf. *CH*, p. 487.

Rodier tentou uma explicação diferente. Ele assume que *carne* é um termo ambíguo, pois se refere tanto (a) à carne particular, que é conhecida pelos sentidos, como (b) à carne universal, que é conhecida pelo intelecto. No caso (a), a carne e sua quididade são julgadas por duas faculdades diferentes; no caso (b) a carne e sua quididade são discernidas pela mesma faculdade, a saber, o intelecto em duas atitudes distintas. Cf. *CRod*, p. 448.

O fato é que nem os comentadores antigos, nem os modernos, conseguiram dar uma explicação inteiramente satisfatória para esta passagem. A mais geralmente seguida é a de Themistius: para captar as formas separadas, o intelecto se basta; para capturar as formas com a sua matéria, o intelecto precisa da percepção sensível. Quando o intelecto conhece as formas em si mesmas, ele é simples como a linha reta, e quando ele captura as coisas — matéria e forma —, ele é composto tal como a linha quebrada. Cf. *CRod*, p. 445.

O mais correto, por conseguinte, será dizer que é a mesma faculdade que captura as formas puras e as formas realizadas na matéria, mas que ela não se comporta igualmente nos dois casos.

Na minha maneira de ver, a passagem é mais compreensível seguindo o sentido que lhe deram os antigos. A grandeza, a água e a carne — bem como o adunco — não são, parece-me, apreendidas exclusivamente pelos sentidos. A teoria aristotélica da percepção sensível é clara neste ponto: os sentidos recebem as qualidades que lhe são correlatas, como a cor, o som, a temperatura etc.; mas que algo é carne, grandeza, água, isto apenas acidentalmente se apreende pelos sentidos, e é o intelecto, por meio deles, que captura tais noções. A forma será, então, algo apreendido pela cooperação entre sentidos e intelecto. A forma, por sua vez, inclui certas características gerais, mas não é idêntica à essência (a forma do homem realizada em uma matéria determinada inclui, por exemplo, um certo sexo, que não é uma característica acidental da mesma natureza que ser músico ou ser o filho de beltrano). A essência do homem, por outro lado, exclui essa característica formal e é ainda mais abstrata. Ela não é uma noção morfológica e compreende somente aquelas características relevantes a uma explicação teleológica [*Met.* 1058b2; *GA* 778a29, b19; *PA* 640a33-b4].

429b18. A mesma distinção feita no parágrafo anterior — entre intelecção da forma e intelecção da essência — é agora aplicada às entidades matemáticas, que parecem puras abstrações, mas são tal como o adunco e não têm existência separada. Porém, há uma diferença entre a matéria perceptível do adunco e a matéria inteligível da reta [*Met.* 1036a4-12]. A reta pode ser analisada em dois aspectos logicamente distintos: o material, em que é algo que existe como comprimento e contínuo (no espaço), e o formal, em que é uma dualidade e aquilo que se estende de um ponto a outro. Sobre a não existência independente das entidades matemáticas, ver ainda *Metafísica* VI, 1.

Nessas condições, é claro que o intelecto lida com diversos graus de separação entre forma e matéria, e este parece ser o sentido da última frase.

429b22. São apresentados os dois problemas que ainda pedem solução: (1) Como o intelecto pode pensar, sendo simples e não afetado, como pretende Anaxágoras, se o pensar é justamente uma maneira de afetação pelo inteligível? (2) Será o próprio intelecto um objeto inteligível a si mesmo? Aqui está em jogo o mesmo problema colocado anteriormente para a sensibilidade no que diz respeito à percepção do próprio ato de percepção sensível. Mas isso parece apresentar um dilema. Se o intelecto pensa a si mesmo, é por ser inteligível. Ora, se tudo o que é inteligível é idêntico em forma, isto é, se a inteligibilidade do intelecto é igual à de outro inteligível qualquer, então temos duas possibilidades: ou os outros inteligíveis também seriam intelectos que podem pensar a si mesmos, ou haveria algo misturado ao intelecto, diferenciando-o dos demais inteligíveis. Neste caso, contudo, seria inadequado pretender que o intelecto é algo simples e sem mistura.

429b29. A passagem é excessivamente sucinta e os comentadores sentiram necessidade de suplementá-la de alguma maneira. Todavia, o sentido deste parágrafo final é relativamente claro, e Aristóteles pretende apresentar possíveis soluções para os dois problemas levantados no parágrafo anterior. Para lidar com o primeiro, ele repete, aproximadamente, o mesmo esquema que empregou para a percepção sensível: o intelecto antes de pensar é somente em potência os inteligíveis e nada em atualidade.

Cabe notar que a teoria aristotélica do intelecto que está sendo construída é radicalmente distinta da noção platônica de reminiscência. Segundo Platão, os verdadeiros objetos do conhecimento são formas que não podem ser capturadas pela percepção sensível. Sem dúvida, a percepção sensível oferece a oportunidade e o estímulo para que a alma tenha uma recordação das formas que contemplou antes de encarnar. O papel da sensação na aquisição do conhecimento é apenas o de ajudar o intelecto a resgatar as formas exatas que a alma traz em si e que constituem os princípios da ordem do mundo. Para Aristóteles, por sua vez, o intelecto deve ser apto a receber inscrições, tal como uma tabuleta onde nada está escrito em ato e tudo potencialmente poderá vir a ser escrito. Esta é a força, a meu ver, da imagem escolhida por ele para descrever a potencialidade do intelecto. Mas é preciso cautela na analogia: a tabuleta não representa literalmente o intelecto, na medida em que ela é algo efetivamente existente (e o intelecto, por sua vez, é mera potencialidade), o que ambos têm em comum é a aptidão para receber inscrições.

O segundo dilema — que na verdade envolve a distinção entre o que é ser para o intelecto e o que é ser para o inteligível — dissolve-se na medida em que não é verdadeiro afirmar que o inteligível é uno em espécie. As coisas materiais, embora sejam inteligíveis, tanto quanto o intelecto, só são inteligíveis em potência, e não são justamente por isso intelectos. Pois não é com inteligíveis em potência, mas com inteligíveis em atualidade, que o intelecto é idêntico no processo de pensar. O inteligível, referido nesta passagem como o que é independente de matéria, é aquilo que no próximo capítulo será examinado como *adiareton*; em relação a ele, Aristóteles dirá que não cabe o falso ou verdadeiro, mas algo como captar ou não captar, ocorrer apreensão ou não ocorrer — como é o caso da percepção do objeto sensível próprio a cada sentido. Ele lança, por fim, um novo item em sua pauta: é preciso investigar a razão de o intelecto não estar o tempo todo pensando.

Para uma interpretação arrojada que subverte a maneira tradicional de aplicar as distinções entre *dynamis*, *hexis* e *energeia* à parte intelectual da alma — isto é, [a] a potencialidade intelectual do gênero humano, [b] aquela de um indivíduo que já dispõe do conhecimento da gramática e [c] a atividade de pensar propriamente dita —, ver Zingano, *Razão e sensação em Aristóteles*. Sua (sedutora) estratégia, em poucas palavras, consiste em inverter, de certa maneira os aspectos [b] e [c]: pensar será, então, primeiramente a atividade de produzir inteligíveis e, secundariamente, dispor e ter em potência os inteligíveis já pensados. Ela, por um lado, resolveria (a favor do estagirita) uma querela (por demais abrangente) que se arrastou, sobretudo entre os franceses, a respeito da avaliação do esforço de Aristóteles de substituir o idealismo platônico por uma teoria do intelecto. Além disso, acentua a distinção entre a percepção sensível e o pensamento — buscada, sem dúvida, por Aristóteles — e emprega um surpreendente método contrastivo (apresentado em *Tópicos*) que permite comparações dentro de um mesmo gênero, e que estaria em jogo também em *De Anima* III, 4-5 (já que tanto uma como a outra são partes da alma do gênero discriminativo). A interpretação, contudo, requer alterações discutíveis no estabelecimento do texto e o recurso não menos polêmico a uma hipótese de cunho geneticista.

Capítulo 5

Este é o célebre capítulo em que Aristóteles distingue o aspecto passivo do intelecto, tal como foi exposto no capítulo anterior, do aspecto ativo, para o qual a hermenêutica acadêmica criou a expressão *nous poiêtikos*. Vale observar que o próprio Aristóteles não usa o termo consagrado pelos intérpretes, de maneira que é recomendável alguma cautela para não cindir a unidade do intelecto mais do que o permitido por essa distinção de caráter metafísico.

Aristóteles, no capítulo anterior, sustentou as seguintes teses, que agora são explicitamente atribuídas ao *nous pathêtikos* [430a24]: (a) ele é inteiramente não afetado e não misturado a seus objetos, e por isso pode pensar tudo; (b) seu objeto (o inteligível) é a forma-substância, que ou se encontra separada em ato, ou está misturada aos objetos sensíveis compostos; e (c) o intelecto em atividade é idêntico a seu objeto em atividade, além de (d) desprovido de um órgão corporal específico. Tudo isso sugere que, nesta modalidade de recepção do objeto, a mente se torna inteiramente conformada ao que está sendo conhecido. Neste capítulo, por sua vez, o aspecto do *nous* que pode assim se tornar todo e qualquer inteligível é distinguido daquele que pode produzi-los (similar a uma arte [a7]): ele primeiro é descrito como uma *hexis* (similar à luz [a15]) e, depois, como uma *energeia* [a18].

O texto do capítulo, segundo Ross, pode ter sofrido perda de partes importantes, embora seu estado de conservação não seja tão ruim quanto o do capítulo 6. Sua concisão é quase enervante, Aristóteles é mais alusivo do que de costume, como se tivesse escrito às pressas — o que seguramente não deve ser o caso. Os comentadores insistem demais, talvez por esse motivo, na estreita conexão desta passagem do *De Anima* com a *Metafísica* XII (livro lambda), cap. 6 e 9. Para uma breve exposição das interpretações dos comentadores antigos sobre o *nous poietikos*, ver Brentano, "*Nous poiêtikos*: Survey of Earlier Interpretations".

430a10. A mesma distinção lógica que pode ser feita em tudo o que é natural, entre o aspecto material e o formal — distinção que é ainda melhor para os artefatos, nos quais se distingue claramente a matéria (de que são feitos) da arte que os produz —, Aristóteles agora aplica ao caso do intelecto. De maneira que se pode distinguir o que é intelecto por se tornar os objetos inteligíveis

— tal como examinado no capítulo anterior — e o que o é por produzir todos eles.

Duas outras passagens do livro IX da *Metafísica* podem ainda, no meu modo de ver, contribuir para a interpretação da distinção que está em curso nesta passagem, além daquelas mencionadas e recomendadas pelos comentadores. No exame da noção de potência, a seguinte distinção é feita: há a potência de A modificar B ou parte de B (por exemplo, a cor pode mudar o transparente em ato), e há, por sua vez, a imanência em A de passar a um novo estado (o órgão pode passar da potência à atividade). Aristóteles refere-se, ao que parece, à transitividade e à possibilidade como aspectos implícitos na noção de potência. E ele se expressa nestes termos: uma é a potência passiva [*tou pathein*] [1046a11] —, isto é, um princípio de mudança que reside no outro, ou em si mesmo como outro — e outra potência é a *hexis apatheias* [a13] — ou seja, uma disposição impassível diante da mudança para pior e da destruição pelo efeito do outro (ou de outra coisa como o princípio de mudança). Ao que tudo indica, o aspecto passivo do intelecto é deste segundo tipo.

Quanto ao aspecto ativo do intelecto, cabe explorar um pouco mais a analogia feita com a luz e analisar melhor o seu papel na ativação da percepção visual, para desse modo inferir qual pode ser o papel do intelecto na ativação da intelecção. Em primeiro lugar, cabe lembrar que a luz é um terceiro fator, que põe em atividade uma relação entre o sujeito (a visão) e o objeto (a cor) e, dessa maneira, ela ativa o processo de visibilidade da cor em potência. A luz, portanto, não cria a visibilidade, embora acione a visão. Em outras palavras, é uma condição necessária, mas não suficiente, para a visão.

A visão, por sua vez, é uma disposição psíquica localizada, digamos, em um órgão sensorial corpóreo — o olho. E a capacidade de ver é um condicionamento natural do órgão, cuja *dynamis* ou potência já está à disposição do sujeito perceptivo, dispensando instrução prévia para entrar em atividade: ela é gerada pelo progenitor. Mas não deixa de ser um dispositivo, na medida em que é, digamos, um estado em aberto e uma aptidão à espera da atuação alheia — que, contudo, não lhe é estranha — para entrar em atividade. Isso é o que significa dizer que toda disposição é "em estado de ser em relação a algo de algum modo" [*en toi pros ti pôs ekhein*] [*Fis.* VII, 3, 246b4]. A visão, além do mais, envolve uma certa relação proporcional e discrimina variações e combinações entre os extremos do branco e do preto, e o excesso no visível pode ser destrutivo para a visão.

Na outra ponta, temos a cor em potência, isto é, uma qualidade que reveste o visível por si. E entre uma e outra — a capacidade de visão do órgão e a cor do visível — está a qualidade intermediária do que é potencialmente transparência — o ar ou a água. Na presença de fogo ou de um corpo celeste (etéreo), o transparente faz-se luz, e a luz, por sua vez, faz das cores em potência cores em ato. E, nessas condições, a luz permite que a cor alheia atue sobre o órgão. O olho, então, é aquele que se altera e em que subsiste a alteração. A visão que ocorre, contudo, não é propriamente uma alteração (embora relativa a e resultado de uma determinada alteração sofrida pelo órgão), mas simplesmente o passar da potência à atividade, um exercício que é descrito melhor em termos de conservação do que propriamente de mudança.

Apliquem-se as mesmas distinções no caso do intelecto. A primeira observação é que, no que concerne ao pensar, a racionalidade potencial dos seres humanos requer uma instrução ou aprendizado para que se torne efetivamente uma *hexis*. Em outras palavras, algum processo de capacitação intelectual precisa entrar em jogo para fazer da potência (do gênero humano) uma disposição de fato (isto é, uma aptidão e um "certo modo de ser em relação a algo"), antes do pleno exercício.

É preciso aprender a falar, ler, calcular antes de poder exercer tais aptidões. A possibilidade de pensar nem sequer é uma capacidade de um órgão corporal específico (embora provavelmente dependa indireta e rigorosamente de todos os demais). Não há, propriamente falando, uma geração da disposição cognitiva. A sua aquisição é resultado de instrução — o aprendizado de uma língua, de uma arte, como a de ler, de calcular etc. —, o que, em si mesmo, nem é uma alteração (pois nada envolve diretamente de material), tampouco é uma geração, embora para desenvolvê-la sejam necessárias alterações da parte sensitiva (como fala articulada, voz, percepção, memória e todos os demais eventos corporais que possibilitam essas alterações). Aristóteles, além disso, sustenta que toda e qualquer virtude ética, por exemplo, relaciona-se aos prazeres e às dores corporais — que são alterações da capacidade perceptiva —, sendo então necessário, evidentemente, algo se alterar no processo de perda ou aquisição de tais disposições.

De fato, Aristóteles é explícito quanto à impassibilidade da intelecção: "Dizemos conhecer e entender pelo repousar e fixar da reflexão" [*Fís.* VII, 3, 247b11]. "Pois alguém se torna o que conhece pelo colocar-se a alma fora do tumulto do natural" [b18]. E, para a alma, sair do tumulto provocado pelos aspectos naturais do corpo é como sair da bebedeira ou acordar: equivale a deixar de estar incapaz de servir-se da ciência. Em suma, o processo de aquisição do dispositivo intelectual não é geração, pois só há geração do que é natural, e o intelecto não é parte do mundo natural.

Aristóteles ainda diz que, se no caso da percepção sensível a passagem da disposição natural à atividade e ao pleno exercício é uma conservação da aptidão, no caso da intelecção a passagem é um aperfeiçoamento *teleiôsis*. E, já que a potência intelectual requer capacitação (digamos, cultural, pois não vem naturalmente capacitada), não surpreende que Aristóteles se refira à passagem da *hexis* para a *energeia*, nesse caso, em termos de um avanço em direção a um fim.

Na outra ponta do processo está o objeto inteligível — seja em potência, como no caso da forma em seres compostos (o grande, por exemplo), seja em ato e separada da matéria (o que é ser grande) —, que, diz Aristóteles, de certa maneira está na própria alma. Isso quer dizer que, antes da aquisição de qualquer aptidão, o intelecto é em potência todos os inteligíveis (como uma tabuleta em que tudo pode ser escrito), depois (e quanto àqueles em que foi atualizado), o intelecto é idêntico a seus objetos em atividade. Em suma, o intelecto é o que nele for inscrito através de instrução e aprendizado. E o intelecto ativo é uma condição necessária, mas não suficiente, para o pensamento. Uma vez atualizado, o intelecto torna-se uma disposição como a luz, que pode ser utilizada sempre que se queira. É esse, a meu ver, o sentido de suas palavras em *Met.* 1048a13-6: todo e qualquer ser potencialmente racional deve sua potência não à necessidade, mas a algo como o desejo ou a escolha (de alguma coisa — a virtude, por exemplo — em detrimento de seu contrário — o vício).

430a18. O texto desta passagem apresenta problemas e lacunas, bem como dúvidas quanto a sua possível adulteração. Foi alvo das mais variadas interpretações — umas mais e outras menos descoladas do (suposto) espírito da letra. Por isso, as pequenas observações a seguir têm o caráter de mera tentativa de compreensão do argumento em jogo.

O intelecto em atividade, como foi afirmado, é idêntico a seus objetos. E ainda que, do ponto de vista do indivíduo, o aspecto passivo do intelecto (e sua possibilidade de conhecer tudo o que há de inteligível) preceda o intelecto atualizado — com determinadas inscrições já operadas —, o intelecto passivo não tem prioridade em termos absolutos. Pois há de ter um intelecto em ato — cuja existência é separada (e independe de nós) —, que seja eterno exatamente na medida em que não é em nada potencial. E, como tal, a respeito dele não cabe falar em pensamento intermitente — "Não há o ora pensa, ora não pensa" —, pois ele é estritamente atual.

É difícil conciliar o parêntese com o restante do parágrafo: de que nós não nos lembramos? É do processo de atualização do nosso intelecto em potência? É difícil deduzir do pouco que é dito. Segundo Hamlyn, Aristóteles estaria tentando explicar por que temos lapsos de memória, ainda que haja um intelecto ativo em nós — sempre pensando e inteligindo inteligíveis. A resposta é que o intelecto ativo não é responsável nem tem vínculos com a memória (pois, se assim fosse, teria de ter um aspecto afetável).

Capítulo 6

Na sequência da análise do intelecto em termos de um aspecto passivo e outro ativo, Aristóteles passa ao exame da atividade intelectual e de suas duas operações distintas: (1) o pensamento de objetos inteligíveis indivisos e (2) a formulação de juízos e proposições. O principal assunto deste capítulo é a do primeiro tipo: *tôn adiairetôn noêsis* — isto é, a apreensão intelectual de um objeto inteligível unitário ou, em outras palavras, o pensamento de noções simples e básicas.

A dificuldade que os comentadores viram em certas passagens sugeriu uma intervenção significativa no estabelecimento do texto, em particular o reposicionamento das linhas 14 e 15.

430a26. A expressão *adiaireton* pode ser traduzida por indivisível e por indiviso, mas é esta segunda alternativa que funciona melhor no andamento do argumento apresentado aqui. É possível que uma locução do tipo "objeto inteligível unitário" explicasse melhor ainda o que está em jogo, pois seguramente *adiaireton* é um sinônimo menos vago para a noção de *hen* — uno. O tipo básico de objeto inteligível em que Aristóteles se concentra neste capítulo se liga ao que ele designou, em *Met.* 1051b17-1052a4, como *ta asyntheta* —, isto é, objetos inteligíveis não compostos.

Em relação a eles, Aristóteles agora afirma que não cabe falar em verdade ou falsidade, enquanto na passagem da *Metafísica* ele diz que a verdade consiste em alcançá-los e exprimi-los, e que a falsidade é o contrário disso: não alcançá-los e ignorá-los. É razoavelmente seguro interpretar essas afirmações no sentido de que, em relação à intelecção de noções básicas e de termos simples, ou se chega ao pensamento do conceito, ou este não se realiza e perdura a ignorância. A verdade é a simples apreensão do inteligível, e não apreendê-lo é ignorância, uma relação que Aristóteles já havia estabelecido na relação do sentido com seu objeto correlato específico. O assunto, contudo, deu margem a especulações acerca de uma intuição do intelecto de caráter quase místico — no sentido de um contato intelectual imediato com o ser —, interpretação que foi desautorizada pela pesquisa mais recente. Cf. Berti, "The Intellection of Indivisibles according to Aristotle *De An.* III, 6".

Em contrapartida, Aristóteles assume que falsidade e verdade têm lugar no segundo tipo de atividade intelectual: quando o intelecto opera uma síntese de conceitos para elaborar um juízo. Isto é, não cabe atribuir verdade ou falsidade até que as noções simples estejam combinadas em uma proposição. O exemplo apresentado por ele é do tipo mais elementar de proposição falsa: aquela que atribui ao sujeito o predicado contrário ao que ele possui. Aristóteles também acrescenta que, se a proposição se refere a fatos presentes ou futuros, a noção de tempo ainda precisa ser combinada, o que significa incluir na composição uma variável adicional e não menos sujeita a engano e acerto (em *De Interpretatione* 2, o mesmo tema é desenvolvido de maneira um pouco diferente).

Aristóteles, por fim, sugere que a operação intelectual de combinar noções simples em uma unidade pode também ser considerada, inversamente, em termos de uma separação (ou divisão) daquilo que é complexo em seus elementos constituintes simples.

A citação de Empédocles, que é repetida em *DC* 300b30 ss., ilustra a ideia de que partes não conectadas foram combinadas para formar corpos orgânicos — algo inteiramente estranho ao espírito da biologia aristotélica —, da mesma maneira como termos singulares são combinados para formar juízos e proposições.

430b6. A passagem, particularmente difícil, deu trabalho aos intérpretes; o posicionamento das linhas b14-15 na sequência da linha b20 foi adotado na maioria das traduções, por inserir uma digressão deslocada do exame deste parágrafo. Mas há outros problemas no estabelecimento do texto, além de pequenas inserções de autenticidade duvidosa.

Aristóteles, inicialmente, distingue (a) o objeto inteligível indiviso em ato e (b) o objeto inteligível indiviso em potência. Os do primeiro tipo são aqueles que se apresentam como unidades, embora possam ser divididos. A ideia, em linhas gerais, é esta: quando pensamos em um comprimento que se apresenta como uma unidade (portanto, como indiviso em ato, embora potencialmente divisível), ele é um ato intelectual único e que acontece também de uma só vez (isto é, em um tempo também único). Mas tanto o comprimento como o tempo são potencialmente divisíveis. É possível, então, saber o que é pensado em cada metade? Aristóteles sugere que não, da seguinte maneira: que se divida, então, o comprimento! Ora, ao pensarmos uma de suas partes, novamente o fazemos por um ato único e em um tempo único, de maneira que o intelecto opera exatamente como operou diante do comprimento inteiro — pois, mesmo que seja uma parte, ela por sua vez também é pensada como um objeto indiviso. E, igualmente, se, em vez de dividir, somarmos duas partes do comprimento, este novo todo será pensado mais uma vez como um objeto inteligível unitário: em um ato único do intelecto e de uma só vez.

Aristóteles aponta ainda que há algo intrínseco que faz das partes (quer do comprimento, quer do tempo) novas unidades. Os comentadores viram, nesse princípio de unidade conferido ao ser, uma crítica implícita à tese platônica de que a unidade é conferida por algo separado. O tema é reapresentado em *Metafísica* I, 2.

430b20. Nas linhas b14-15, deslocadas para a cabeça do parágrafo, é mencionado um segundo tipo de *adiaireton*: o objeto inteligível que é uno em forma. Aristóteles, sem maiores detalhes, aplica o que foi afirmado no caso do objeto quantitativamente indiviso ao caso do que é qualitativamente indiviso.

Aristóteles aborda ainda um terceiro tipo de objeto indiviso: o ponto, a linha divisória e todo e qualquer limite que, segundo ele, é pensado no contraste com aquilo que delimita e à maneira da privação, conhecida por meio daquilo que nega. A mesma ideia, em seguida, é ampliada para outras noções privativas, como as de "mau" e "preto". Ora, o sujeito que pensa tal noção privativa precisa ser em potência o que o objeto já é em ato, afirma Aristóteles, e, nessas condições, precisa ter potencialmente em si o contrário positivo pelo qual a noção privativa e em ato do objeto é reconhecida.

Na última sentença, os comentadores são unânimes em ver uma alusão ao primeiro motor imóvel [*Met.* 1075b20], isto é, a causa suprema divina, que, em *Met.* XII, 6-10, Aristóteles descreve como pensamento que pensa a si mesmo e que está de todo separado da matéria e não tem nada contrário a si mesmo.

430b26. O parágrafo final resume o ponto central tratado no capítulo: o pensamento de uma proposição ou juízo pode ser verdadeiro ou falso, mas o pensamento do objeto inteligível — que por fim é explicitamente identificado ao que é substancial no ser sem sua matéria — não opera da mesma maneira (neste caso, como foi visto, ou há apreensão ou ignorância). E é também explicitado o paralelo que esta ideia guarda com a atividade do sentido em face da atuação do objeto sensível correlato.

Capítulo 7

Este capítulo não constitui uma discussão articulada acerca de um tema único e mais parece uma coleção de notas esparsas, que giram em torno de questões mais práticas do que teóricas, envolvendo intelecto, imaginação e sentidos. A sensibilidade é agora examinada em termos da percepção do agradável e do desagradável (ou doloroso) e do impacto disso no pensamento — como afirmação e negação do bom, operando no comando da motivação (busca do agradável ou aversão ao doloroso). Em outras palavras, o capítulo trata da atividade coordenada de perceber, pensar e procurar o agradável (ou evitar o doloroso), em que os intérpretes viram a transição do aspecto teórico do intelecto para o prático, ou mesmo uma deliberada comparação entre pensar e sentir, dado o constante paralelo entre um e outro.

431a1. A passagem é notável por conter a afirmação explícita de que a percepção sensível, como atividade da alma e na medida em que consiste no mero acionar de algo acabado e já pronto, nem bem é uma afecção, nem bem é uma alteração. Ser afetado e alterar-se (no sentido ordinário de ter uma dentre duas qualidades excludentes substituída pela outra) são movimentos e mudanças físicas concernentes ao âmbito natural — ao que é gerado e contém matéria — e que ocorrem no corpo, isto é, nos órgãos sensoriais. A atividade da alma, por sua vez, é a passagem de um estado passivo a um ativo. Por meio do exercício e do funcionamento, a capacidade resultante de uma série de modificações naturais se conserva e se mantém.

A primeira frase destaca-se do resto do parágrafo; os comentadores, considerando-a intrusiva, foram tentados a deslocá-la para outras passagens (desnecessariamente, a meu ver). Ela consiste na repetição de ideias já apresentadas com mais detalhes em 430a18: é o bordão aristotélico sobre a prioridade do atual sobre o potencial, desenvolvido de modo ainda melhor em *Metafísica* IX, 8.

431a8. Aristóteles sustenta aqui claramente que o ponto de partida do intelecto prático é a percepção sensível. O sentido recebe o sensível que lhe é próprio — e essa apreensão é comparada a uma declaração simples, para a qual não cabe falar em verdadeiro ou falso, tanto quanto não cabe para a apreensão intelectual de noções básicas (isto é, do inteligível indiviso, examinado no capítulo anterior). Mas, na medida em que o sentido percebe o objeto sensível como agradável ou doloroso (Aristóteles sugere que esses sentimentos, de alguma maneira, estão ligados à adequação ou inadequação do objeto à média que constitui o sentido), algo bem mais complexo acontece. No âmbito da percepção sensível, perceber o objeto como agradável (e sentir prazer) corresponde a uma espécie de afirmação (intelectual) de que o objeto é (relativamente) bom. Esse ato cognitivo complexo (que combina percepção, imaginação ou intelecto) opera, por sua vez, como um comando para o sujeito buscar o objeto em questão. E similarmente: se o percebido é o desagradável, isso equivale à negação de que o objeto é bom e ao comando de evitá-lo. Sobre esses pontos ver também *EN* 1139a21; 1147a25 ss.; 1174b14 ss.

Em 424a4 ss., Aristóteles afirmou que o sentido é uma espécie de média entre os extremos compreendidos por seu objeto sensível e que por isso mesmo ele é capaz de discriminá-los. Similarmente, Aristóteles afirma agora que é pela parte sensitiva da alma que percebemos o agradável e o doloroso, para os quais se aplica então aquela mesma noção — a saber, que são discriminados pela mesma média que constitui o sentido —, sem deixar de acrescentar, como de costume, que essas coisas são logicamente distintas.

A afirmação de que, para a alma capaz de pensar, as imagens mentais funcionam como *aisthema*, isto é, como sensações percebidas, indica que as imagens podem "afetar" o intelecto da mesma maneira que os objetos perceptíveis podem afetar o sentido.

431a17. O parágrafo como um todo é uma digressão (difícil e obscura) sobre a percepção sensível comum, e em certo sentido interrompe o assunto em curso. Na primeira sentença, Aristóteles admite que as percepções culminam em uma coisa só, dotada de um critério — a média que este representa —, em bases semelhantes ao papel que as diferentes médias desempenham para os diversos sentidos. Não é fácil perceber o que Aristóteles quer dizer com isso exatamente.

Há, na linha a20, uma lacuna evidente de texto. Em seguida, Aristóteles repete, em outros termos, o que havia dito em 426b8: que é por meio da atividade comum da percepção sensível que os objetos perceptíveis heterogêneos — como o branco e o quente — são discriminados. A percepção sensível, dito de outra maneira, é una, embora sua unidade admita diversidade de relação, assim como o ponto e todo e qualquer limite são tanto o início como o fim daquilo que delimitam [427a9]. Aristóteles sustenta que as qualidades quente e doce, sendo unas por analogia (isto é, na relação que guardam com a percepção sensível comum) e em número (isto é, pelo fato de ambas pertencerem a um mesmo objeto), guardam entre si a mesma relação que a qualidade de branco em face do preto. De maneira que não há maior dificuldade, pretende Aristóteles, em compreender como duas qualidades sensíveis heterogêneas encontram-se na percepção sensível comum do que compreender como duas qualidades opostas encontram-se nela. E, assim como o branco A está para o preto B, da mesma maneira a percepção C está para a percepção D. E, alternando: assim como o branco A está para a percepção C, da mesma maneira o preto B está para a percepção D. Como foi dito, a passagem é obscura, sua interpretação, problemática, e os comentadores têm muito mais a dizer sobre essas dificuldades.

431b2. Aristóteles retoma, nesta passagem, o ponto sobre a atuação de imagens mentais na determinação da ação de um indivíduo que pensa, elegendo o que é para ser buscado e o que é para ser evitado, o que significa conferir à imaginação um papel de destaque na motivação. A ênfase agora é colocada no fato de que as imagens mentais têm este papel quer na presença de uma percepção sensível — como o exemplo ilustra —, quer na ausência dela. Vendo uma tocha que se move (pela percepção comum), o indivíduo reconhece nisso o sinal do inimigo. Este seguramente é o sentido geral, embora haja dificuldades na interpretação de detalhes.

Em outras palavras, o indivíduo que pensa age tanto em função do que efetivamente percebe — tal como o exemplo quer ilustrar — como em função apenas de imagens mentais. Neste caso, o intelecto se serve das próprias ideias e da imaginação — que, em 433b29 e 434a7, será qualificada de imaginação deliberativa e raciocinativa — para a deliberação que precede uma ação. A concisão da passagem é enervante para o interesse suscitado pelo problema envolvido: a assim chamada escolha intertemporal, isto é, a tomada de decisão que avalia as vantagens e desvantagens no adiamento de uma satisfação, bem como o impacto futuro da ação presente.

O parágrafo é fechado com uma declaração de que verdadeiro e falso — valores constantes e invariáveis de pessoa para pessoa — estão no mesmo gênero que bom e mau — valores relativos às pessoas, na medida em que influem em suas ações (o que não significa que o bem em geral deva sempre ser pensado nestes termos). E o gênero em questão seria, provavelmente, aquele das coisas a que aspiramos ou que evitamos.

431b12. O sentido geral da passagem (que parece estar fora de contexto) é claro, se pequenas dificuldades com o texto forem deixadas de lado. As entidades matemáticas não existem, de fato, separadas das magnitudes perceptíveis [*aisthêta*], embora sejam objetos inteligíveis [*noêta*] abstratos, isto é, eles podem ser pensados como separados de qualquer suporte material. Sendo assim, estão na mesma condição que o adunco (do nariz): ele também não existe separado da carne, mas pode ser pensado simplesmente como côncavo e desprovido de qualquer matéria.

A promessa de retomar o ponto sobre a possibilidade de o intelecto pensar coisas separadas — a saber, aquilo que tem existência separada e está na esfera de competência do primeiro filósofo — não foi cumprida, ao menos nos tratados que chegaram até nós.

Capítulo 8

O capítulo, embora se apresente como um resumo de pontos essenciais das análises sobre o intelecto (capítulos 4 a 7) e a percepção sensível (capítulo 2, 425b26-426a26), promete mais do que cumpre, na medida em que dá a impressão de ser um esboço ou mesmo um conjunto de notas (para serem posteriormente desenvolvidas). É pouco esclarecedor sobre a coordenação e colaboração mútua de ambas as capacidades em sua função cognitiva comum e maior (a potência de discriminar, como Aristóteles afirmará no próximo capítulo em 432a16).

Está implícito que se trata da reinterpretação aristotélica de uma tese bem conhecida pelos predecessores — "O semelhante é conhecido pelo semelhante" —, assumida, como foi visto, ao menos por Empédocles e Platão [409b26; 404b15]. Aristóteles aceita a ideia de que a alma é todas as coisas; pois tudo é, de fato, ou algo perceptível ou algo inteligível, e o intelecto é idêntico aos inteligíveis, da mesma maneira que a percepção se torna idêntica às qualidades percebidas. Mas ele sugere que são necessárias algumas distinções adicionais, ao empregar a dicotomia potência/atividade para colocar a tese dos predecessores em termos que lhe parecem aceitáveis.

O ponto em que o capítulo mais deixa a desejar concerne à declaração de que o inteligível se encontra no perceptível e não tem existência separada (uma passagem, por sinal, sempre citada em apoio a interpretações empiristas da teoria aristotélica do conhecimento).

431b20. O capítulo tem o caráter de um coroamento. Trata-se menos de uma repetição de pontos já abordados do que de uma retomada da tese que afirma a identidade entre a alma e as coisas, realizando alguns esclarecimentos necessários para torná-la aceitável e verdadeira.

431b24. A frase inicial desta passagem, além do emprego não usual da preposição *eis* (de que tanto se ocuparam os comentadores), parece artificial e preciosista. A ideia principal é clara: conhecimento e percepção sensível são divisíveis segundo a mesma dicotomia que usamos para as coisas, de maneira que se deve aplicar a noção de potencialidade às partes da alma para moderar sua identidade com os objetos efetivos e correlatos a elas.

Aristóteles tira uma conclusão — "não é a própria pedra que está na alma, mas sua forma" — que, de certa maneira, parece calcada na citação anterior de Empédocles [404b7]; e com isso leva a análise às imagens que fizeram a celebridade do capítulo: a mão é instrumento de instrumentos, assim como o intelecto é forma das formas. O ponto talvez seja chamar a atenção para a versatilidade da mão em criar todo e qualquer instrumento, bem como em poder ser usada junto com os instrumentos para as artes produtivas. E, similarmente, para a versatilidade do intelecto em pensar toda e qualquer forma, isto é, em poder receber qualquer noção e proposição inteligível inscrita nele, bem como em poder ser empregado no uso de inteligíveis para as ciências teóricas. Mas, se for assim, ampliar o mesmo trocadilho para a percepção sensível não parece uma estratégia perfeita, pois a sensação sofre as restrições impostas pelos limites do sentido, que não pode receber toda e qualquer forma sensível, já que há assumidamente excessos que lhe são destrutivos. A mesma imagem, contudo, é apresentada em *PA* 687a7-37 e abordada no tratado (de autenticidade mais que duvidosa) *Problemas* XXX, 5.

432a3. As formas apreendidas pelo intelecto, em operação conjunta com a percepção sensível, são as formas que constituem o intelecto e por meio das quais ele pensa. Elas são, obviamente, inteligíveis, tanto do tipo de abstrações matemáticas como formas de propriedades e disposições de coisas propriamente sensíveis.

Assim, a percepção sensível — tanto as sensações percebidas como as imagens mentais que acessamos na ausência das próprias percepções — são itens indispensáveis à atividade do intelecto. E isso de duas maneiras: (1) quando presentes e atuando nos sentidos, as coisas percebidas são aquelas em que estão os inteligíveis, isto é, os objetos correlatos ao intelecto, e, (2) quando ausentes, as imagens mentais derivadas das percepções fazem as vezes de sensações presentes. Imagens mentais fornecidas pelos sentidos, contudo, não são idênticas às noções simples pensadas pelo intelecto, embora este não possa operar na ausência delas.

Imaginar, por sua vez, não é o mesmo que afirmar ou negar, em que está envolvida uma combinação de coisas pensadas, adequada ou não às atribuições das coisas que estão na base da noção de falso e verdadeiro — domínio da atividade intelectual.

Muitas dúvidas permanecem, sem que Aristóteles volte a elas. Como é exatamente o trabalho do intelecto na apreensão do inteligível: como um acompanhante do objeto da percepção sensível? Ambos os inteligíveis mencionados são inseparáveis dos objetos da sensibilidade. E quais as diferenças entre eles? Em que a operação intelectual, diante de um e de outro, é diversa? Aristóteles sugere que as imagens mentais têm um papel importante nesse processo. Mas o que são elas exatamente? Parece necessário, por um lado, que os inteligíveis estejam efetivamente nos objetos perceptíveis, já que são a própria substância e essência dos seres (ou melhor, "o que é ser o que é" das coisas determinadas e perceptíveis que estão diante de nós). Neste caso, contudo, as formas inteligíveis poderiam atuar por si mesmas em nosso intelecto. Ou isso é impossível antes de uma atividade da parte do intelecto, isto é, a menos que se inscreva em nós uma luz (intelectual), seja pela instrução, seja pelo aprendizado? Sem tal capacitação intelectual (iluminação), os inteligíveis (em ato nos objetos) estariam para nós somente em potência, tal como as cores são meramente potenciais até que se faça a luz (visual). Enfim, esses são alguns dentre muitos pontos que permanecem sem esclarecimento ao final desta grande passagem sobre o intelecto.

Capítulo 9

Os capítulos 9 a 11 formam um bloco coeso sobre a capacidade de locomoção dos animais, o segundo principal atributo que a opinião comum justamente associa à alma, e marcam o início da terceira principal parte do tratado.

Tendo feito, no capítulo 4 do segundo livro, uma modificação fundamental no âmbito deste estudo, ao atribuir à alma (e não apenas à natureza) a capacidade nutritiva e reprodutiva dos seres vivos — e assim incluindo o princípio das plantas em seu exame —, Aristóteles, entre II, 5 e III, 8, ocupou-se da capacidade de discernir (tanto da percepção sensível, subsistente em todo e qualquer animal, como do intelecto, de que poucos compartilham), em cujas análises modificações igualmente importantes foram levadas a cabo: embora operem conjuntamente, o âmbito da percepção sensível, bastante ampliado, foi radicalmente distinguido do intelectual — já que a identificação de intelecto com percepção traz consequências inaceitáveis para uma teoria da verdade.

É só neste capítulo que terá início o exame do segundo principal atributo da alma animal, de acordo com a visão comum: a capacidade de transportar-se pelo espaço, exibida por quase todo animal. Esta análise, por sua vez, impõe uma última avaliação dos resultados obtidos pelos predecessores na aplicação do método de divisão às partes da alma. Qual é afinal o princípio do movimento local? Uma única potência da alma, e separada das demais — a nutritiva, a perceptiva ou a intelectiva? Ou alguma outra, diferente de todas essas?

Nisso já se anuncia, por assim dizer, o fechamento do tratado; pois, no sumário inicial de questões a serem respondidas, o problema da unidade da alma foi o último a ser levantado. Neste capítulo 9, Aristóteles expõe a parte negativa da análise concernente à capacidade animal de mudar de lugar por marcha, voo ou nado, mostrando que o princípio de tal movimento não é atribuível a nenhuma das partes separadas da alma que ele distinguiu até o momento.

432a15. Além de apresentar o objeto da investigação deste capítulo (a saber, qual o princípio de locomoção dos animais?), como se disse, Aristóteles entra também no mérito da divisão da alma em partes, reafirmando que a alma é justamente considerada princípio de conhecimento e discernimento — por meio da percepção sensível e do intelecto, já estudados — e princípio de locomoção dos animais [403b24; 405b10; 427a17], sendo preciso examinar qual parte da alma é responsável por essa capacidade.

432a22. Ele sugere agora que, se o parâmetro fosse simplesmente o de realizar distinções lógicas, seriam praticamente incalculáveis as partes da alma, dada a multiplicidade de capacidades que denotam vida. Parece, portanto, que está em questão o critério de tais divisões, e a prova de como proceder repousará, ao que parece, na eficiência explicativa das teses; de maneira que será levada a cabo uma crítica das teses tradicionais que dividem a alma em três ou em duas partes.

A divisão tripartite foi, como se sabe, consagrada por Platão em *República* 435c-445, num diálogo de Sócrates com Glauco em que, primeiro, a parte da alma que raciocina é distinguida da parte concupiscente [439d] e, em seguida, a parte impulsiva ou emotiva é diferenciada das duas anteriores, com o célebre caso de Leôncio diante dos cadáveres na estrada [439e-440a]. Mas essa não é a última palavra de Platão sobre o assunto, e no *Timeu* ele sustenta uma posição ligeiramente diferente: há um elemento imortal e semelhante à alma do mundo, encerrado dentro da caixa craniana (a alma superior [69c]), e há as almas inferiores, do gênero mortal (a dos sentimentos, a da nutrição e a da conjunção carnal [69c-d]). Há, ainda, uma passagem notável do diálogo *Fédon* em que Sócrates menciona a superioridade da parte raciocinativa da alma, para a qual o purificar-se consiste em afastar-se das perturbações das percepções sensíveis [65c]. É possível que este seja um vestígio da antiga divisão dicotômica (talvez de origem pitagórica) de uma parte racional e uma irracional, atribuída por Aristóteles explicitamente a Platão [*MM* 1182a25-7]. Talvez ela fosse uma visão mais popular, ao menos a crer em suas próprias palavras [*EN* 1102a26-9].

Aristóteles, em um primeiro argumento, aponta que sua própria divisão — em nutritiva, perceptiva e intelectiva — é mais adequada, tanto por assentar-se em diferenças mais abrangentes, como por capturar melhor as formas de vida em geral.

Em seguida, ele aponta a inadequação da divisão dicotômica para compreender a natureza da percepção sensível (bem como da imaginação e do desejo), que não se enquadraria facilmente nem na parte racional, nem na irracional.

No terceiro argumento, ele faz a mesma observação em relação à imaginação, que se distingue logicamente das demais, embora não seja fácil afirmar em qual das partes estaria incluída. A dificuldade, contudo, parece atingir a divisão proposta pelo próprio Aristóteles: afinal, a capacidade de produzir imagens mentais é ou não é uma parte distinta da alma? Algumas vezes, ele parece derivá-la e ligá-la fortemente à percepção sensível [III, 4]. Outras, refere-se à imaginação como uma espécie de pensamento [432a10-1; 433a10] e atribui-lhe papel relevante nas deliberações do intelecto prático, afirmando ainda que nem mesmo o pensamento contemplativo é possível sem imagens [432a8-9]. Por fim, Aristóteles estende a mesma observação ao desejo. O gênero desiderativo tem três espécies, e a aspiração ou vontade parece pertencer à parte racional da alma, mas o ânimo e o apetite, à parte irracional.

432b7. Aristóteles sugere que crescimento e decaimento, naturais para todo ser vivo, são regidos pela alma nutritiva. Porém, a capacidade de mover-se espacialmente, na medida em que não é compartilhada por todos, terá seguramente um outro princípio. E, da mesma maneira, há outras alterações características apenas dos animais: a inspiração e a expiração, ligados à alma nutritiva [*Resp.* 474a25 ss.], e o sono e a vigília, relacionados à alma perceptiva [*Somn.* 454a4].

432b13. Depois de descartar outras divisões em favor da sua, Aristóteles, nesta passagem, recoloca a questão inicial — qual é o princípio da locomoção do animal? — e responde, respectivamente, nos próximos três parágrafos: não é a parte nutritiva, não é a parte perceptiva, tampouco o intelecto, seja em seu aspecto prático, seja em seu aspecto teórico. A capacidade de transportar-se [*ten poreutikên kinêsin*] [a14] não é somente a marcha, mas inclui ainda o nado e o voo.

O primeiro argumento, em linhas gerais, seria este: o movimento de deslocar-se pelo espaço é sempre causado por algo que se imagina e quer; nenhum animal se locomove sem ter na imaginação algo que busque ou evite. Ora, o princípio nutritivo pode existir separado de imaginação e desejo. E completa: do contrário, também as plantas teriam de ter órgãos adaptados à marcha. Cabe, no entanto, observar que, se o deslocamento espacial é inseparável de imaginação e desejo, então de alguma maneira até os elementos teriam de ser capazes disso.

432b19. Tampouco é a percepção sensível que preside o deslocamento espacial dos animais. Pois, neste caso, todo e qualquer animal teria a capacidade de caminhar. E há, de fato, animais que vivem fixos em um substrato — os zoófitos [413b2] — e que são assim não por imperfeição, deficiência ou carência de órgãos apropriados, mas porque tal é por natureza a forma dessa espécie.

432b26. O princípio da locomoção dos animais também não é o intelecto — nem em sua atividade teórica e contemplativa, nem em sua atividade prática. O intelecto contemplativo tem caráter estritamente teórico e especulativo — por exemplo, considerar proposições tais como "Os ângulos internos do triângulo são iguais a dois ângulos retos", exemplifica apropriadamente Tomás de Aquino (cf. *CTA*, p. 466). Nada deste tipo constitui juízos sobre como agir, isto é, o que buscar ou evitar com nosso comportamento.

Mesmo se o intelecto especulativo formulasse uma proposição universal sobre como os homens em geral devem agir — e não uma que incida sobre o particular, isto é, sobre pessoas e circunstâncias determinadas —, pensar algo assim não implica necessariamente o comando de agir e de comportar-se segundo isso que foi pensado. Esses dois atos são independentes um do outro.

433a1. O intelecto prático, por fim, não é o responsável pelo movimento, pelo comportamento e pelas ações do indivíduo. Mesmo quando alguém, em determinadas circunstâncias, pensa em agir conforme certas decisões racionais, pode muito bem acontecer de seu comportamento efetivo não seguir os pronunciamentos de sua razão. É o bem conhecido problema da *akrasia* — a incontinência ou fraqueza de vontade: o indivíduo, tendo decidido por um curso sensato de ação, segue, contudo, seu desejo e seu apetite. Logo, o intelecto sozinho não é o que preside nossa ação e locomoção.

De um outro ponto de vista, a mesma conclusão é alcançada: agir de acordo com um certo conhecimento é um ato que não depende apenas desse mesmo conhecimento. Um médico, por exemplo, tem a seu dispor a ciência da cura. Porém, isso não basta para que tenha início a atividade de curar.

Para concluir sua reflexão sobre a incontinência, Aristóteles acrescenta: há, por certo, pessoas continentes que sentem o apelo dos apetites e impulsos, mas são capazes de contê-los e de obedecer ao desígnio da razão; de maneira que os indivíduos também não são, portanto, movidos exclusivamente por seus desejos.

Capítulo 10

A partir do capítulo anterior temos, em resumo, que nem a parte nutritiva nem a perceptiva são princípio da locomoção do animal, pois ambas subsistem naturalmente também em seres fixos no substrato e desprovidos de movimento próprio. Consequentemente, a locomoção está ligada a capacidades superiores da alma: o transportar-se de lugar a lugar, disse Aristóteles, é sempre motivado pela imaginação e pelo querer. E, no que diz respeito à parte intelectiva e desiderativa, essas têm então algum papel no comando de nosso comportamento. É a natureza de tais papéis o tema deste capítulo 10.

Aristóteles agora dá prosseguimento a sua análise, subordinando o intelecto ao desejo e reduzindo-os a algo comum: o objeto desejável, que, ao ser pensado ou imaginado, origina movimento. Ele mostra que o intelecto, sozinho e diretamente, não comanda o comportamento e as ações de um indivíduo, mas pode fazê-lo por meio da vontade [*boulêsis*], a forma racional do desejo. O desejo, por sua vez, pode ser movido pelo apetite [*epitymia*] e, dessa maneira, comandar os deslocamentos do animal completamente à parte da razão.

433a9. Parece, então, que são dois os princípios da capacidade de transportar-se existente na quase totalidade dos animais: o desejo e o intelecto. Pois há casos em que o apetite, uma forma irracional de desejo, comanda o movimento, e casos em que o movimento é presidido pela inteligência prática. Em uma cláusula adicional, Aristóteles, por um lado, amplia sua noção de intelecto de maneira a incluir imaginação, e com isso sua análise poderá dar conta também do comportamento de animais irracionais. Por outro lado, aponta que, no que diz respeito aos racionais, o aspecto do intelecto relevante para o comportamento de deslocar-se pelo espaço é o prático, cujo fim é algo externo a ser alcançado [*MA* 701a7-13], pois o intelecto teórico encontra finalidade em sua própria atividade [*EN* 1139a26-35]. Começando com o objetivo almejado, cabe ao intelecto prático considerar as condições de que esse objetivo depende, até chegar a uma que possa ser imediatamente realizada — a extrema —, a qual, por isso mesmo, é o ponto de partida da ação ou da produção, dependendo do caso. E um processo análogo a esse, que é desencadeado pelo intelecto prático, é levado a cabo nos animais irracionais pela imaginação.

Cabe notar que, naquele primeiro movimento, Aristóteles conduz sua noção de imaginação para a direção oposta àquela resultante de III, 4, em que a capacidade de apresentar-se imagens mentais foi fortemente ligada à percepção sensível. Nisso, contudo, parece já se anunciar a afirmação de que há dois tipos de imaginação, uma perceptiva e outra calculativa [433b29].

433a17. Aristóteles coloca em andamento agora uma análise para reduzir os dois princípios a algo comum: o desejável. Não está claro por que seria inaceitável haver dois princípios distintos e independentes para o movimento de locomoção do animal. O argumento que ele apresenta parece estabelecer que, nesse caso, seria também necessário assumir alguma outra característica compartilhada conjuntamente pelo intelecto e pelo desejo, a qual comandaria o comportamento. Mas, depois de examinados os fatos, nota-se que o intelecto não é capaz de comandar ações sem o auxílio da vontade (o que vale dizer: sem um desejo envolvido), embora o desejo mobilize o indivíduo independente e, muitas vezes, contrariamente ao pensamento. A força da redução consiste nisto: desejo, imaginação (deliberativa, como veremos) e intelecto prático têm um único e mesmo objeto correlato — o desejável. É o objeto de desejo que atua na capacidade de desejar, da mesma maneira que é o ponto de partida do intelecto prático, cuja atividade é calcular os meios em vista de um fim, e da imaginação, que desempenha esse papel sem cálculo. Mas, tanto o intelecto prático como a imaginação, que iniciam, cada um a seu modo, o curso de ação, dependem do desejável — o que faz mover sem ser movido — para desencadear o movimento propriamente dito. Em outras palavras, embora haja dois princípios de movimento — desejo e intelecto —, agora Aristóteles faz o intelecto, bem como a imaginação, subordinar-se ao desejo por meio do desejável.

Há, contudo, uma diferença: o intelecto é sempre correto, ao passo que a imaginação e o desejo, não. Pois o objeto do desejo frequentemente é o bem aparente (e não simplesmente o bem) e o que é praticável — algo que está, portanto, na esfera do contingente e do variável segundo as circunstâncias. Porém, a afirmação insistente de que o intelecto não se engana parece ainda mais despropositada e exagerada no caso do intelecto prático. Querer que isso seja assumido, no caso do intelecto contemplativo, em sua atividade de apreensão da noção simples de bem — que, como foi dito, ou ocorre (havendo, então, sabedoria), ou não (permanecendo o sujeito na ignorância) —, já é exigir muito.

Quanto à função atribuída ao intelecto prático — deliberar sobre os meios em vista de um fim exequível —, parece impossível não admitir a possibilidade do equívoco.

Embora Aristóteles não trate aqui do problema da motivação do movimento do animal nos detalhes esperados, podemos supor que as coisas se deem da seguinte maneira. Imagine-se uma primeira situação: a presença de um objeto desejável (o alimento ou a fêmea no cio, por exemplo) provoca no animal o desejo de deslocar-se até ele (em outras palavras, o desejável em ato faz com que o desejo potencial do animal entre em atividade, e com isso ele se põe em marcha — por voo ou nado — na direção de obter aquilo que abriu seu apetite, uma forma irracional de desejo). Em uma outra situação, por exemplo, o sujeito imagina algo desejável (o alimento ausente) e sua imaginação faz com que ele caminhe (e esse comportamento poderá ser sucedido por muitos outros, como pular, cavar, subir em algo, usar um instrumento) até a obtenção do desejável, a saber, o alimento. Nenhuma dessas duas situações envolve intelecto prático no deslocar-se do indivíduo (irracional ou racional) de lugar a lugar, e basta a imaginação em seu papel perceptivo e deliberativo ao lado da forma irracional de desejo: o apetite.

Em um contexto razoavelmente diferente, suponha-se um indivíduo (um jovem, por exemplo) vivendo em um ambiente de homens educados. Eles dialogam (sobre questões como se a virtude pode ou não ser ensinada), passam parte do seu precioso tempo escrevendo, ouvem demonstrações de teoremas e coisas semelhantes. O rapaz põe na cabeça (pela imaginação, portanto) algo que lhe parece o mais desejável e merecedor de ser alcançado (aprender a gramática e instruir-se na geometria; em suma, estudar na Academia de Platão). A boa vida (contemplativa) daqueles homens (o desejável em atividade) suscitou em um sujeito determinado a vontade de aprender (sua capacidade de desejar foi atualizada por um objeto correlato e efetivo). Ora, o sujeito de inteligência prática, em vista daquele fim (externo, praticável e mediato), põe-se a calcular (de trás para diante) os meios coerentes de buscá-lo para si — se quer alcançar D, é preciso fazer C; e, antes de C, é preciso fazer B; e, antes de B, é preciso agir da maneira A. A imaginação, por sua vez, delibera — "descansar, esperar o dia amanhecer, colocar as sandálias, comer e beber algo, e sair no encalço de Aristóteles" (A), "pedir-lhe para introduzir-me no círculo platônico" (B), "rogar pessoalmente a Platão para ser aceito como discípulo" (C); e, então, "levar a boa vida de estudar geometria, gramática e música" (A) —, e o indivíduo (se continente) faz exatamente isso que pensou: dorme, acorda e parte em busca de Aristóteles.

Se essas poderiam ser, *grosso modo*, instâncias aceitáveis da análise geral de Aristóteles para o movimento animal e para o comportamento humano em termos de imaginação e/ou intelecto prático (que têm em comum o objeto correlato, a saber, algo desejável), muitos pontos dela dão margem a dúvidas. Primeiro, uma vez que a forma mais baixa de desejo é o apetite, não seria correto dizer que, de certa maneira, a capacidade nutritiva tem um papel como princípio de movimento, já que tanto ela como ele têm o mesmo objeto correlato, a saber, o alimento? Qual é exatamente a diferença entre o intelecto prático — que calcula os meios em vista de um fim externo racionalmente desejável — e a imaginação deliberativa — que mostra algo à mente e desencadeia a busca do desejável? Ou melhor, como seria possível um sem o outro? Essas são algumas das questões por responder.

433a30. Nesta passagem, Aristóteles dá a sua última palavra sobre a questão das partes da alma, apresentando uma lista que chama a atenção pelas suas diferenças em relação a uma passagem análoga em 414a31-b6. Nota-se que a potência locomotiva foi substituída pela deliberativa, mencionada como uma parte da alma também em *EE* 1226b25 e *MM* 1196b27. A potência deliberativa concerne à capacidade de calcular no âmbito do contingente; portanto, parece uma subdivisão da potência intelectiva mais do que uma parte da alma com o mesmo estatuto das outras mencionadas.

433b5. Agora, segundo Tomás de Aquino, Aristóteles responde a uma possível objeção ao seu ponto de vista: se o desejo fosse o princípio do comportamento, da ação e dos movimentos do indivíduo, então ninguém seria continente, pois ser continente por definição é *não* seguir o desejo. Cf. *CTA*, p. 474. A dificuldade deixa de fazer sentido quando se admite que existirão desejos divergentes nos sujeitos racionais e capazes de ter noção de tempo: para eles abre-se uma possível oposição entre o momento imediatamente seguinte e o futuro distante, bem como dois tipos de possível confusão — por um lado, entre o imediatamente prazeroso e o prazeroso em geral e, por outro, entre o prazer e o bem. Cf. *CH*, p. 560-1.

433b13. Há, nesta passagem, controvérsias acerca do estabelecimento do texto, particularmente nas linhas 17-8. Como entender a afirmação de que o desejo — um evento de natureza psíquica — seja uma espécie de *kinêsis* ou movimento natural? Talvez o mais razoável seja tentar enquadrar a afirmação na noção de que a capacidade de desejar se desloca pelo espaço por acidente e na medida em que faz o animal como um todo se mover pelo espaço.

A locomoção, em suma, está entre os atributos comuns à alma e ao corpo, e terá um tratado voltado especialmente para ela, o *De Motu Animalium*. A doutrina dos três aspectos envolvidos no movimento [*Fis.* 256b14 e *Met.* 1072a24], nesta passagem, é desdobrada em quatro fatores. Pois aqui Aristóteles distingue (a) *to kinoun akineton* — o que faz mover sendo imóvel, a saber, o desejável ou bem praticável — de (a') *to kinoun kinoumenon* — o que faz mover sendo ele mesmo movido, isto é, a capacidade de desejar que é posta "em movimento" (ou seria melhor dizer "em atividade", movendo-se apenas acidentalmente) pelo objeto do desejo e que, ativada, ordena o movimento ao sujeito que deseja; além de (b) *hôi kinei* — ou seja, aquele por meio de que o desejo produz movimento, e isso já é corporal e orgânico, devendo ser estudado como algo comum ao corpo e à alma; e finalmente (c) *to kinoumenon* — o animal, o último da série, é movido e não comunica movimento a nada mais.

Em suma, o desejável, ou bem aparente e praticável, está no domínio do contingente, embora opere como algo fixo e constante que o animal busca e persegue; atua na capacidade de desejar que comanda o movimento de um órgão corporal, que põe o animal em marcha. Sobre isso, ver também *GA* 742a22 e *MA* 703a29 ss.

433b21. O mecanismo da locomoção animal é apresentado de maneira esquemática, e a exposição mais completa do que está envolvido nele pode ser encontrada em *De Motu Animalium*, especialmente os capítulos 1, 7 e 8 [698a14-b4; 701a36-b32; 701b33-702b11]. A imagem da juntura aponta para um detalhe na estrutura de certos instrumentos, em que coisas diferentes (com função e definição diversas) se encaixam e se articulam em um ponto onde são inseparáveis. Não é fácil relacionar o que é dito com o que vem em seguida. Mas agora a ideia, em linhas bastante gerais, é que o deslocamento do animal é mediado por um ponto de apoio (algo fixo e parado) para que o resto dele possa se mover. O membro locomotivo apoia-se em algum ponto a partir do qual empurra ou puxa o animal por inteiro, transportando-o de lugar a lugar. A imagem da roda sugere exatamente isto: um eixo fixo em torno do qual se dá a rotação.

As últimas três linhas resumem as conclusões obtidas e antecipam o próximo capítulo: a expansão do termo *imaginação*, relativamente às conclusões de III, 3, que ligavam fortemente imaginação e percepção. Agora, as imagens mentais ganham um novo papel junto aos cálculos do intelecto prático, a ponto de Aristóteles afirmar a existência de dois tipos de imaginação: a raciocinativa e a perceptiva.

Capítulo 11

Neste capítulo, a análise geral apresentada é aplicada principalmente ao caso daqueles animais a que Aristóteles se refere como imperfeitos [*peri tôn atelôn*], no sentido de que eles não têm todo o jogo completo de órgãos perceptivos, mas apenas o tato. No capítulo 3 deste livro, ele havia afirmado que esses animais tinham apetite (a forma mais simples de desejo), embora fosse preciso investigar posteriormente se eles também têm imaginação [414b3-16]. É o que ele fará agora, neste capítulo conclusivo da análise sobre o princípio de locomoção animal, o qual mostrou ser um exame das capacidades de desejar e deliberar (pela razão prática ou só pela imaginação).

433b31. Animais imperfeitos, como foi dito, não são os seres mutilados ou deficientes, como se poderia pensar, mas as espécies com aparato perceptivo pouco complexo e desenvolvido, nas quais subsiste unicamente o tato. (Aristóteles não dá exemplos, mas vêm à mente seres como vermes e minhocas.) São animais um pouco mais sofisticados do que os fixos no substrato (como as esponjas), uma vez que podem se deslocar de um lugar para outro. Eles acusam, tanto quanto os fixos, alguma sensibilidade ao toque, e assim compartilham da forma mínima de percepção, sendo por isso considerados animais. Nessas condições, afirma Aristóteles, também subsiste neles prazer e dor, isto é, percebem o que tocam como agradável ou não (a minhoca tocada por algo quente deve, portanto, experimentar desconforto) [414a3-5]. Mas o argumento é conduzido por Aristóteles numa outra direção: se eles têm tato, têm também percepção do alimento (pois este é seco ou úmido, quente ou frio, e o tato é a percepção destas qualidades) e, consequentemente, apetite, que é a forma mais elementar de desejo [a6-7]. Aristóteles deixou explicitamente por responder a questão relativa à existência de imaginação nesse tipo de animal [a16].

Agora, essa dúvida é dissipada, pois Aristóteles parece sugerir que animais dotados de tato têm imaginação, só que de maneira vaga, pouco determinada — tal como a indeterminação de seus movimentos.

434a5. Resulta, do que foi sugerido nos dois últimos parágrafos e do que é declarado agora, que existem três formas de imaginação: a perceptiva — que acabou de ser subdividida em (a) uma espécie menos e (b) uma espécie mais determinada (aquela dos animais dotados de todos os sentidos) — e (c) a deliberativa, identificada provavelmente com a raciocinativa, mencionada na linha a29. Este terceiro tipo de imaginação é a dos seres racionais, que suplementam suas deliberações conceituais com imagens. Eles de alguma maneira visualizam os passos por meio dos quais certo fim pode ser alcançado. Pois o pensamento discursivo prático é acompanhado de imagens mentais, bem como o especulativo. Ora, o ato de calcular e deliberar envolve comparações, que só são possíveis por meio de um padrão que funcione como critério; e o silogismo que opera na deliberação, de certa maneira, atribui valor e pesa as vantagens umas contra as outras, o que resulta em uma crença (ou opinião) que é a base da escolha.

434a10. A passagem apresenta problemas para o estabelecimento do texto e sua interpretação. Os tais animais imperfeitos, e dotados somente do tipo ínfimo de imaginação, parecem agir por impulso e ser incapazes de escolher. Isso sugere, por sua vez, que são totalmente desprovidos de opinião. Aristóteles confere aos homens a capacidade de deliberar com o auxílio de conceitos (acompanhados de imagens mentais) e aos animais, a possibilidade de fazê-lo exclusivamente por meio de imagens. Porém, o ato de deliberar, seja por que meio for, envolve comparação, escolha e crença em um curso de ação como o melhor — o que pressupõe alguma forma de opinião perceptiva. Assim, não é o desejo que dispõe da capacidade de deliberar.

Em suma, estão envolvidas as seguintes alternativas, segundo a interpretação de Rodier: em relação aos animais, há, por um lado, os dotados somente de tato e com uma imaginação indeterminada e, por outro, os animais com o jogo completo de órgãos dos sentidos e providos de uma imaginação perceptiva, com a qual podem comparar imagens e seguir o seu apetite, movidos pela alternativa que lhes parece melhor (sem que exista nenhuma deliberação racional). Quanto aos homens, que são dotados de intelecto prático e de imaginação deliberativa, qual a relação entre razão e desejo? Há, por um lado, aqueles que, sem nenhum conflito, seguem seus apetites acreditando que satisfazê-los é o único bem — os *akolastoi* [*EN* 1146b22] —, bem como existem os temperantes, em cuja consciência não há nenhum conflito entre o apetite e a razão, a qual comanda os desejos irracionais sem encontrar resistência, uma vez que o desejo acompanha docilmente os preceitos do intelecto prático. Há, por outro lado, aqueles que se deparam com um conflito entre razão e desejo: nos indivíduos continentes, a vontade racional vence os apetites e impulsos inferiores e, nos incontinentes, a razão é submetida ao desejo irracional. Cf. *CRod*, p. 557-61.

Se podemos dispor as coisas desse modo, então há situações em que o apetite rebate a vontade racional e não cede à sua pressão, comportando-se como uma bola [*EN* 1119b8]. Se analisarmos os fatos avaliando a força da deliberação sobre o desejo, chegamos a três movimentos possíveis: (1) o comando natural da razão sobre o desejo, nos homens temperantes — em que aquilo que foi colocado pela vontade racional mobiliza a ação e o comportamento; (2) o triunfo da razão na luta contra o desejo, nos homens continentes, e (3) o triunfo do apetite e do impulso irracional no conflito com a deliberação do intelecto prático, nos homens incontinentes. Para outras interpretações, cf. *CH*, p. 569-70.

434a16. Portanto, em qualquer silogismo prático, não é a premissa maior — por exemplo, "é preciso curar os doentes" — que mobiliza o desejo e, consequentemente, comanda a ação, mas a premissa menor — "Sócrates está doente e pode ser curado por tal remédio" [*Met.* 981a16]. A premissa maior prescreve à ação algo de caráter mais permanente e fixo; a premissa menor varia de acordo com as circunstâncias. Cf. *CRod*, p. 562.

Capítulo 12

Os dois últimos capítulos destoam, em alguns pontos, do que foi estabelecido antes, e de fato parecem não fazer parte da mesma elaboração de ideias do corpo principal do tratado. As ideias contidas neles, contudo, não representam teses de todo inconsistentes com as demais, pois também há fortes indícios de continuidade.

Neste capítulo, Aristóteles retoma algumas questões levantadas (e que haviam ficado por responder em 413b9, 414a1 e 414b33) sobre a relação entre as formas de vida e a hierarquia das partes da alma — um problema já tratado de alguma maneira em 413a20 e 413b1. A questão subjacente é: a que fim cada uma das principais capacidades é necessária? É devido a esse enfoque que os comentadores insistem na ênfase teleológica da passagem. E, desse ponto de vista, o capítulo guarda estreita relação com *De Partibus Animalium* I (especialmente 642a1-17; a31-b40). Estão em jogo aqui as condições necessárias para a existência orgânica de um ser vivo, o que inclui tanto determinadas capacidades psíquicas como os instrumentos naturais adequados a suas atividades — aspectos da alma, abordados neste capítulo, e aspectos do corpo, abordados no próximo.

Em linhas gerais, será estabelecido que, se o corpo natural orgânico — o ser vivo — realiza-se à medida que é gerado, cresce, amadurece, reproduz outro igual a si e perece, então há uma condição necessária e suficiente para a realização desse ciclo, a saber, a nutrição, ou seja, a capacidade de absorver a matéria nutriente. As plantas são seres vivos deste tipo.

Se o organismo vivo, por sua vez, é um animal — e este igualmente se realiza por meio da geração e do crescimento, culminando na maturidade e na reprodução e declinando até o perecimento —, então, para dar cabo de sua função nutritiva, é imprescindível ao menos discriminar as qualidades tangíveis da matéria de que se alimenta, quando em contato com ela. De maneira que a potência perceptiva é imprescindível ao animal: aos sedentários, ou seja, àqueles que vivem fixos em um substrato, basta ter a capacidade de sentir pelo tato; aos animais dotados de locomoção, por outro lado, é crucial que tenham os demais sentidos e que possam discriminar à distância.

434a22. A passagem retoma ideias já apresentadas em 413a20-b1. Todos os seres vivos devem ter, necessariamente, capacidade de nutrir a si mesmos, tanto as plantas como os animais. O argumento apresentado é o seguinte: todo ser vivo nascido por natureza deve ter crescimento, maturidade e declínio. Ora, a condição indispensável para isso é a absorção de alimento. Logo, a capacidade de nutrir-se é universalmente necessária à vida.

Em outras palavras, a alma nutritiva é indispensável ao viver, isto é, uma determinada forma ligada ao desempenho de uma função é uma condição necessária e suficiente para aquele ser viver. (Uma certa disposição das partes e da capacitação orgânica permite que um dado organismo entre em tal atividade — a saber, a absorção material de alimento — tão logo certas circunstâncias se apresentem; e a nutrição é crucial para a vida.)

434a27. Aristóteles aponta, nesta passagem, que a percepção sensível, por sua vez, não é uma condição necessária a todo e qualquer ser vivo, isto é, nem todo ser vivo precisa ter percepção sensível. Pois nem os corpos simples, nem os incapazes de receber forma sem matéria (a saber, as plantas) podem ter o sentido do tato. Eis o argumento que ele apresenta. Chama a atenção que Aristóteles inclua no argumento os corpos simples, o que leva a crer que se trata dos quatro elementos. O sentido de seu raciocínio, contudo, parece ser claramente este: o tato é a forma mais rudimentar de percepção sensível, e, se ele estiver ausente, então nenhuma das demais formas superiores subsistirá. Mas, se o corpo é simples (ou seja, formado por um único elemento), ou se é composto, porém incapaz de receber formas sem matéria (precisamente o que acontece às plantas), então nem mesmo o sentido do tato pode subsistir.

Aristóteles não justifica nenhuma dessas afirmações, embora possamos tomar duas passagens anteriores em auxílio desse argumento. Em 424a32, ele afirmou que as plantas são destituídas da média necessária para a discriminação de qualidades opostas, envolvidas em todas as formas de percepção. Em 422b34, por outro lado, ele se pergunta por que o corpo animado não pode ser simples. A ideia pode ser a de que não é o tecido, entrando em contato com a qualidade tangível, o que sente, mas algo mais interno. E as plantas não dispõem dos requisitos orgânicos necessários à percepção; de maneira que são afetadas com a matéria da qualidade — pois esquentam ou esfriam — mas não tem nem a média, nem o princípio responsável pela recepção exclusiva da forma.

De fato, nesta passagem há uma asserção de cunho claramente teleológico: "nada em vão faz a natureza". É possível interpretá-la no sentido de que há analogia entre a geração natural e a produção artesanal dos homens, na medida em que, tanto em um caso como no outro, certas condições materiais estão subordinadas a determinados fins. Por exemplo, se o machado deve cortar a madeira, então seus componentes materiais devem ter determinada resistência; e se o olho deve receber a alteração da luz, então sua pupila deve ser transparente. É esse, parece, o sentido do que ele afirma em seguida: "Pois tudo na natureza subsiste em vista de algo, ou é concomitância acidental [*symptômata*] [a32] do que existe em vista de algo". Segundo Rodier, tal como o que é produzido ao acaso pelo homem, as tais "concomitâncias acidentais" seriam os acidentes surgidos fora da meta natural (como certas monstruosidades), resultantes da inesperada vitória da necessidade material sobre a forma, no sentido de causa final. Ver também *Fis.* 198b35, 199a4, *GA* 770b5. Cf. *CRod*, p. 322-3.

O argumento que vem em seguida é polêmico, e poderia ser reconstruído, a meu ver, da seguinte maneira: Aristóteles afirma que a nutrição dos animais sedentários (isto é, fixos no substrato) se dá no lugar onde nasceram, e deixa implícito que a nutrição dos não sedentários, contudo, não se dá no lugar onde nasceram. Porém, como foi argumentado no parágrafo anterior, todo e qualquer ser vivo foi gerado para crescer, amadurecer, reproduzir-se e, por fim, perecer; e isso não é possível sem a nutrição. Se o animal capaz de mover-se pelo espaço [*poreutikon*] não fosse também capaz de perceber o alimento, ele não sobreviveria, pois não poderia realizar a atividade imprescindível para a vida que é a absorção de nutrientes.

Só seria possível ao animal capaz de locomoção ter alma e intelecto e não ter percepção sensível, caso isso fosse melhor ou para a alma ou para o corpo. Mas está provado que não é melhor nem para o corpo, nem para a alma vegetativa. E é evidente que tampouco seria melhor para a alma intelectiva, pois ela não pensaria melhor sem a percepção sensível. Portanto, não é possível que o animal não sedentário, desprovido de sensibilidade, tenha alma e intelecto.

Cabe observar que Aristóteles não explica por que seria pior pensar sem percepção sensível. Para outras interpretações do argumento, que contemplam também os corpos celestes (que, segundo certas passagens do *corpus*, teriam intelecto), ver *CH*, p. 576-9.

434b9. Aristóteles passa agora a considerar a constituição dos corpos dotados de percepção, isto é, dos animais. Em tese, esses corpos poderiam ser formados por um único elemento ou por diversos. É impossível, contudo, que um corpo perceptivo seja simples, pois nessas condições não terá tato, e é necessário dispor, no mínimo, de tato para ser um animal.

O argumento para a necessidade do tato não é muito claro: se o corpo do animal é suscetível ao toque de outros corpos, e se é que o animal deve sobreviver, então ele precisa ser apto a percebê-los pelo tato, a fim de aceitar algumas de suas qualidades e recusar outras.

434b18. Depois de provar que a percepção sensível é necessária à vida animal, e que o tato é imprescindível à percepção, Aristóteles, nesta passagem, procede a uma redução da gustação ao tato. O argumento apresentado é este: tudo o que é tangível é perceptível pelo tato; o alimento é tangível; logo, o alimento é perceptível pelo tato e a gustação é uma espécie de tato.

De maneira que somente o tato e a gustação (que é uma variedade dele) são sentidos imprescindíveis ao animal. Os demais sentidos existem em vista do bem-estar, e devem subsistir para certos animais, embora não para todos. Os animais capazes de locomoção precisam tê-los em vista da própria sobrevivência: é necessário terem percepção dos objetos à distância e não apenas no contato direto. E isso só é possível para aqueles que podem ser afetados pelo intermediário alterado pelo objeto perceptível.

434b29. Aristóteles, com o foco na transmissão de um efeito, traça agora um paralelo entre a propagação do movimento em geral e a propagação da alteração de qualidade — que não envolve deslocamento material — através de um intermediário. A primeira causa de movimento faz mover sem ser movida; o último item da série é movido e nada move; todos os demais itens intermediários tanto são movidos como fazem mover. O mesmo vale para a alteração, embora neste caso nada mude de lugar. O que se conclui dos exemplos apresentados é que, dependendo da natureza do intermediário, a alteração sofrida pode ser mais ou menos intensa.

435a5. Com base no que foi dito anteriormente, Aristóteles volta a criticar as (ligeiramente diferentes) teorias de Empédocles e Platão em seus traços comuns. Ambos explicam, *grosso modo*, a visão nos termos de um facho de luz que sai dos olhos. Aristóteles, por sua vez, mantém que a visão decorre de uma alteração, provocada no meio transparente pela cor e pelo formato dos objetos visíveis, que se transmite ao olho. A retomada desse tema, que à primeira vista poderia parecer um tanto deslocada, enfatiza mais uma vez o caráter essencial da percepção em geral — ser receptiva e capaz de discernir informações provenientes do objeto — sem o que, segundo Aristóteles, o animal não poderia levar a cabo a sua realização — crescimento, amadurecimento e reprodução, e perecimento.

Capítulo 13

Depois de estabelecer quais as condições necessárias para a vida em geral e para a vida animal, do ponto de vista das capacidades psíquicas, Aristóteles apresenta neste capítulo algumas condições necessárias, do ponto de vista físico: o corpo do animal, ou, como diríamos, seu organismo, é necessariamente complexo, isto é, não pode ser formado por um único dos elementos simples.

435a11. O primeiro argumento apresentado é problemático e não me parece ter sido adequadamente analisado pelos comentadores que consultei. Mais uma vez, chama a atenção Aristóteles construir um argumento obscuro para provar algo evidente: os organismos animais são compostos de partes homeômeras e não homeômeras; portanto, é evidente que não são formados por um único elemento. Aristóteles, contudo, parece querer provar que o organismo vivo é assim, e nem poderia ser de outra maneira.

O sentido geral do argumento que Aristóteles quer estabelecer, a meu ver, é o seguinte: o animal tem tato por todo o corpo e seu organismo não pode ser composto de um único elemento (a dificuldade criada pelos exemplos dados — ser de ar ou de fogo — será indicada posteriormente). Pois os elementos são intermediários através dos quais há percepção. Ora, para o órgão, perceber é entrar em contato, mesmo que indireto, com a forma do objeto (e não pelo fato de ela passar através dele). Logo, aquilo que fosse formado por um único elemento seria um intermediário, e não um órgão de percepção.

A dificuldade para esta interpretação repousa justamente no que concerne ao intermediário. Em 425a3, ele afirmou que, dentre os corpos simples, somente dois compõem os órgãos sensoriais: o ar e a água, pois o fogo ou não compõe nenhum, ou é comum a todos, na medida em que nada percebe sem calor — em que se pode ver uma alusão ao possível papel crucial do *pneuma* na percepção (ver a nota 416b23) — e a terra ou não comporia órgão nenhum, ou entraria principalmente na formação do tato. Mas, mesmo que Aristóteles tivesse dado como exemplo o ar e a água, então, neste caso, teríamos um outro problema; pois não é como ar ou água que tais elementos atuam na cadeia da alteração envolvida na percepção sensível, mas na medida em que exibem a qualidade de transparência. E Aristóteles não trata o fogo, mas a terra, como um caso à parte.

Um segundo problema do argumento é aparentemente desconsiderar toda a análise feita em 422b34-423b26, no sentido de mostrar que a carne não é o órgão da percepção tátil, mas um intermediário intrínseco ao corpo animado, levando à conclusão de que nem mesmo no caso do tato há um contato direto com o objeto. A dificuldade parece contornável na medida em que o raciocínio estabelece que, no tato, o objeto toca o corpo do animal, sem que seja importante se a carne desempenha o papel de intermediário ou de órgão da percepção. Aristóteles, além disso, emprega o termo *dokei* — "e apenas o tato *parece* ter percepção por si mesmo" —, com o que sugere que essa pode ser uma opinião não rigorosamente verdadeira.

435a20. Tampouco a terra poderia ser o único elemento que forma o tato, conclui agora Aristóteles, com dois argumentos. No primeiro, ele sustenta que um órgão deve ter em potência todas as qualidades sensíveis que percebe. Ora, as qualidades tangíveis da terra são o seco e o frio. Mas o tato percebe muitas outras qualidades tangíveis além dessas: o quente, o úmido, bem como o pesado e o leve, o duro e o mole, o polido e o áspero [422b26-7]. E, sendo assim, o tato é todas elas em potência e não apenas aquelas que caracterizam a terra. Logo, o tato, uma suscetibilidade subsistente no corpo todo do animal, é uma parte composta, embora uniforme [*HA* 489a24; *GA* 743b37; *PA* 647a15].

No segundo argumento, ele alega que a razão pela qual não percebemos com certas partes do nosso corpo (tais como cabelo, unhas e ossos) é que elas são exclusivamente compostas de terra.

435b4. Nesta passagem, Aristóteles argumenta que o excesso de determinada qualidade no objeto destrói o órgão do sentido, tal como foi dito em 422a20, e que isso leva o indivíduo à ruína somente acidentalmente. Porém, a destruição do tato — uma suscetibilidade do corpo inteiro do animal — acarreta a destruição do próprio indivíduo. O argumento pressupõe que a destruição do tato traz para o animal a inviabilidade de viver, na medida em que o tato é uma condição necessária para a sua nutrição (e parece ser justamente isso que está em jogo no argumento apresentado em 434b18).

435b19. E, por esse motivo, os demais órgãos existem não em vista do ser de um animal, mas em vista de seu bem-estar.

Léxico

adiairetos	ἀδιαίρετος	indiviso, indivisível [ver p. 302, 309, 311]
aisthêma	αἴσθημα	sensação percebida [ver p. 314]
aisthêsis	αἴσθησις	percepção sensível [ver p. 10, 149, 228, 270, 275, 284]
aisthêterion	αἰσθητήριον	órgão sensorial [ver p. 150]
aisthêtikos	αἰσθητικός	perceptivo, parte ou capacidade perceptiva [ver p. 150]
aisthêtos	αἰσθητός	perceptível, objeto perceptível, sensível [ver p. 150, 236, 316]
aitia	αἰτία	causa [ver p. 221]
akoê	ἀκοή	audição [ver p. 249]
akousis	ἄκουσις	o ato de ouvir
antikeimenon	ἀντικείμενον	objeto correlato
apophasis	ἀπόφασις	negação
haptos	ἁπτός	tangível [ver p. 268]
arkhê	ἀρχή	princípio, ponto de partida
auxêsis	αὔξησις	crescimento [ver p. 225, 334, 339]
haphê	ἁφή	tato [ver p. 266]
boulêsis	βούλησις	vontade, aspiração [ver p. 215, 325]
gennêtikos	γεννητικός	reprodutivo, capacidade de gerar [ver p. 223, 225]
geusis	γεῦσις	gustação [ver p. 264, 338]
geustos	γευστός	palatável [ver p. 262]
gnôrizein	γνωρίζειν	conhecer, tomar conhecimento
gnôsis	γνῶσις	conhecimento
dianoêtikos	διανοητικός	raciocinativo, parte ou capacidade de raciocinar
dianoia	διάνοια	raciocínio [ver p. 287-8]

diaphanes	διαφανής	transparente [ver p. 242-4]
doxa	δόξα	opinião
dynamis	δύναμις	potência, capacidade [ver p. 148, 231-3, 298, 303]
eidos	εἶδος	forma, espécie [ver p. 204, 206, 208, 220, 299]
en toi pros ti pôs ekhein	ἐν τῷ πρός τι πῶς ἔχειν	em estado de ser em relação a algo de algum modo [ver p. 306]
energeia	ἐνέργεια	atividade, ato [ver p. 148-9, 207, 231, 298, 303-4]
entelekheia	ἐντελέχεια	atualidade [ver p. 148-9, 207, 209, 221]
hexis	ἕξις	disposição [ver p. 207, 231-3, 298, 303-5]
epithymia	ἐπιθυμία	apetite [ver p. 215, 325]
ergon	ἔργον	função
hêdonê	ἡδονή	prazer
hêdys	ἡδύς	prazeroso
theôrein	θεωρεῖν	considerar, inquirir, contemplar
threptikos	θρεπτικός	nutritivo, parte ou capacidade nutritiva [ver p. 219]
thymikos	θυμικός	emotiva
thymos	θυμός	ânimo, impulso [ver p. 215]
historia	ἱστορία	estudo [ver p. 146]
katholou	καθόλου	universal [ver p. 220]
kinêsis	κίνησις	movimento [ver p. 153, 167, 329]
kinêtikos	κινητικός	motivo, parte ou capacidade de mover
krinein	κρίνειν	discernir, discriminar [ver p. 237]
kritikos	κριτικός	discernitivo, parte ou capacidade de discernir
logismos	λογισμός	cálculo
logistikos	λογιστικός	calculativo, parte ou capacidade de calcular
logos	λόγος	formulação, razão, determinação [ver p. 151, 180]
lypê	λύπη	dor
lypêros	λυπηρός	doloroso
meristos	μεριστός	divisível em partes, partível
noien	νοεῖν	pensar

noêma	νόημα	coisa pensada
noêsis	νόησις	pensamento
noêtikos	νοητικός	pensativo, parte ou capacidade de pensar [ver p. 297]
noêtos	νοητός	inteligível, objeto do pensamento [ver p. 316]
nous	νοῦς	intelecto [ver p. 293-4, 296, 303-4]
horasis	ὅρασις	visão, ato de ver [ver p. 238-9]
horatos	ὁρατός	visível [ver p. 240, 247]
orexis	ὄρεξις	desejo [ver p. 215]
osonê	ὀσμή	olfato, odor [ver p. 257]
osphrantos	ὄσφραντός	odorífero [ver p. 258]
osphrêsis	ὄσφρησις	olfação [ver p. 261]
ousia	οὐσία	substância, essência [ver p. 147, 204]
pathos	πάθος	afecção, emoção [ver p. 150]
pistis	πίστις	convicção
pneuma	πνεῦμα	pneuma, calor vital [ver p. 226-8, 340]
poion	ποιόν	qualidade [ver p. 147]
poson	ποσόν	quantidade [ver p. 147]
proteros	πρότερος	anterior
ti esti	τί ἐστι	o que é algo
to ti ên einai	τὸ τί ἦν εἶναι	o que é ser o que é [ver p. 182-3, 208, 299, 319]
tode ti	τόδε τι	algo determinado
trophê	τροφή	nutrição, alimento [ver p. 219]
hyparkhein	ὑπάρχειν	subsistir, pertencer
hypolambanô	ὑπολαμβάνω	supor
hypolêpsis	ὑπόληψις	suposição [ver p. 288]
phantasia	φαντασία	imaginação, o que se mostra [ver p. 184, 186, 285, 292, 332]
phantasma	φάντασμα	imagem
phasis	φάσις	asserção
phthisis	φθίσις	decaimento
phronein	φρονεῖν	entender [ver p. 293]
phronesis	φρόνησις	entendimento [ver p. 287-8]
phôs	φῶς	luz [ver p. 242, 292]
khôristos	χωριστός	separado

Bibliografia

Bibliografia primária

A edição do texto grego adotada nesta tradução é a da Oxford Classical Texts, estabelecida por W. D. Ross, publicada em 1956, e a que guia suas referências de página, coluna e linha é a de Immanuel Bekker, para a Academia de Berlim, publicada em 1831.

COMENTÁRIOS CONSULTADOS

Aristotle's De Anima in the Version of William of Moerbeke and the Commentary of St. Thomas Aquinas. Londres, 1951.

Aristotle De Anima, text and commentary, ed. W. D. Ross. Oxford, 1961.

Aristotle: De Anima, with translation, introduction and notes by R. D. Hicks. Amsterdã, 1965.

Aristote: Traité de l'âme, commentaire par G. Rodier. Paris, 1985.

TRADUÇÕES DOS TRATADOS DE ARISTÓTELES CONSULTADAS

ACKRILL, J. L. *Aristotle's Categories and De Interpretatione* (trad. e notas). Oxford, 1963.

ANGIONI, L. *Aristóteles: De Anima, livros I-III (trechos)*. Campinas, 1999.

ANNAS, J. *Aristotle's Metaphysics: books M and N* (trad. e notas). Oxford, 1976.

BALME, D. M. *Aristotle: De Partibus Animalium I and De Generatione Animalium I* (trad. e notas). Oxford, 1992.

BARNES, J. *Aristotle's Posterior Analytics* (trad. e notas). Oxford, 1975.

_________. *The Complete Works of Aristotle: The Revised Oxford Translation*. Princeton, 1984.

BODEÜS, R. *Aristote: De l'âme* (trad. e notas). Paris, 1993.

BOSTOCK, D. *Aristotle: Metaphysics — books Z and H* (trad. e comentário). Oxford, 1994.

BRUNSCHWIG, J. *Aristote: Topiques — livres I-IV* (ed. e trad.). Paris, 1967.

CHARLTON, W. *Aristotle's Physics I, I* (trad. e notas). Oxford, 1970.

COOKE, H. P.; TREDENNICK, H. *Aristotle: The Categories, On Interpretation, Prior Analytics* (ed. e trad.). Londres, 1983.

CRISP, R. *Aristotle: Nicomachean Ethics* (ed. e trad.). Cambridge, 2000.

GOMES, C. H. *Aristóteles: Da Alma (De Anima)*. Lisboa, 2001.

GUTHRIE, W. K. C. *Aristotle: On the Heavens* (ed. e trad.). Londres, 1986.

HAMLYN, D. W. *Aristotle's De Anima — books II, III* (trad. e notas). Oxford, 1986.

HETT, W. S. *Aristotle: On the Soul, Parva Naturalia, On Breath* (ed. e trad.). Londres, 1986.

HICKS, R. D. *Aristotle: De Anima* (trad. e comentário). Cambridge, 1907.

_________. *Diogenes Laertius: Lives of Eminent Philosophers* (ed. e trad.), vol. 1 e 2. Londres, 1991.

HUSSEY, E. *Aristotle: Physics — books III and IV* (trad. e notas). Oxford, 1983.

JANNONE, A.; BARBOTIN, E. *Aristote De l'âme* (ed. e trad.). Paris, 1966.

KIRWAN, C. *Aristotle's Metaphysics — books I, E* (trad. e notas). Oxford, 1971.

LAWSON-TANCRED, H. *Aristotle: De Anima (On the Soul)* (trad. e notas). Londres, 1986.

NUSSBAUM, M. C. *Aristotle's De Motu Animalium* (ed., trad. e comentário). Princeton, 1978.

PECK, A. L. *Aristotle: Generation of Animals* (ed. e trad.). Londres, 1979.

PECK, A. L.; FORSTER, E. S. *Aristotle: Parts of Animals, Movement of Animals, Progression of Animals* (ed. e trad.). Londres, 1983.

RACKHAM, H. *Aristotle: The Nicomachean Ethics* (ed. e trad.). Londres, 1975.

REEVE, C. D. C. *Aristotle: Politics* (trad.). Indianapolis, 1998.

RODIER, G. *Aristote: Traité de l'âme — tome I, texte et tradution*. Paris, 1900.

ROSS, W. D. *Aristotle Parva Naturalia* (ed. e comentário). Oxford, 1955.

_________. *Aristotle De Anima* (ed. e comentário). Oxford, 1961.

SMITH, J. A. *De Anima* (trad.). Oxford, 1956.

SORABJI, R. *Aristotle On Memory*. Londres, 1972.

TREDENNICK, H.; FORSTER, E. S. *Aristotle: Posterior Analytics, Topics* (ed. e trad.). Londres, 1976.

TRICOT, J. *Aristote: La Métaphysique* (trad. e notas), vol. 1 e 2. Paris, 1981.

VALLANDRO, L. *Aristóteles: Metafísica*, Porto Alegre, 1969.

WICKSTEED, P. H.; CORNFORD, F. M. *Aristotle: Physics — books I-IV* (ed. e trad.). Londres, 1980.

________. *Aristotle: Physics — books V-VIII* (ed. e trad.). Londres, 1980.

YEBRA, V. G. *Aristóteles: Metafísica* (ed. e trad. trilíngue). Madri, 1970.

Bibliografia secundária

ACKRILL, J. L. "Aristotle's Distinction between *energeia* and *kinêsis*". In *New Essays on Plato and Aristotle*, R. Bambrough (ed.). Londres, 1965, p. 121-41.

________. "Aristotle's Theory of Definition: Some Questions on *Posterior Analytics* II, 8-10". In *Aristotle On Science: The Posterior Analytics — Proceedings of the Eighth Symposium Aristotelicum*, E. Berti (ed.). Pádua, 1981, p. 359-84.

________. "Aristotle's Definitions of *psuchê*". In *Articles on Aristotle: Psychology and Aesthetics* (vol. 4), J. Barnes, M. Schofield e R. Sorabji (ed.). Londres, 1979, p. 65-75.

ARMSTRONG, A. H. *An Introduction to Ancient Philosophy*. Londres, 1947.

AUBENQUE, P. *Le Problème de l'être chez Aristote*. Paris, 1962.

BALME, D. M. "The Place of Biology in Aristotle's Philosophy". In *Philosophical Issues in Aristotle's Biology*, A. Gotthelf e J. G. Lennox (ed). Cambridge, 1987, p. 9-20.

________. "Aristotle's Use of Division and *differentiae*". In *Philosophical Issues in Aristotle's Biology*, A. Gotthelf e J. G. Lennox (ed.). Cambridge, 1987, p. 69-89.

________. "Teleology and Necessity". In *Philosophical Issues in Aristotle's Biology*, A. Gotthelf e J. G. Lennox (ed.). Cambridge, 1987, p. 275-85.

_________. "Aristotle's Biology was not Essentialist". In *Philosophical Issues in Aristotle's Biology*, A. Gotthelf e J. G. Lennox (ed.). Cambridge, 1987, p. 297-312.

BARNES, J. "Aristotle's Theory of Demonstration". In *Articles on Aristotle: Science* (vol. 1), J. Barnes, M. Schofield e R. Sorabji (ed.). Londres, 1975, p. 65-87.

_________. "Aristotle's Concept of Mind". *In Articles on Aristotle: Psychology and Aesthetics* (vol. 4), J. Barnes, M. Schofield e R. Sorabji (ed.). Londres, 1979, p. 32-41.

_________. "Aristotle and the Methods of Ethics". *Revue Internationale de Philosophie*, 131-2 (1980), p. 490-511.

_________. *The Presocratic Philosophers*. Londres, 1982.

BERTI, E. "The Intellection of Indivisibles according to Aristotle's *De An.* III.6". In *Aristotle on the Mind and the Senses: Proceedings of Seventh Symposium Aristotelicum*. Cambridge. 1978, p. 141-64.

_________. *Aristóteles no século XX*. São Paulo, 1997.

BLOCK, I. "The Order of Aristotle's Psychological Writings". In *American Journal of Philology*, 82 (1961), p. 50-77.

_________. "Aristotle and the Physical Object". *Philosophy and Phenomenological Research*, 21 (1961), p. 241-62.

BOLTON, R. "Aristotle's Definitions of the Soul: *De Anima* II, 1-3". *Phronesis*, 23 (1978), p. 258-78.

_________. "Definition and Scientific Method in Aristotle's *Post. Anal.* and *Gen. of Animals*". In *Philosophical Issues in Aristotle's Biology*, A. Gotthelf e J. G. Lennox (ed.). Cambridge, 1987, p. 120-66.

_________. "Aristotle's Method in Natural Science". In *Aristotle's Physics: A Collection of Essays*, L. Judson (ed.). Oxford, 1991, p. 1-29.

BOSTOCK, D. *Plato's Phaedo*. Oxford, 1986.

BRADIE, M.; MILLER, F. D. "Teleology and Natural Necessity in Aristotle". *History of Philosophy Quarterly*, I (1984), p. 133-45.

BRENTANO, F. *Aristóteles*. Barcelona, 1943.

_________. "*Nous poiêtikos*: Survey of Earlier Interpretations". In *Essays on Aristotle's De Anima*, M. C. Nussbaum e A. O. Rorty (ed.). Oxford, 1992, p. 313-41.

BRISSON, L. *Le Même et l'autre dans la structure ontologique du Timée de Platon*. Paris, 1974.

BURNET, J. *Early Greek Philosophy*. Londres, 1930.

BURNYEAT, M. F. "Aristotle on Understanding Knowledge". In *Aristotle on Science: The Posterior Analytics — Proceedings of the Eighth Symposium Aristotelicum*, E. Beri (ed.). Pádua, 1981, p. 97-139.

_________. "Is an Aristotelian Philosophy of Mind Still Credible?". In *Essays on Aristotle's De Anima*, M. C. Nussbaum e A. O. Rorty (ed.). Oxford, 1992, p. 15-26.

CARONE, G. R. *La noción de Diós en el Timeo de Platon*. Buenos Aires, 1991.

CHAIGNET, A. *Essai sur la psychologie d'Aristote*. Paris, 1883.

CHARLES, D. "Teleological Causation in the *Physis*". In *Aristotle's Physics: A Collection of Essays*, L. Judson (ed.). Oxford, 1991, p. 101-28.

CHARLTON, W. "Aristotle on the Place of Mind in Nature". In *Philosophical Issues in Aristotle's Biology*, A. Gotthelf e J. G. Lennox (ed.). Cambridge, 1987, p. 408-23.

_________. *Philoponus: On Aristotle on the Intellect (De Anima 3.4-8)*. Londres, 1991.

_________. "Aristotle's Definition of Soul". In *Aristotle's De Anima in Focus*, M. Durrant (ed.). Londres, 1993, p. 197-215.

CHERNISS, H. *Aristotle's Criticism of Pre-Socratic Philosophy*. Nova York, 1935.

_________. *Aristotle's Criticism of Plato and the Academy*. Nova York, 1944.

CHROUST, A. H. "The First Thirty Years of Modern Aristotelian Scholarship". In *Classica et Mediaevalia*, 24 (1963-4), p. 27-57.

CLAGHORN, G. S. *Aristotle's Criticism of Plato's Timaeus*. The Haia, 1954.

COHEN, S. M. "Hylomorphism and Functionalism". In *Essays on Aristotle's De Anima*, M. C. Nussbaum e A. O. Rorty (ed.). Oxford, 1992, p. 57-73.

COOPER, J. M. "Aristotle on Natural Teleology". In *Language and logos: Studies in Ancient Greek Philosophy presented to G. E. L. Owen*, M. Scholfield e M. C. Nussbaum (ed.). Cambridge, 1982, p. 197-222.

_________. "Hypothetical Necessity and Natural Teleology". In *Philosophical Issues in Aristotle's Biology*, A. Gotthelf e J. G. Lennox (ed.). Cambridge, 1987, p. 243-74.

CORNFORD, F. M. *Plato's Cosmology*. Londres, 1937.

CORTE, M. de. *La Doctrine de l'intelligence chez Aristote*. Paris, 1934.

DARWIN, F. (ed.). *Life and Letters of Charles Darwin*. Londres, 1887.

DEMOS, R. "Plato's Doctrine of the Psyche as a Self-Moving Motion". In *Journal of the History of Philosophy*, 6 (1968), p. 133-45.

DESCARTES, R. *As paixões da alma*. São Paulo, 1998.

DIJKSTERHUIS, E. J. *The Mechanization of the World Picture*. Oxford, 1961.

ENGBERG-PEDERSEN, T. "More on Aristotelian *epagoge*". *Phronesis*, 24 (1979), p. 301-17.

EVERSON, S. (ed.). *Companion to Ancient Thought 2: Psychology*. Cambrige, 1991.

FEREJOHN, M. T. "Definition and the Two Stages of Aristotelian Demonstration". *Review of Metaphysics*, 36 (1982), p. 375-95.

FESTUGIÈRE, A. J. "Les Méthodes de la définition de l'âme". *Revue des Sciences Philosophiques et Théologiques*, 20 (1931), p. 83-90.

FREDE, D. "The Cognitive Role of *phantasia* in Aristotle". In *Essays on Aristotle's De Anima*, M. C. Nussbaum e A. O. Rorty (ed.). Oxford, 1992, p. 279-95.

FREDE, M. "Individuals in Aristotle". In *Essays in Ancient Philosophy*. Oxford, 1987, p. 49-71.

_________. "On Aristotle's Conception of the Soul". In *Essays on Aristotle's De Anima*, M. C. Nussbaum e A. O. Rorty (ed.). Oxford, 1992, p. 93-107.

FREUDENTHAL, G. *Aristotle's Theory of Material Substance: Heat and pneuma, Form and Soul*. Oxford, 1995.

FURLEY, D. J. "Self Movers". In *Aristotle on Mind and the Senses: Proceedings of the Seventh Symposium Aristotelicum*, G. E. R. Lloyd e G. E. L. Owen (ed.). Cambridge, 1978, p. 165-79.

FURTH, M. "Aristotle's Biological Universe: An Overview". In *Philosophical Issues in Aristotle's Biology*, A. Gotthelf e J. G. Lennox (ed.). Cambridge, 1987, p. 21-52.

GILL, M. L. *Aristotle on Substance: The Paradox of Unity*. Princeton, 1989.

GOTTHELF, A. "Aristotle's Conception of Final Causality". In *Philosophical Issues in Aristotle's Biology*, A. Gotthelf e J. G. Lennox (ed.). Cambridge, 1987, p. 199-242.

GOTTHELF, A.; LENNOX, J. G. (ed.) *Philosophical Issues in Aristotle's Biology*. Cambrige, 1987.

GREGORY, R. L. *The Oxford Companion to the Mind*. Oxford, 1987.

GRUBE, G. M. A. "The Composition of the World-Soul in *Timaeus* 35a-b". *Classical Philology*, 27 (1932), p. 80-2.

GUTHRIE, W. K. C. "Plato's Views on the Nature of Soul". *Entretiens sur l'Antiquité Classique*, 3 (1957), p. 3-22.

_________. *A History of Greek Philosophy*, vol. 6. Cambrige, 1981.

HAMELIN, O. *La Doctrine de l'intellect d'après Aristote et ses commentateurs*. Paris, 1953.

HAMLYN, D. W. "Aristotle's Account of *aesthesis* in the *De Anima*". *The Classical Quarterly*, IX (1959), p. 6-16.

_________. "Aristotelian *epagoge*". *Phronesis*, 21 (1976), p. 167-80.

HARDIE, W. F. R. "Aristotle's Treatment of the Relation between Soul and the Body". *Philosophical Quarterly*, 14 (1964), p. 53-72.

HARTMAN, E. *Substance, Body and Soul*. Princeton, 1977.

HEGEL, T. G. W. F. *Philosophy of Mind: part three of the Enciclopaedia of the Philosofical Sciences*. Trad. A. V. Miller. Oxford, 1971.

HINTIKKA, J. "Aristotelian Induction". *Revue Internationale de Philosophie*, 34 (1980), p. 422-40.

IRWIN, T. H. "Homonymy in Aristotle". *Review of Metaphysics*, 31 (1981), p. 523-44.

_________. *Aristotle's First Principles*. Oxford, 1988.

_________. "Aristotle's Philosophy of Mind". In *Companion to Ancient Thought 2: Psychology*, S. Everson (ed.). Cambridge, 1991, p. 56-83.

JAEGER, W. *Aristóteles: bases para la historia de su desarollo intelectual*, J. Gaos (trad.). México, 1946.

JOHANSEN, T. K. *Aristotle on the Sense-Organs*. Cambridge, 1997.

KAHN, C. H. "Sensation and Consciousness in Aristotle's Psychology". In *Articles on Aristotle: Psychology and Aesthetics*, J. Barnes, M. Schofield e R. Sorabji (ed.). Londres, 1979, p. 1-31.

_________. "The Role of *nous* in the Cognition of First Principles in *Post. Anal.* II.19". In *Aristotle on Science*, E. Berti (ed.). Pádua, 1978.

_________. "Aristotle on Thinking". In *Essays on Aristotle's De Anima*, M. C. Nussbaum e A. O. Rorty (ed.). Oxford, 1992, p. 359-79.

KIRK, G. S.; RAVEN, J. E. *Os filósofos pré-socráticos*. Lisboa, 1979.

KOSMAN, L. A. "Perceiving that We Perceive: *On the Soul* III.2". *Philosophical Review*, 84 (1975), p. 499-519.

_________. "Substance, Being and *energeia*". *Oxford Studies in Ancient Philosophy*, 2 (1984), p. 121-49.

_________. "What does the Maker Mind Make?". In *Essays on Aristotle's De Anima*, M. C. Nussbaum e A. O. Rorty (ed.). Oxford, 1992, p. 343-58.

LABARRIÈRE, J. L. "Imagination humaine et imagination animale chez Aristote". *Phronesis*, 29 (1984), p. 17-49.

LE BLOND, J. M. *Logique et méthode: étude sur la recherche des principes dans la Physique aristotélicienne*. Paris, 1939.

_________. "Aristotle on Definition". In *Articles on Aristotle: Metaphysics*, J. Barnes, M. Schofield e R. Sorabji (ed.). Londres, 1979, p. 63-79.

LEE, E. N. "Reason and Rotation: Circular Movement as the Model of Mind (*nous*) in later Plato". *Phronesis*, supp. vol. II (1976), p. 70-102.

LEFÈVRE, C. *Sur l'évolution d'Aristote en psychologie*. Louvain, 1972.

LENNOX, J. G. "Teleology, Chance and Aristotle's Theory of Spontaneous Generation". *Journal of the History of Philosophy*, XX (1983), p. 219-38.

_________. "Divide and Explain: The *Posterior Analytics* in Practice". In *Philosophical Issues in Aristotle's Biology*, A. Gotthelf e J. G. Lennox (ed.). Cambridge, 1987, p. 90-119.

LESHER, J. H. "The Meaning of *nous* in the *Posterior Analytics*". *Phronesis*, 18 (1973), p. 44-68.

LLOYD, A. C. "Non Discursive Thought: An Enigma of Greek Philosophy". *Proceedings of the Aristotelian Society*, 70 (1969-70), p. 261-74.

LLOYD, G. E. R. "Empirical Research in Aristotle's Biology". In *Philosophical Issues in Aristotle's Biology*, A. Gotthelf e J. G. Lennox (ed.). Cambridge, 1987, p. 53-63.

_________. "Aspects of the Relationship between Aristotle's Psychology and Zoology". In *Essays on Aristotle's De Anima*, M. C. Nussbaum e A. O. Rorty (ed.). Oxford, 1992, p. 147-67.

_________. *Aristotelian Exploration*. Cambridge, 1999.

LOWE, M. F. "Aristotle on Kinds of Thinking". In *Aristotle's De Anima in Focus*, M. Durrant (ed.). Londres, 1993, p. 110-27.

MANSION, S. "The Ontological Composition of Sensible Substances in Aristotle (*Metaphysics* VII, 7-9)". In *Articles on Aristotle: Metaphysics*, J. Barnes, M. Schofield e R. Sorabji (ed.). Londres, 1979, p. 80-7.

MATTHEWS, G. B. "*De Anima* 2.2-4 and the Meaning of Life" in *Essays on Aristotle's De Anima*, M. C. Nussbaum e A. O. Rorty (ed.). Oxford, 1992, p. 185-93.

MODRAK, D. *Aristotle: The Power of Perception*. Chicago, 1987.

MORAUX, P. "Le *De Anima* dans la tradition grecque: quelques aspects de l'interprétation du traité, de Théophtaste à Thémistius". In *Aristotle on Mind and the Senses: Proceedings of the Seventh Symposium Aristotelicum*, G. E. R. Lloyd e G. E. L. Owen (ed.). Cambridge, 1978, p. 281-324.

NAGEL, T. *The View from Nowhere*. Oxford, 1986.

NUNES, C. A. (trad.) *Odisseia: Homero*. Rio de Janeiro, s.d.

NUSSBAUM, M. C. "Saving Aristotle's Appearances". In *Language and logos: Studies in Ancient Greek Philosophy*, M. Scholfield e M. C. Nussbaum (ed.). Cambridge, 1982, p. 267-93.

_________. "Aristotelian Dualism: Reply to Howard Robinson". *Oxford Studies in Ancient Philosophy* (1984), p. 197-9.

_________. "The Text of Aristotle's *De Anima*". In *Essays on Aristotle's De Anima*, M. C. Nussbaum e A. O. Rorty (ed.). Oxford, 1992, p. 1-6.

NUYENS, F. *L'Évolution de la psychologie d'Aristote*. Louvain, 1948.

OSTENFELD, E. *Ancient Greek Psychology and the Modern Mind-Body Debate*. Aarhus, 1987.

OWEN, G. E. L. "Logic and Metaphysics in some Earlier Works of Aristotle". In *Articles on Aristotle: Metaphysics*, J. Barnes, M. Schofield e R. Sorabji (ed.). Londres, 1979, p. 13-32.

_________. "*Tithenai ta phainomena*". In *Articles on Aristotle: Science*, J. Barnes, M. Schofield e R. Sorabji (ed.). Londres, 1975, p. 113-26.

_________. "Aristotle on the Snares of Ontology". In *Logic, Science and Dialectic*. Londres, 1986, p. 259-78.

_________. "The Platonism of Aristotle". In *Articles on Aristotle: Science*, J. Barnes, M. Schofield e R. Sorabji (ed.). Londres, 1975, p. 14-34.

OWENS, J. "A Note on Aristotle, *De Anima* 3.4, 429b9". *Phoenix*, 30 (1976), p. 109-18.

PARK, K.; KESSLER, E. "The Concept of Psychology". In *The Cambridge History of Renaissance Philosophy*, C. B. Schmitt, Q. Skinner e E. Kessler (ed.). Cambridge, 1988, p. 455-63.

PATZIG, G. "Theology and Ontology in Aristotle's Metaphysics". In *Articles on Aristotle: Metaphysics*, J. Barnes, M. Schofield e R. Sorabji (ed.). Londres, 1979, p. 33-49.

PELLEGRIN, P. "Logical and Biological Difference: The Unity of Aristotle's Thought". In *Philosophical Issues in Aristotle's Biology*, A. Gotthelf e J. G. Lennox (ed.). Cambridge, 1987, p. 313-38.

PORCHAT PEREIRA, O. *Ciência e dialética em Aristóteles*. São Paulo, 2001.

REES, D. A. "Theories of the Soul in the Early Aristotle". In *Aristotle and Plato in the Mid-Fourth Century: Papers of the Symposium Aristotelicum held at Oxford in August, 1957*, I. Düring e G. E. L. Owen (ed.). Göteborg, 1960, p. 192-200.

RICHARDSON, H. S. "Desire and the Good in *De Anima*". In *Essays on Aristotle's De Anima*, M. C. Nussbaum e A. O. Rorty (ed.). Oxford, 1992, p. 381-99.

ROBERTS, E. S. "Plato's View of the Soul". *Mind*, n. s., 14 (1905), p. 370-89.

ROBINSON, D. N. *Aristotle's Psychology*. Nova York, 1989.

ROBINSON, H. "Aristotelian Dualism". *Oxford Studies in Ancient Philosophy*, 1 (1983), p. 123-44.

ROLAND-GOSSELIN, M. S. "Les Méthodes de la définition d'après Aristote". *Revue des Sciences Philosophiques et Théologiques*, 6 (1912), p. 236-53; 661-75.

ROSS, W. D. *Aristóteles*. Lisboa, 1987.

_________. "The Development of Aristotle's Thought". In *Articles on Aristotle: Science*, J. Barnes, M. Schofield e R. Sorabji (ed.). Londres, 1975, p. 1-13.

RUSSELL, B. *História da filosofia ocidental*, vol. 1. São Paulo, 1977.

SCHIMITT, C. B. *The Aristotelian Tradition and Renaissance Universities*. Londres, 1984.

SCHOFIELD, M. "Aristotle on the Imagination". In *Articles on Aristotle: Psychology and Aesthetics*, J. Barnes, M. Schofield e R. Sorabji (ed.). Londres, 1979, p. 103-32.

SCHOLZ, H. "The Ancient Axiomatic Theory". In *Articles on Aristotle: Science*, J. Barnes, M. Schofield e R. Sorabji (ed.). Londres, 1979, p. 50-64.

SCHRÖDINGER, E. *O que é vida? — O aspecto físico da célula viva*. São Paulo, 1997.

_________. *La naturaleza y los griegos*. Barcelona, 1997.

SHIELDS, C. "Soul and Body in Aristotle". *Oxford Studies in Ancient Philosophy*, 1 (1988), p. 103-37.

_________. "Soul as Subject in Aristotle's *De Anima*". *The Classical Quarterly*, 38 (1988), p. 140-49.

_________. "Some Recent Approaches to Aristotle's *De Anima*". In *Aristotle's De Anima — books II, III*, D. Hamlyn (trad.), 2ª ed. Oxford, 1993, p. 157-81.

SKEMP, J. B. "*Oreksis* in *De Anima* III.10". In *Aristotle on Mind and Senses: Proceedings of the Seventh Symposium Aristotelicum*, G. E. R. Lloyd e G. E. L. Owen (ed.). Cambridge, 1978, p. 181-9.

SOLMSEN, F. "Antecedents of Aristotle's Psychology and Scale of Beings". *American Journal of Philology*, LXXVI (1955), p. 148-64.

_________. *Aristotle's System of the Physical World: A Comparison with his Predecessors*. Ithaca, 1960.

SORABJI, R. "Aristotle on Demarcating the Five Senses". In *Articles on Aristotle: Psychology and Aesthetics*, J. Barnes, M. Schofield e R. Sorabji (ed.). Londres, 1979, p. 76-92.

_________. *Necessity, Cause and Blame*. Londres, 1980.

_________. "Body and Soul in Aristotle". In *op. cit.*, p. 42-64.

_________. *Time, Creation and the Continuum*. Londres, 1983.

_________. "Intentionality and Physiological Processes: Aristotle's Theory of Sense-Perception" in *Essays on Aristotle's De Anima*, M. C. Nussbaum e A. O. Rorty (ed.). Oxford, 1992, p. 195-225.

_________. *Animal Mind and Human Morals*. Londres, 1993.

STOCKS, J. L. "The Composition of Aristotle's Logical Works". *Classical Quarterly*, 27 (1933), p. 114-24.

TAYLOR, A. E. *A Commentary on Plato's Timaeus*. Oxford, 1928.

TAYLOR, C. C. W. "Aristotle's Epistemology". In *Companions to Ancient Thought 1: Epistemology*, S. Everson (ed.). Cambridge, 1990, p. 116-42.

THOMPSON, D. W. *Aristotle: Historia Animalium*. Oxford, 1910.

VERBEKE, G. "Doctrine du *pneuma* et entéléchisme chez Aristote". In *Aristotle on Mind and Senses: Proceedings of the Seventh Symposium Aristotelicum*, G. E. R. Lloyd e G. E. L. Owen (ed.). Cambridge, 1978, p. 191-214.

WATERLOW, S. *Nature, Chance and Agency in Aristotle's Physics*. Oxford, 1982.

WEDIN, M. V. *Mind and Imagination in Aristotle*. Yale, 1988.

_________. "Tracking Aristotle's *nous*". In *Aristotle's De Anima in Focus*, M. Durrant (ed.). Londres, 1993, p. 128-61.

WHITING, J. "Living Bodies". In *Essays on Aristotle's De Anima*, M. C. Nussbaum e A. O. Rorty (ed.). Oxford, 1992, p. 75-91.

WIELAND, W. "Aristotle's Physics and the Problem of Inquiry into Principles". In *Articles on Aristotle: Science*, J. Barnes, M. Schofield e R. Sorabji (ed.). Londres, 1975, p. 127-40.

_________. "The Problem of Teleology". In *Articles on Aristotle: Science*, J. Barnes, M. Schofield e R. Sorabji (ed.). Londres, 1975, p. 141-60.

WILLIAMS, B. "Hylomorphism". *Oxford Studies in Ancient Philosophy* (1986), p. 189-99.

WITT, C. "Dialectic, Motion and Perception: *De Anima* book I". In *Essays on Aristotle's De Anima*, M. C. Nussbaumm e A. O. Rorty (ed.). Oxford, 1992, p. 169-83.

ZINGANO, M. *Razão e sensação em Aristóteles*. Porto Alegre, 1998.

Sobre a tradutora

Maria Cecília Leonel Gomes dos Reis nasceu em São Paulo em 1956. É professora na UFABC, com doutorado em Filosofia pela Universidade de São Paulo e graduação em Artes Plásticas pela Fundação Armando Álvares Penteado (FAAP). É escritora e tradutora. Pela Editora 34, publicou suas primeiras obras de ficção: *O mundo segundo Laura Ni*, em 2008, romance finalista do Prêmio São Paulo de Literatura em 2009, e *A vida obscena de Anton Blau*, em 2011. A presente tradução do *De Anima*, de Aristóteles, recebeu em 2007 menção honrosa no Prêmio União Latina de Tradução Especializada. Mais recentemente, em 2016, publicou pela Penguin/Companhia das Letras sua tradução do *Fedro*, de Platão.

Sobre o autor

Aristóteles nasceu em Estagira, no domínio dos reis da Macedônia, em 384 a.C., filho de Nicômaco, médico da corte. Depois da morte do pai, em 367, viveu em Atenas, onde por vinte anos frequentou a Academia de Platão, dedicando-se ao estudo e talvez ao ensino de retórica. A morte do mestre, em 347, leva-o a deixar a cidade. A convite de Hérmias, tirano de Atarneus, na Ásia Menor, junta-se à pequena extensão da Academia que havia ali. Depois da tomada da cidade pelos persas e da morte do amigo, Aristóteles vai viver em Mitilene, na ilha de Lesbos, onde provavelmente desenvolveu grande parte de seus estudos em ciências naturais. Em 343 é nomeado preceptor de Alexandre, o Grande, cargo que exerce por sete anos. O vínculo entre a maior inteligência e o mais poderoso indivíduo da época parece ter trazido fama e condições materiais para que Aristóteles, de volta a Atenas, estabelecesse sua própria escola, o Liceu. Depois da morte de Alexandre, em 323, o sentimento antimacedônico disseminado e livremente expresso levou Aristóteles, que tinha relações estreitas e conhecidas com a Macedônia, para longe de Atenas. Retirou-se então para Cálcis, na ilha Eubeia, onde veio a falecer em 322 a.C.

A obra de Aristóteles que chegou até nós é constituída por quase cinquenta tratados — cerca de trinta reconhecidamente autênticos, os demais de autoria mais ou menos duvidosa. Entre os mais estudados estão os trabalhos em Lógica (conhecidos como *Organon*, que inclui os tratados *Categorias*, *De Interpretatione*, *Primeiros Analíticos*, *Segundos Analíticos*, *Tópicos* e *Refutações Sofísticas*), em Ética (particularmente a *Ética a Nicômaco*), a *Poética* (obra talvez incompleta, na qual se destaca o estudo da tragédia), e ainda a *Metafísica* (termo criado posteriormente para indicar os estudos aristotélicos sobre o ser em geral).

Este livro foi composto em Sabon,
pela Bracher & Malta, com CTP da
New Print e impressão da Graphium
em papel Pólen Soft 70 g/m² da Cia.
Suzano de Papel e Celulose para a
Editora 34, em outubro de 2021.